DAS DEUTSCHE DRAMA DES MITTELALTERS

GRUNDRISS DER GERMANISCHEN PHILOLOGIE

UNTER MITWIRKUNG
ZAHLREICHER FACHGELEHRTER

BEGRÜNDET VON
HERMANN PAUL

HERAUSGEGEBEN VON
WERNER BETZ

20

WALTER DE GRUYTER · BERLIN · NEW YORK

1971

DAS DEUTSCHE DRAMA DES MITTELALTERS

VON

WOLFGANG F. MICHAEL

WALTER DE GRUYTER · BERLIN · NEW YORK

1971

ISBN 3 11 003311 0

Printed in Germany

Satz und Druck: Walter de Gruyter, Berlin 30

John R. Silber zugeeignet

VORWORT

Die Aufgabe dieses Buches ist nicht einfach. Wer wird schon leichten Herzens in den Spuren eines Borcherdt oder Knudsen, eines Young oder gar eines Creizenach wandeln wollen, noch einmal aussprechen, was dort viel besser formuliert wurde. Gewiß, neues Material, neue Einzelbehandlungen stehen zur Verfügung, und so mag man denn aus diesen auch neue Einsichten gewinnen. „Der Liebe Gott steckt im Detail.“ Wir werden versuchen, weitgehend die Primärliteratur sprechen zu lassen, die ja zu einem sehr großen Teil in leicht zugänglichen Ausgaben vorliegt. Dazu werden wir aber auch die Sekundärliteratur heranziehen, doch nur soweit sie Einzeldokumente, Einzelgebiete, Einzelfragen behandelt. Hier wird gelegentlich auch der Name Creizenach zu nennen sein, selbst wenn wir uns manchmal mit ihm kritisch auseinandersetzen müssen. Aus dieser Andacht zum Kleinen mögen sich dann, wenn auch mehr implicite, allgemeinere Resultate ergeben.

Den vielen, die bei dieser Studie Rat und Hilfe boten, möchte ich meinen herzlichen Dank aussprechen. Bibliotheken auf zwei Kontinenten haben mich in liebenswürdiger Weise ihre Schätze einsehen lassen. Die Universitätsbibliothek Freiburg hat mir auch dieses Mal in alter Verbundenheit besondere Vorrechte eingeräumt.

Ich durfte auf einem wichtigen Teilgebiet an den reichen Kenntnissen des so gastlich liebenswürdigen Kanonikus Anton Maurer teilhaben. Unter den vielen Kollegen, die mir beigestanden haben, fühle ich mich besonders verbunden dem Kreise hier in Texas, aus dessen Mitte sozusagen dieses Buch hervorgegangen ist. Mein alter Freund Dr. George Schulz-Behrend und mein junger Freund Dr. Hubert Heinen haben beide besonders beigetragen. Der Herausgeber dieser Serie Dr. Werner Betz hat mich immer wieder in freundschaftlicher Weise auf Einzelheiten aufmerksam gemacht, die ich übersehen hatte.

Dieses Buch wäre nie geschrieben worden ohne die Hilfe meiner Frau.

INHALT

I. Geistliches Drama

II. Das weltliche Volksdrama

III. Das Humanistendrama

EINLEITUNG

Was ist Drama? Diese Frage sollte jeder Behandlung des Dramas vorausgehen. Kann sie überhaupt in absoluter Weise beantwortet werden? Muß die Antwort nicht ganz anders lauten für das Drama der Antike und das Drama des achtzehnten—neunzehnten Jahrhunderts oder gar das des zwanzigsten? Gewiß, man erkennt Gemeinsames. Schließlich ist das moderne westliche Drama aus dem Nährboden der Antike emporgewachsen. Freilich, neue Gestalt formt sich; neuer Gehalt wird verarbeitet; doch die Befruchtung aus diesem einen Nährboden bleibt. Wenn man sich jetzt in den letzten Dezennien in der Gestalt mindestens von dem festen Halt der Tradition loszulösen strebt, so zeigen diese Versuche in ihrer krampfhaften Verleugnung der klassischen Vaterschaft, wes Geistes Kind das neuere Drama der westlichen Welt eigentlich ist.

Aber gilt diese Gebundenheit für das Drama des Mittelalters? Als das römische Theater verblich, als wahrscheinlich schon Senecas Tragödien nur mehr noch als Rezitationsstücke dienten, als Zirkus und Mimus das literarische Drama von den Bühnen verdrängten, als die siegreiche christliche Kirche all dies sündhafte Treiben bannte, da wußte man auf Jahrhunderte nichts mehr von der lebendigen Einheit Drama—Theater. Der Mimus, verfolgt und verboten, mag doch sozusagen unterirdisch weitergewirkt haben, mag später in der schillernden Schar der Fahrenden aufgegangen sein. Drama wird nicht geboten.

Freilich, die Palliata, besonders Terenz blieb Schullektüre, aber eben nur Lektüre. Wie man durch Cicero oratorische Geschliffenheit, die Architektur der wohlgesetzten Rede zu erfassen suchte, so bot die Komödie die Sprache des Alltags, den Wortschatz, die Metaphern für Haus und Hof. Komödie und Tragödie waren nur Genres der Literatur, die man las oder im besten Falle vorlas. Das antike Drama als Bühnendrama, als Theater kannte man nicht.

In den Jahrhunderten, in denen das Theater brach lag, hatte sich eine sonderbare, für uns recht komische Auffassung von den

Darstellungen herausgebildet[1]. Die wichtigste Ausgabe der Komödien des Terenz wurde von einem spätantiken Grammatiker namens Calliopius veranstaltet. Er setzte stolz unter jedes Werk sein: „Calliopius recensuit". In der Abkürzung „rec." konnte dies als „recitavit" mißverstanden werden, wurde es tatsächlich mißverstanden. So glaubte man, Calliopius, ein Freund des Terenz, habe die Komödien rezitiert, während die Schauspieler das Gesprochene stumm, pantomimisch durch Gestik zum Ausdruck brachten. Mittelalterliche Terenzillustrationen zeigen eine mit Calliopius beschriftete Figur in einer Art Bude, und um ihn im Halbkreis hüpfen die „histriones". Die Kombination von Rezitation und Pantomime war dem Mittelalter überhaupt bekannt. Die vielumstrittenen Spielleute, vielleicht besser Gaukler, die Nachfolger der vorher erwähnten Mimi mögen so ihre mannigfaltigen Künste angebracht haben. Jedenfalls, das Drama des Terenz als Form des Theaters war verloren und wurde erst vom Humanismus des Spätmittelalters neu entdeckt. Komödie, das war einfach ein Literaturwerk mit happy ending. Dante nannte sein großartiges Epos eine Komödie. Auch die Komödien der Hrotsvitha waren nicht als Bühnenwerke gemeint. Immer wieder erheben sich laute Stimmen für die Theatralizität unserer Stiftsdame, auch gerade in neuester Zeit[2]. Die Spielbarkeit dieser Werke soll nicht geleugnet werden, sie zeugt von dem eminenten Genie der Dichterin. Wie auch manche anderen epischen Werke sich mit großem Erfolge spielen lassen. Aber nicht allein, daß jeder leiseste Hinweis auf eine Aufführung fehlt, daß der dauernde Wechsel des Ortes das völlige Mißverstehen oder einfach Mißachten der Terenzischen Bühnenform exemplarisch darlegt, daß das Episch-Erzählende immer wie-

---

[1] Wilhelm Creizenach, *Geschichte des neueren Dramas* I² Halle: Max Niemeyer: 1911, S. 1—16 behandelt dieses Thema ausführlich, wir folgen ihm.

[2] Siehe Sister Mary Marguerite Butler, *Hrotsvitha, The Theatricality of her Plays.* New York: The Philosophical Library: 1960.

Immer wieder findet man selbst in der Fachliteratur den Irrtum: Gandersheim sei ein Kloster gewesen, Hrotsvitha eine Nonne. Auch ich habe in dem „Forschungsbericht" in der *Deutschen Vierteljahrsschrift* XXXI (1957), S. 148 Hrotsvitha eine Nonne genannt. Gandersheim war aber ein unabhängiger Reichsstift, Hrotsvitha also eine Stiftsdame. Siehe hierzu H. Homeyer, *Hrotsvithae Opera* S. 8/9, insbesondere Anm. 5, wo die Literatur über diese Frage bequem zusammengestellt ist. Übrigens ist diese Frage nur von antiquarischer Bedeutung.

der in den Dialog hineingreift, all dies ließe sich zur Not als Ringen um die Form erklären, wenn hier auch von Werk zu Werk keinerlei „Fortschritt" zu verzeichnen ist: sondern, woher sollte Hrotsvitha denn den Gedanken an Bühne überhaupt gewonnen haben? Was die Fahrenden betrieben, war Gauklerwerk, hatte kaum mit Bühne etwas zu tun; eine sittsame Stiftsdame konnte es nicht zum Vorbild nehmen. Das liturgische Drama begann erst, war noch mindestens ein bis zwei Jahrhunderte Teil des Gottesdienstes. Weder zu der einen noch der anderen Spielform zeigen Hrotsvithas Dichtungen auch nur die geringsten Beziehungen. Ihr Vorbild war Terenz als Schullektüre, ihn wollte sie durch ihre Werke verdrängen. Wer ihr Gedanken an eine Bühne unterlegt, die damals gar nicht existierte, trägt modernes Empfinden in die Welt des frühen Mittelalters.

Das Drama des Mittelalters ist also etwas völlig Neues. Bevor man an dieses Phänomen herantritt, muß man all den in der Schule aufgehäuften Ballast über das Drama der Antike, das klassische Drama, das Drama des 19. Jahrhunderts, des Naturalismus, auch über das Drama der Gegenwart abwerfen: die Einheiten, die tragische Schuld, die Katharsis, die Schürzung der Handlung, Held und Gegenspieler, oder auch Masse als Held, Verfremdungseffekt, absurdes Theater, Bewußtseinsdrama; ästhetische Wertung, didaktisch moralische Wertung. Auch im Technischen muß man nicht nur Lichteffekte, Vorhang, Kulissen wegdenken, sondern auch alle äußerliche Gliederung: Akte, Szenen, Gebrauch des Chores und so fort.

Diese Forderungen scheinen selbstverständlich; dennoch wiederholen wir sie, weil sie immer wieder vernachlässigt werden. Nackt und neu muß uns das Drama des Mittelalters entgegentreten. Und nun wiederholen wir unsere allererste Frage: Was ist Drama?, mit dem Zusatz: ist ohne Aristoteles, ohne Lessing, sogar ohne Brecht und Dürrenmatt eine Definition, oder bescheidener, eine Beschreibung dieses Dramas möglich? An anderer Stelle habe ich im Hinblick auf das Mittelalter definiert: „Ein Drama besteht aus dargestellten Vorgängen, in denen die Teilhaber die darzustellenden Personen wirklich personifizieren, Vorgängen aber, die nicht nur mehr einem rituellen Zweck untergeordnet sind, vielmehr wesentlich sich selber dienen"[3].

---

[3] „Deutsche Literatur bis 1500: Drama" in *Kurzer Grundriß der Germanischen Philologie. II S. 574*

Ich mache keinen besonderen Anspruch auf die Originalität dieser Definition, die sich zum Teil an Karl Youngs Definition anlehnt[4]. Diese Definition aber ist nötig, um Drama abzugrenzen von einer Vielfalt von dramatischen Formen, die dramatische Impulse haben, dramatische Geste, dramatischen Effekt, die sogar gelegentlich später zum wirklichen Drama werden können, die aber einstweilen nicht wirklich Drama sind und doch immer wieder als Drama bezeichnet wurden. Dabei wirkt die Bedeutungsweite, ja Zweideutigkeit des Wortes Drama gefährlich verwirrend. Ein eindrucksvoller historischer Vorgang: die Krönung eines Königs, die Abdankung eines bedeutenden Staatsmannes heißt oft Drama; oder man bezeichnet andere historische Ereignisse, aber auch solche des täglichen Lebens als Komödie, als Tragödie, als Farce, als Theater. Man vergißt, daß hier das technische Wort nur als Metapher steht, daß es nicht im eigentlichen Sinne gebraucht ist.

So wurde immer wieder und trotz Youngs Warnung auch neuerdings die Messe als Drama aufgefaßt[5]. Schon Young hatte hingewiesen auf eine Stelle in der Gemma Animae des Honorius (etwa 1100), die die Messe als Drama interpretiert. Hardison übernimmt dieses Zitat — freilich ohne Young zu erwähnen. Wir wiederholen das Zitat seiner Wichtigkeit halber:

> Sciendum quod hi qui tragoedias in theatris recitabant, actus pugnantium gestibus populo repraesentabant. Sic tragicus noster pugnam Christi populo Christiano in theatro Ecclesiae gestibus suis repraesentat, eique victoriam redemptionis suae inculcat. Itaque cum presbyter *Orate* dicit, Christum pro nobis in agonia positum exprimit, cum apostolos orare monuit. Per secretum silentium, significat Christum velut agnum sine voce ad victimam ductum. Per manuum expansionem, designat Christi in cruce extensionem. Per cantum praefationis, exprimit clamorem Christi in cruce pendentis. Decem namque psalmos, scilicet a *Deus meus respice* usque *In manus tuas commendo spiritum meum* cantavit, et sic exspiravit. Per Canonis secretum innuit Sabbati silentium. Per pacem, et communicationem designat pacem datam post Christi resurrectionem et gaudii communicationem. Confecto sacramento, pax et communio populo a sacerdote datur, quia accusatore nostro ab agonotheta nos-

---

[4] Karl Young, *The Drama of the Medieval Church*. Oxford: The Clarendon Press: 1933, I, S. 80. Hinweise auf dieses Werk erscheinen von jetzt ab im Text mit Autornamen, Bandnummer und Seitenzahl in Klammern.

[5] O. B. Hardison, Jr., *Christian Rite and Christian Drama in the Middle Ages*. Baltimore: The Johns Hopkins Press: 1965.

> tro per duellum prostrato, pax a judice populo denuntiatur, ad convivium invitatur. Deinde ad propria redire cum gaudio per *Ite missa est* imperatur. Qui gratias Deo jubilat et gaudens domum remeat (Young I, 83)[6].

Für Hardison sind diese Ausführungen nicht nur Beweis, daß die Messe wirklich Drama ist, er geht weiter:

> The conclusion seems inescapable that the ,,dramatic instinct" of European man did not ,,die out" during the earlier Middle Ages, as historians of drama have asserted. Instead, it found expression in the central ceremony of Christian worship, the Mass (S. 41).

Gerade das Umgekehrte scheint mir der Fall. Hardison muß später selbst zugeben:

> By the same token, the roles of the participants are fluid. At times the celebrant is the High Priest of the Temple sacrificing the holocaust on the Day of Atonement, at other times he is Christ, and at one point he is Nicodemus assisting Joseph of Arimathea at the entombment. The congregation can be the Hebrews listening to prophecies of the Messiah, the crowd witnessing the Crucifixion, the Gentiles to whom the Word was given after it had been rejected by the Hebrews, and the elect mystically incorporated into the body of Christ. Numerous conflicts among levels of interpretation, inconsistencies of chronology, and abrupt shifts of meaning are apparent (S. 44)

Betrachten wir den Text des Honorius. Gleich der erste Satz zeigt jene verwirrte, verwirrende Zusammenstellung von ,,recitare" und ,,gestibus repraesentare". Er erweist, daß Honorius von wirklichem Drama nichts wußte. Dann wird jedem Akt des Priesters eine symbolische Bedeutung im Leben Christi unterlegt, z. T. in recht gezwungener Weise. Glaubt Hardison wirklich, daß die gewöhnlichen Mitglieder der Gemeinde diesen gekünstelten Symbolismus auch nur verstanden, geschweige denn als Drama miterlebten? Was das eigentliche Drama bringt, ist nicht symbolische Eindeutung, die dann natürlich so oder so ausgelegt werden kann, sondern wirkliche Verkörperung. Ein Dar-Steller, der eine andere Person verkörpert als diese andere Person handelt, fehlt beim ,,Drama" der Messe vollkommen.

Häufiger und eingehender versuchten die Volkskundler Riten, Bräuche, Traditionen als Drama hinzustellen. Da ist die Legende

---

[6] Hardison, *Christian Rite,* S. 39/40 bringt eine englische Übersetzung dieser Stelle.

von den Kultspielen der Germanen: „Dramen", die „unsere Vorfahren" als „altes Kulturvolk" lange vor der Einführung des Christentums aufgeführt haben müßten[7]. Das kirchliche Drama sei als Gegenpropaganda gegen diese heidnischen Formen entstanden, habe selbst vieles daraus übernommen. Diese Legende entstand zur Zeit des erwachenden selbstbewußten Nationalismus der Romantik. Ausführlichere, genauere Dokumentation ergab immer eindeutiger, daß das geistliche Drama in ganz anderem Boden Wurzel faßte. Die Legende wäre längst in Vergessenheit geraten, hätte nicht ein neuer, unseliger Nationalismus sie noch einmal zu beleben gesucht. Wir müssen betonen, irgendwelche Überlieferung, ja auch nur die geringsten Spuren von einem vorchristlichen germanischen Drama gibt es nicht. Einerseits suchte man also dieses Drama erst aus dem christlichen Drama rückwärts abzuleiten und so die Entstehung des christlichen Dramas zu „erklären". Andererseits statuierte man die Notwendigkeit eines vorchristlichen, germanischen Dramas. Auch diese Legendenerneuerung bedarf heute keiner Widerlegung mehr. Aus diesem ganzen Komplex blieb aber in gewissen Kreisen der Volkskunde ein zähes Festhalten an der Bedeutung von Riten und Traditionen für das Drama, Riten, die z. T. noch heute existieren, die sich in das Mittelalter zurückführen lassen, deren heidnischen Ursprung man zu erweisen suchte. Die Volkskunde hat gewiß große Verdienste um die Erforschung dieser Riten, teils in mühsamer lokaler Detailarbeit, teils im Zusammenfügen der Einzelergebnisse zu einer Gesamtschau. Das steht hier nicht zur Debatte. Aber die Theaterwissenschaftler und Literarhistoriker müssen darauf bestehen, daß die Grenzen zwischen Ritus und Drama klar und eindeutig gewahrt bleiben, daß das Wort „dramatisch" mit Vorsicht gebraucht wird.

Führen wir Beispiele an. In der *Germania* erwähnt Tacitus im 24. Kapitel, daß „nudi iuvenes inter gladios se atque infestas frameas saltu iaciunt". Von „exercitatio" spricht Tacitus in diesem Zusammenhang. Diesen zwei bis drei Zeilen hat man ein außerordentliches Gewicht verliehen, man hat sie zusammengestellt mit Nachrichten über Schwerttänze, die in Deutschland erst im 15. Jahrhundert auftauchen. Sei dem wie ihm wolle. Wenn nackte Jünglinge oder — wie gewisse schamhafte Kollegen wollen — leicht-

[7] Siehe Robert Stumpfl, *Kultspiele der Germanen als Ursprung des mittelalterlichen Dramas*. Berlin: Junker & Dünnhaupt: 1936.

bekleidete Jünglinge zwischen Schwertern hindurchspringen, so ist das natürlich kein Drama. Hat das auch nur mit Ritus irgendetwas zu tun? Ist es nicht einfach eine Geschicklichkeitsübung? Von den Schwerttänzen des Spätmittelalters sind die von Nürnberg am bekanntesten und bedeutendsten. Auch sie erscheinen ungefähr so undramatisch wie eine gymnastische Schaustellung oder irgendeine andere Vorführung körperlicher Geschicklichkeit. Einfluß auf die Ursprünge oder selbst die Weiterentwicklung des geistlichen Dramas sind von dieser Seite nicht zu erwarten.

Gelegentlich haben die Nachrichten aus anderen Gegenden Deutschlands einen Charakter, der Gedanken an dramatischere Gestalt aufkommen läßt. Es wäre möglich, daß solche Bräuche auf die Fastnachtspiele eingewirkt haben. Das sogenannte Winteraustreiben, aus weiten Teilen des deutschen sowohl als des slavischen Sprachgebiets bekannt, läßt z. B. an Drama denken. Eine Puppe wird hinausgetragen und verbrannt oder in einen Fluß geworfen oder erschlagen; gelegentlich wird diese „Rolle" auch von einem lebenden Darsteller „gespielt". Es handelt sich dann also um wirkliche Personifizierung. Aber nur, wenn sich diese Darstellung auch von dem innewohnenden Ritus loslöst, und das scheint selten zuzutreffen, entsteht wirkliches Drama.

Wir haben auf die Aufgabe hingewiesen, Drama und Dramatisches abzugrenzen. Auch bei der eigentlichen Behandlung schon des geistlichen Dramas, namentlich in seinen Anfängen, wird diese Aufgabe zu bewältigen sein, soweit man diese Grenzen überhaupt scharf ziehen kann.

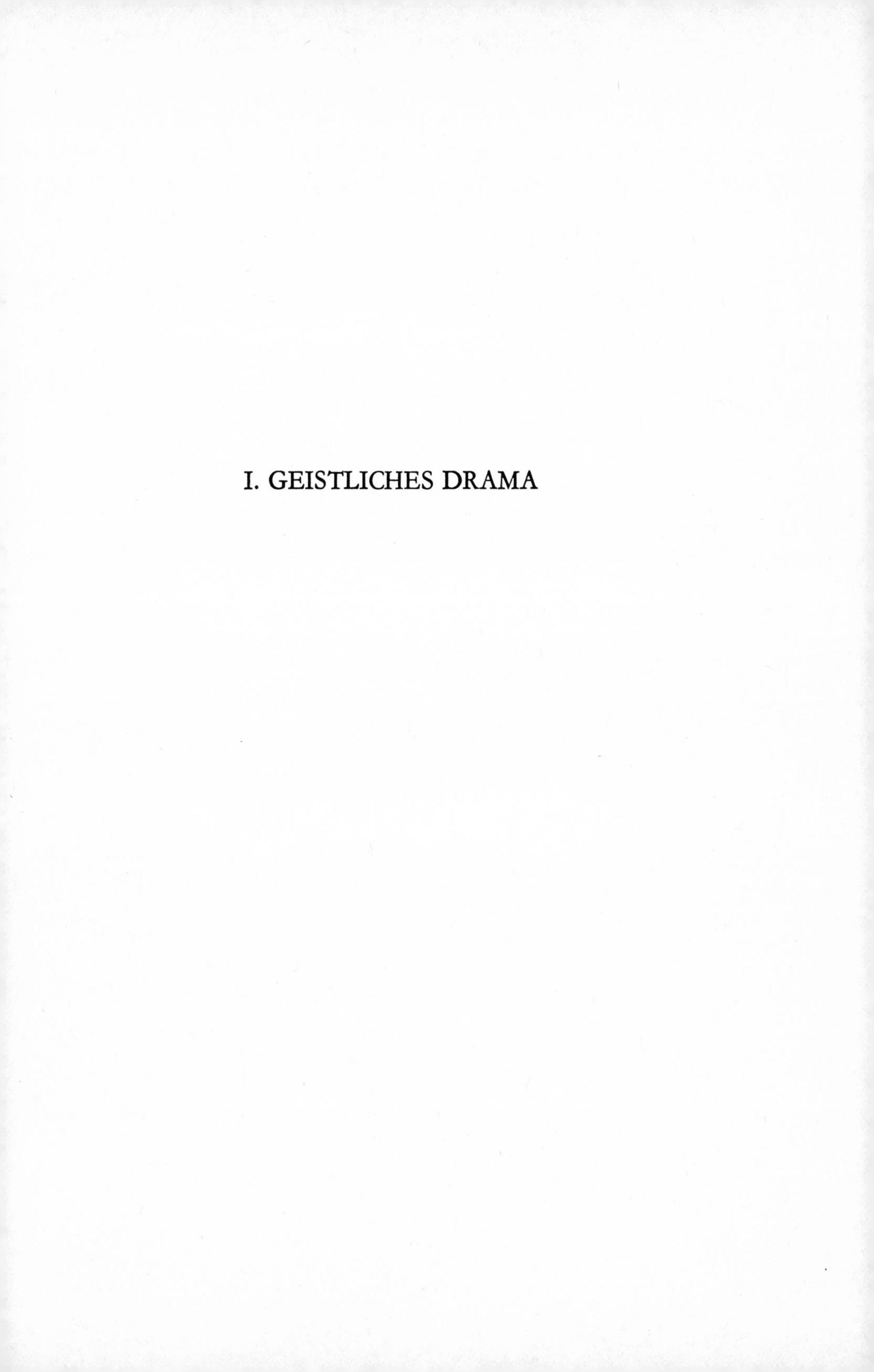

I. GEISTLICHES DRAMA

Wie das Drama der Antike wurde auch das Drama des Mittelalters geboren aus Musik und Ritus. Aber wo über den Anfängen der klassischen Form ein Nebel der Ungewißheit liegt, da bietet die mittelalterliche Dokumentation ein weit deutlicheres Bild. Die Forschung des letzten Jahrhunderts hat dieses Bild in mühseligem Sammelfleiß, in genauer Deduktion, im Erfassen der Formen wie ein gewaltiges Zusammensetzspiel ineinandergefügt. Es gilt nur noch einzelne Lücken zu füllen, vielleicht auch hier und da Umstellungen vorzunehmen; die Gesamtkomposition wird sich kaum verschieben. Diese Arbeit des letzten Jahrhunderts gipfelt in der monumentalen Gesamtausgabe der liturgischen dramatischen und semidramatischen Dokumente von Karl Young; wir werden uns im folgenden Kapitel sehr weitgehend an Young anlehnen. Youngs Werk wie überhaupt die bisherige Forschung ist neuerdings von O. B. Hardison scharf angegriffen worden[8]. In langen Tiraden ergeht sich Hardison über den Darwinismus, womit er die entwicklungsgeschichtliche Darstellung von Young meint. Beschimpfung ist aber kein Argument. Er hätte neue Tatsachen bringen müssen. Seine Tatsachen stammen aber überwiegend aus Young selbst. Durch Umstellung und andere Ausdeutung läßt sich aber ein Young nicht widerlegen. Hardison bestreitet zum Beispiel, daß der Quem-Queritis-Tropus ursprünglich mit dem Introitus der Messe verbunden gewesen sei. Er stellt eine Statistik auf von Quem-Queritis-Texten aus dem 10. Jahrhundert und kommt zu dem Ergebnis, daß viele Texte nicht der Messe zugehören. Das beweist aber gar nichts. Die beiden ältesten Texte aus St. Gallen und Limoges sind eindeutig mit der Messe verbunden. Der nächste Text, der aus der Regularis Concordia, zeigt den Übergang zur Matutin, ist das erste Drama, wirkte überallhin weiter. Wenn also von nun an viele Texte mit der Matutin verknüpft sind, so demonstriert das nur den Einflußbereich der Regularis Concordia. Hardison kritisiert Young, weil dieser spätere Texte heranziehe, benutzt dann aber selbst für seine Beweisführung Dokumente aus dem 14., 15. und 16. Jahrhundert. Wir kommen auf Hardison nicht wieder zurück.

---

[8] Siehe Anmerkung 5.

Es ist nun freilich zuzugeben, Young wie seine Vorgänger halten sich nicht immer an die historische Folge der Dokumente, sondern ordnen nach logischen Zusammenhängen. Das ist mehrfach berechtigt, da ein später Tropus, eine späte Visitatio — wir haben viele Beispiele dafür — unverändert aus früheren Dezennien, aus früheren Jahrhunderten übernommen wurde. Doch wo jeder Beleg für die einfachere Form aus früherer Zeit fehlt, muß man doch wohl die historische Folge voranstellen.

Noch ein anderer Gesichtspunkt drängt sich auf. Die fast genaue Übereinstimmung vieler Dokumente untereinander und die, wenn auch nicht bedeutenden, so doch markanten Unterschiede zwischen anderen ist von jeher zwar aufgefallen, aber selten wirklich berücksichtigt worden. Frühe Versuche, Stammbäume zu isolieren in diesem Wald von Formen, wo bald ein wahres Dickicht der Überlieferung, bald allzu verstreute Einzelerscheinungen dastehen, mußten scheitern. So hat man solche Bestrebung völlig fallengelassen. Erst in neuerer Zeit hat man sich mit der Verbreitung, der Beziehung des liturgischen Dramas zunächst in Frankreich abgegeben[9]. Vor allem aber hat nun Helmut de Boor die Zusammenhänge, die Einflußfelder, die Gegensätze, des gesamten liturgischen Dramas der Osterzeit eingehend abgehandelt; er besteht auf dem Ausdruck Osterfeiern für diese einfachere Form dramatischer Tätigkeit[10]. Unsere Darstellung wird freilich diese grundlegende Studie nur zu Anfang benützen können.

Endlich ist noch eine Schwäche der bisherigen Behandlungen zu erwähnen: Die Tropen, die dramatischen Feiern, die liturgischen Dramen wurden gesungen, nicht gesprochen. Musik bildet einen integralen Teil in der Entstehung und Entwicklung von Tropus, Feier und Drama. Sie läßt Zusammenhänge und Verschiedenheiten der Dokumente ebensosehr erkennen wie der Wortlaut der Texte. Und doch wurde bisher die Musik selten berücksichtigt. Das hat seine Gründe. Manche Texte sind ohne Musik überliefert. Die Transkription und Auslegung der Neumen bedarf einer musikwissenschaftlichen Kenntnis, über die nur wenige Literarhistoriker und Theaterwissenschaftler verfügen. Auch wir

---

[9] Edith Wright, *The Dissemination of the Liturgical Drama in France*. Diss. Bryn Mawr. Bryn Mawr: o. V.: 1936.

[10] Helmut de Boor, *Die Textgeschichte der lateinischen Osterfeiern*. (Hermaea, germanistische Forschungen, N. F. 22) Tübingen: Max Niemeyer: 1967.

werden der Musik nicht die Aufmerksamkeit widmen können, die sie verdient[11].

---

[11] Einen guten Gesamtüberblick gibt Otto Ursprung, *Die katholische Kirchenmusik* (Handbuch der Musikwissenschaft) Potsdam: Athenaion: 1931. Natürlich bleibt Edmond de Coussemakers Werk, *Drames liturgiques du moyen age* Rennes: Vator: 1860 noch immer grundlegend, weil es Text und Melodien vereint. Ernst August Schuler, *Die Musik der Osterfeiern, Osterspiele und Passionen des Mittelalters* Diss. Basel. 1940 Kassel, Basel: Bärenreiter: 1951 enthält eine wertvolle Zusammenstellung, die freilich für den Laien schwer zu verstehen ist. William L. Smoldon, "The Easter Sepulchre Music-Drama" *Music and Letters* XXVII (1946), S. 7 bringt eine große Zahl von Transkriptionen. Eine vorzügliche, leider schwer zugängliche Behandlung findet sich in Margaret Mary McSchane, *The Music of the Medieval Liturgical Drama* Diss. Catholic Univeristy, 1961. Die Arbeiten von Ludwig Kaff, *Mittelalterliche Oster- und Passionsspiele aus Oberösterreich im Spiegel musikwissenschaftlicher Betrachtung* (Schriftenreihe des Instituts für Landeskunde von Oberösterreich 9) Linz: Oberösterreichischer Landesverlag: 1956, Walter Lipphardt, *Die Weisen der lateinischen Osterspiele des 12. und 13. Jahrhunderts* (Musikwissenschaftliche Arbeiten 2) Kassel: Bärenreiter: 1948, und „Liturgische Dramen" *Musik in Geschichte und Gegenwart* VIII (1960), S. 1012—1051 und „Marienklagen und Liturgie" *Jahrbuch für Liturgiewissenschaft* XII (1932), S. 198—205, Kathi Meyer, „Über die Melodienbildung in den geistlichen Spielen des frühen Mittelalters" *Internationaler Musikhistorischer Kongreß* (Beethoven-Zentenarfeier Wien 26. bis 31. März 1927) Wien: Universal-Edition: 1927, S. 145—148, Helmut Osthoff, „Die Musik im Drama des deutschen Mittelalters" *Deutsche Musikkultur* VIII (1943), S. 29—40 und „Deutsche Liedweisen und Wechselgesänge im mittelalterlichen Drama" *Archiv für Musikforschung* VII (1942), S. 65—81, Alfred Orel, „Die Weisen im Wiener Passionsspiel aus dem 13. Jahrhundert" *Mitteilungen des Vereins für Geschichte der Stadt Wien* VI (1926), S. 72—97, Anh. 1/3 und Karl Dreimüller, „Die Musik im geistlichen Spiel des späten deutschen Mittelalters" *Kirchenmusikalisches Jahrbuch* XXXIV (1950), S. 27—34 und „Die Alsfelder Marienklage" *Zeitschrift für Kirchenmusik* (Köln) LXVIII (1949), S. 35—38 geben weitere wichtige Ergänzungen.

A. DAS LITURGISCHE DRAMA

1. Entstehung

Im Anfang war die Musik. Das Halleluja am Ende des ersten Teils der Messe, vielmehr das letzte *a* dieses Wortes wurde schon in der karolingischen Epoche vielfach in ausgedehnter Tonfolge gesungen. Der Jubel der Glaubensgewißheit scheint hier durchzubrechen. Man nennt eine solche Stimmalerei auf einer einzelnen Silbe Melisma. Solche Melismen erscheinen freilich auch in anderen Teilen des Gottesdienstes, aber nie in so hervorragender Weise wie bei diesem Jubelwort. Die komplizierten Melodien waren mit den Musikaufzeichnungen der Zeit, den Neumen, nur schwer festzuhalten. In Frankreich wurden sicher schon im 9. Jahrhundert diesen Melodien Texte unterlegt. Im Jahr 851 brachte ein vor den Normannen flüchtender Mönch nach St. Gallen ein Antiphonar, das für die Melismen solche neuen Texte zeigte. Notker Balbulus, ein berühmter Mann in der Geschichte St. Gallens, fand die spezifischen neuen Texte zwar geschmacklos — es ist nicht klar, ob der Form oder dem Inhalt nach — aber die Idee großartig; und so wurden er und sein begabter Schüler Tutilo eifrige Dichter dieser neuen liturgischen Lyrik[12]. Tropus, Sequenz, Prosa sind die Namen dieser neuen Dichtungsart. Einer dieser Tropen ist die Keimzelle des mittelalterlichen Dramas. In seiner einfachsten Form lautet er:

ITEM DE RESVRRECTIONE DOMINI

Interrogatio:

Quem quaeritis in sepulchro, Christicolae?

Responsio:

Iesum Nazarenum crucifixum, o caelicolae.
Non est hic, surrexit sicut praedixerat;
ite, nuntiate quia surrexit de sepulchro.
Resurrexi. (Young I, 201)

---

[12] Notker selbst berichtet: Cum adhuc juvenculus essem, et melodiae longissimae, saepius memoriae commendatae, instabile corculum aufugerent, coepi tacitus mecum volvere quonam modo eas potuerim colligare. Interim vero contigit ut presbyter quidam de Gimedia, nuper a Nordmannis vastata, veniret ad nos, antiphonarium suum secum deferens, in quo aliqui versus ad sequentias erant modulati, sed jam tunc nimium vitiati.

Die beiden frühesten Handschriften dieses Tropus stammen aus Limoges, einem der bedeutendsten frühen Zentren von Tropen und Dramen, und aus St. Gallen. Der Limoger Text aus dem Jahrzehnt zwischen 923 und 934 ist die älteste Überlieferung des Tropus[13]. Die Handschrift mit dem Text von St. Gallen stammt aus der Mitte des Jahrhunderts; jedoch enthält die Handschrift zwei Tropen, die man Tutilo (gestorben kurz nach 912) zuschreibt. Es wäre daher nicht zu phantastisch, mit Karl Young den St. Galler Tropus als den älteren anzusehen und in Tutilo den Autor zu suchen[14]. Jedenfalls war um die Mitte des Jahrhunderts in beiden Zentren und wahrscheinlich in anderen Teilen des Kontinents und in England dieser dramatische Tropus mit dem Introitus der Messe verbunden, und man findet ihn noch in späteren Jahrhunderten an dieser Stelle. Dabei bieten die lokalen Traditionen in Gleichheiten und Gegensätzen — wie de Boor gezeigt hat — ein interessantes Mosaik der Kraftfelder, die von diesen Zentren ausstrahlten. An dieser Stelle, im Introitus der Messe, blieb der Tropus Tropus; er ging nie den einen Schritt weiter, der zum Drama führte.

Die eigentliche Entstehung des Dramas hat man sich bisher immer als einen langsamen Prozeß vorgestellt. Zunächst trennte sich, so meinte man, der Tropus von der Messe, verband sich mit der Matutin, um sich dort dann allmählich zum Drama entwickeln zu können. Lassen wir zunächst die nie beantwortete Frage beiseite, warum eigentlich der Tropus von der Messe geschieden wurde

---

Quorum, ut visu delectatus, ita sum gustu amaricatus. Ad imitationem tamen eorum coepi scribere *Laudes Deo concinat orbis universus, qui gratis est liberatus*, et infra, *Coluber Adae malesuasor*. Quos cum magistro meo Ysoni obtulissem, ille, studio meo congratulatus imperitiaeque compassus, quae placuerent laudavit; quae autem minus, emendare curavit, dicens, ‚Singuli motus cantilenae singulas syllabas debent habere'. Quod audiens, ea quidem quae in *ia* veniebant, ad liquidum correxi. Quae vero in *le* vel *lu* quasi impossibilia vel attemperare neglexi, cum et illus postea visu facillimum deprehenderim, ut testes sunt *Dominus in Sina*, et *Mater*. Hocque modo instructus, secunda mox voce dictavi *Psallat Ecclesia, mater inlibata*. Quos versiculos, cum magistro meo Marcello praesentarem, ille, gaudio repletus, in rotulos eos congessit et pueris cantandos aliis alios insinuavit. Siehe hierzu: Young I, S. 183/184.

[13] Diese Datierung wird freilich von de Boor bezweifelt. Die Handschrift sei nicht vor der Mitte des Jahrhunderts anzusetzen. Siehe de Boor, S. 24.

[14] Young behandelt diese Fragen sehr ausführlich I, 201—222.

(fast setzt sie die naiv unlogische Antwort voraus, damit er in der Matutin zum Drama werden konnte). Betrachten wir nur einmal die Daten. Der Tropus entstand nicht vor dem Anfang des Jahrhunderts. Zwischen 965 und 975, also wenige Jahrzehnte später, wurde in Winchester in der *Regularis Concordia* eine Visitatio, ein wirkliches Drama niedergeschrieben, und zwar bestimmt für das Ende der Matutinfeier, nicht mehr verbunden mit der Messe. Für die komplizierte Entwicklung: Trennung von der Messe, Verbindung mit der Matutin, Übergang von dem Tropus zum Drama bliebe also nur eine kurze Zeitspanne. Kann es sich dann überhaupt um eine Entwicklung handeln?

Die *Regularis Concordia* hat zwar immer besondere Beachtung gefunden, aber die einzigartige Bedeutung dieses Dokuments wurde nie voll hervorgehoben. Es ist der älteste mittelalterliche Beleg für ein regelrechtes Drama. Es ist fernerhin nicht irgendein beliebiges Ordinarium oder Breviarium oder sonstiges liturgisches Buch, das einen nur lokalen Ritus festhält; es ist ein Regelbuch für den gesamten Benediktinerorden in England, den Orden also, der das ganze Mittelalter hindurch der eigentliche Träger aller liturgisch dramatischen Betätigung war. Wir wissen, daß bei der Abfassung dieses Regelbuches Vertreter vom Kontinent, insbesondere aus Frankreich, zugegen und möglicherweise beteiligt waren[15]. Wir dürfen, wir müssen also weitgehende Ausstrahlung von diesem Dokument erwarten. In einer grundlegenden Studie, die aber bisher fast gar nicht beachtet wurde, weil sie in einer wenig bekannten Zeitschrift erschien, hat Jude Woerdeman die Entstehung und Bedeutung der Concordia dargestellt[16]. Wir folgen weitgehend seinen Ausführungen.

Seit der Zeit Karls des Großen waren immer wieder Bestrebungen im Gange, die Liturgie der Kirche zu vereinheitlichen, oder vielmehr die klösterlichen liturgischen Formen den maßgeblichen römischen anzugleichen. Einer der entscheidenden Unterschiede zwischen den beiden Formen bestand in der Matutinfeier zu Ostern. Hier wurde nach klösterlichem Ritus am Ende der Feier das Evangelium (Markus 16:1—7) verlesen. DieStelle lautet:

> Sequentia sancti Evangelii secundum Marcum. In illo tempore: Maria Magdalene, et Maria Jacobi, et Salome emerunt aromata ut venientes

[15] Siehe hierzu de Boor S. 25.

[16] Jude Woerdeman, „The Source ot the Easter Play" *Orate Fratres* XX (1945/46) 262—272.

ungerent Jesum. Et valde mane una sabbatorum, veniunt ad monumentum, orto iam sole. Et dicebant ad invicem: Quis revolvet nobis lapidem ab ostio monumenti? Et respicientes viderunt revolutum lapidem. Erat quippe magnus valde. Et introeuntes in monumentum, viderunt juvenem sedentem in dextris, coopertum stola candida, et obstupuerunt. Qui dicit illis: Nolite expavescere: Jesum quaeritis Nazarenum crucifixum: surrexit, non est hic, ecce locus ubi posuerunt eum. Sed ite, dicite discipulis ejus, et Petro, quia praecedit vos in Galilaeam: ibi eum videbitis, sicut dixit vobis. (Woerdeman, 265/66)

Woerdeman weist auf den stark dramatischen Charakter dieses Textes, auf den Gebrauch des Weihrauchs und darauf, daß dem Abt vier Ministranten bei der Verlesung beistehen, entsprechend den vier Teilnehmern bei der Visitatio: drei Marien und einem Engel, endlich und vor allem darauf, daß der verlesene Text dem der Visitatio gerade auch in seiner Erweiterung (quis revolvet) stark ähnelt. Diese feierliche Verlesung fehlte bei dem römischen Ritus, ja sie wurde als ungehörig empfunden. Im Jahre 817 wurde in Aachen auf einer Synode der Äbte des fränkischen Reiches versucht, den römischen Ritus durchzusetzen. Der Versuch scheint wesentlich gescheitert zu sein. Jetzt 150 Jahre später siegte die römische Form. Wie die *Regularis Concordia* es ausdrückt:

In die sancto Paschae septem canonicae horae a monachis in ecclesia Dei more canonicorum propter auctoritatem beati Gregorii papae sedis aposotlicae quam ipse Antiphonario dictavit celebrandae sunt[17].

Aber dieser Sieg wurde nicht ohne Kompromiß erreicht. An die Stelle der Bibelverlesung trat das Quem queritis, aber nicht mehr nur der Tropus, sondern eben die Visitatio. Der Text der *Regularis Concordia* lautet:

Dum tertia recitatur lectio, quatuor fratres induant se, quorum unus alba indutus acsi ad aliud agendum ingrediatur, atque latenter Sepulchri locum adeat, ibique manu tenens palmam, quietus sedeat. Dumque tertium percelebratur responsorium, residui tres succedant, omnes quidem cappis induti, turribula cum incensu manibus gestantes ac pedetemptim ad similitudinem querentium quid, ueniant ante locum Sepulchri. Aguntur enim hec ad imitationem Angeli sedentis in monumento, atque Mulierum cum aromatibus uenientium, ut ungerent corpus Ihesu. Cum

[17] J. P. Migne, *Patrologiae Cursus Completus: Patrologia Latina*, Bd. 137, S. 495. Paris: Garnier Fratres: 1894.

ergo ille residens tres uelut erraneos, ac aliquid querentes, uiderit sibi adproximare, incipiat mediocri uoce dulcisone cantare:

Quem queritis (in sepulchro, o Christicolae)?

Quo decantato fine tenus, respondeant hi tres uno ore:

Ihesum Nazerenum (crucifixum, o coelicola).

Quibus ille:

Non est hic, surrexit sicut predixerat; ite, nuntiate quia surrexit a mortuis.

Cuius iussionis uoce uertant se illi tres ad chorum dicentes:

Alleluia, resurerxit Dominus, (hodie resurrexit leo fortis, Christus, filius Dei.)

Dicto hoc, rursus ille residens uelut reuocans illos dicat antiphonam:

Venite et uidete locum (ubi positus erat Dominus, alleluia).

Hec uero dicens surgat, et erigat uelum, ostendatque eis locum Cruce nudatum, sed tantum linteamina posita, quibus Crux inuoluta erat. Quo uiso, deponant turribula, que gestauerant in eodem Sepulchro, sumantque linteum et extendant contra clerum, ac ueluti ostendentes, quod surrexerit Dominus et iam non sit illo inuolutus, hanc canant antiphonam:

Surrexit Dominus de sepulchro, (qui pro nobis pependit in ligno, alleluia).

Superponantque linteum altari. Finita antiphona, prior congaudens pro triumpho regis nostri, quod deuicta morte surrexit, incipiat hymnum *Te Deum laudamus*. Quo incepto, una pulsantur omnia signa (Young I, 249/250).

Was hier vorliegt, ist, wie wir schon sagten, das erste Drama. Ausdrücklich heißt es: „Aguntur enim hec ad imitationem Angeli . . . atque Mulierum". Alle vier Teilnehmer drücken durch Kleidung (alba indutus . . . cappis induti), Requisit (manu tenens palmam . . . turribula cum incensu manibus gestantes) oder Gestik (pedetemptim ad similitudinem querentium quid) die Personen aus, die sie darstellen. Trotzdem verrät die umständliche, aber doch detaillierte Beschreibung, daß von etwas gänzlich Neuem die Rede ist. In späteren Visitationes werden die *dramatis personae* ohne Umschweif genannt: „angelus", „mulieres". Dazu hat man sich hier noch nicht durchgerungen. Neben diesen Tatsachen, die nur implicite aus dem Text zu deduzieren sind, führen die äußeren Begebenheiten explicite zu denselben Folgerungen. Hier und offenbar erst hier wird der klösterliche Ritus überwunden. Das heißt, erst hier wird das Quem queritis von der Messe auf die Matutin übertragen. Oder — und diese letzte entscheidende Folgerung hat Woerdeman noch nicht gezogen — das Drama entsteht nicht in einem langsamen Wachstumsprozeß; es wird in einem einmaligen Akt geschaffen; der Autor oder die Autoren der *Regularis Concordia* sind die Schöpfer des mittelalterlichen Dramas. Dies ist Drama: die vier Ministranten personifizieren die darzustellenden Personen. Die Vorgänge sind nicht einem rituellen Zweck untergeordnet. Die Einfügung der Visitatio war ja vielmehr ein Zugeständnis, um den an die Vorlesung gewöhnten Benediktinergemeinden statt dieser Vorlesung einen anderen — ich bin versucht zu sagen — Genuß zu bieten. Freilich Drama war dies nur in sehr bescheidenem Maße; die Autoren der *Regularis Concordia* konnten nicht voraussehen, welch gewaltige Entwicklung sie begonnen hatten.

Nun könnte man den Einspruch erheben, daß in Frankreich der Tropus ja schon viel früher entwickelt war, daß von hier die Anregung kam, daß man hier den Schritt längst schon gegangen war, daß man in England nur folgte. Das scheint mir mehr als unwahrscheinlich, das scheint mir unmöglich. Sehen wir ganz davon ab, daß vor der *Regularis Concordia* keine Visitationes aus Frankreich überliefert sind und auch in den folgenden Jahrzehnten Dokumente nur aus England und Deutschland vorliegen. Das könnte reiner Zufall sein. Wir betonten schon, daß keine Zeit vorhanden war für einen langsamen Übergang. Sondern der ganze Wortlaut der *Regularis Concordia* klingt wie eine erstmalige und einmalige Verfügung. Kein Wort davon, daß dies alles schon anderswo Usus ist. Sondern so ist es, so bleibt es.

Freilich, der häufige Übergang von der Messe zur Matutin, von dem Tropus zur Visitatio bedeutet nicht, daß nicht doch auch der Tropus mit der Messe verbunden bleiben kann, ja daß vielleicht ein veränderter Wortlaut des Tropus auch auf die Visitatio Einfluß hat ausüben können. Aber diese Weiterentwicklung des Tropus ist für uns nicht mehr von Interesse. Wir haben es nur mit dem Drama zu tun und müssen seinen Entwicklungsgang weiterverfolgen.

2. Die Visitatio

Nur wenige dramatische Darstellungen gehören noch dem 10. Jahrhundert an. Es ist nicht überraschend, daß eine davon in einem Tropar aus demselben Winchester stammt, in dem die

Regularis Concordia niedergeschrieben wurde (Young I, 254/255). Der Text des Tropars ist fast völlig identisch mit dem Text der *Regularis Concordia,* nur daß die ausführlichen Vorschriften über Bewegung, Gestik, Requisit im Tropar fehlen. Dafür besteht hier der gesprochene oder vielmehr gesungene Text nicht mehr nur aus Incipits, das heißt aus den Anfängen der Zeilen, er ist voll gegeben (so daß sich tatsächlich der Text der *Regularis Concordia* nach dem Troparium aus Winchester ergänzen läßt). Außerdem werden hier die Personen direkt bei Namen genannt: „mulierum responsio", „dicat angelus".

Die älteste Visitatio aus Deutschland befindet sich in einem *Reichenauer Troparium* ebenfalls aus dem 10. Jahrhundert. Der Text bietet den ersten Beleg in einer Visitatio für das „Quis revolvet", das, wie wir uns erinnern, in dem Text der Bibelverlesung enthalten ist, aber in der *Regularis Concordia* und dem *Tropar aus Winchester* nicht übernommen wurde. Der *Reichenauer* Text ist sonst wenig interessant.

Im 11. Jahrhundert mehrt sich die Zahl der Dokumente. Freilich, die beiden Texte aus Deutschland aus diesem Jahrhundert: aus Minden (Young I, 243/244) und aus St. Emmeram lassen Zweifel aufkommen an ihrem dramatischen Charakter[18]. Hinweise wie „Interrogatio", „Responsio", „Antiphona", oder selbst „Interrogatio presbyteri" usw. klingen nicht, als ob hier dramatische Verkörperung beabsichtigt war. In dem ersten Beleg aus Frankreich, aus Arras (Young I, 245), ebenfalls aus dem 11. Jahrhundert, fehlen auch alle Hinweise. Ein Fehlen der Hinweise allein beweist freilich noch nichts gegen den dramatischen Charakter. So sind aus Silos in Spanien aus dem 11. Jahrhundert zwei im Wortlaut identische Dokumente überliefert (Young I, 577), von denen das eine den gesungenen Text mit „Interrogatio" und „Responsio" einführt, das andere dagegen mit „Interrogat Angelus" und „Respondent Discipuli" (auch hier also nicht „mulieres"). Dagegen zeigt ein in Melk aufbewahrtes Dokument (Young I, 241/242), vielleicht erst aus dem 12. Jahrhundert, in der Verkörperung eindeutig dramatischen Charakter. Der kurze Text umfaßt allerdings nur die wesentlichsten Sätze der Visitatio. Eine Handschrift aus

---

[18] Für die Visitatio aus St. Emmeram siehe C. Lange, *Die lateinischen Osterfeiern.* München: Ernst Stahl: 1887, S. 29. Young bringt diese Visitatio nicht.

Einsiedeln, ebenfalls aus dem 11. oder 12. Jahrhundert, enthält zwei Fassungen der Visitatio (Young I, 598); die zweite beginnt mit dem: „Quis revolvet", geht also wie der *Reichenauer Text* über das ursprüngliche „Quem queritis" hinaus. Endlich bietet ein *Tropar aus Winchester* einen weiteren Beleg aus dem 11. Jahrhundert, der Text wiederholt jedoch fast völlig genau den Text aus dem 10. Jahrhundert (Young I, 587).

Auch im 12. Jahrhundert beschränken sich einige Texte in archaischer Einfachheit auf den ursprünglichen Umfang, der uns aus der *Regularis Concordia* bekannt ist, oder sind sogar noch kürzer; so ein Dokument aus Utrecht (Young I, 242/243). Ein Text aus St. Gallen (Young I, 246) hat nicht einmal Hinweise, die die dramatische Form sicherstellen. Ein Text aus Remiremont (Young I, 248) geht ebenfalls nicht über den Umfang der frühen Visitatio hinaus. In Soissons (Young I, 304/305) ist diese kurze Form der Visitatio verbunden mit einer ungewöhnlichen und komplizierten Form der Elevatio, das heißt der gewöhnlich nicht öffentlichen Feier, bei der die am Donnerstag verwandelte Hostie am Ostertag noch vor der Matutin aus dem Aufbewahrungsort fortgenommen wird.

Aber natürlich benutzen andere Visitationes auch die einleitende Frage der Frauen „Quis revolvet", die zuerst in Reichenau belegt ist, zum Beispiel ein Dokument aus Zwiefalten (Young I, 266), das die Anweisungen für die Darstellung besonders ausführlich wiedergibt. Ein anderer Text gewinnt dadurch besonderes Interesse, daß er in Jerusalem selbst, also am wirklichen Grabe Christi, gesungen wurde (Young I, 262). Kreuzfahrer hatten ihn offenbar aus Europa mitgebracht.

Aber im 12. Jahrhundert findet man vor allem auch bedeutende Erweiterungen des ursprünglichen Textes. Ein Augsburger Dokument (Young I, 310/311) enthält in einfachster Form den sogenannten Wettlauf der Apostel Petrus und Johannes. Es ist die Szene, die im Johannesevangelium Kapitel 20, 1—10 beschrieben ist. In Augsburg wird vom Chor die aus der Vulgata übernommene Antiphon: „Currebant duo simul" gesungen, während „duo ad hoc parati, ex persona Discipulorum Petri et Johannis" diesen Lauf zum Grabe rein pantomimisch durchführen. Ganz ähnlich ist es in Dokumenten aus Krakau (Young I, 631/632) und aus Prag (Young I, 664/665). In einem aus St. Lambrecht (Young I, 363/365) wird wie später in vielen anderen Spielen nach dem „Te Deum Laudamus" für die des Lateins unkundige Gemeinde auf Deutsch: „Christ ist erstanden, plebe conclamante" gesungen. Aber auch während der Darstellung heißt es: „Tunc incipiat ipsa plebs istum clamorem: *Giengen dreie urovven ce uronem grabe*". Die ungelehrte Gemeinde wird hier also mit deutschem Gesang direkt an der Darstellung beteiligt. Eine andere Handschrift, auch aus St. Lambrecht (Young I, 634), überrascht dadurch, daß die gesamten Anweisungen auf deutsch gegeben werden, während der gesungene Text hier ganz lateinisch bleibt. Soviel ich weiß, ist das etwas völlig Einmaliges in der Geschichte des mittelalterlichen Dramas. Später sind die Anweisungen noch lateinisch, wo der Text längst ganz oder teilweise deutsch geworden ist; der umgekehrte Vorgang dagegen ist schwieriger zu verstehen und deutet vielleicht auf bewußte Bewahrung des lateinischen Sprechtextes. Im Osterspiel von Origny-Saint-Benoite sind allerdings auch die Bühnenanweisungen in der Volkssprache, aber auch weite Teile des Textes. Für das Vordringen der Volkssprache sind diese beiden Texte jedenfalls außerordentlich interessant. Sonst ist die zweite Lambacher Visitatio wenig bemerkenswert. Sie ist kürzer als die erste, enthält aber den Apostellauf nicht mehr nur als stumme Pantomime; hier singen Petrus und Johannes das „cernitis".

Die Erweiterungen der Visitatio, die bisher berührt wurden, verändern nur wenig den ursprünglichen Charakter, wie er in der *Regularis Concordia* zuerst niedergelegt wurde. Erst als eine neue lyrische Dichtung in das Drama aufgenommen wurde, wächst der Umfang der Darstellungen verhältnismäßig rasch. Wir sprechen von der berühmten Sequenz *Victimae Paschali*. Sie ist mit ziemlicher Sicherheit das Werk Wipos, dessen Kaiservita, dessen lyrische Werke ihn als einen der bedeutendsten Autoren des 11. Jahrhunderts erscheinen lassen. Wipo starb etwa um die Mitte des Jahrhunderts. Wir geben die Sequenz im Wortlaut:

I. Victimae paschali laudes immolent Christiani.

2. Agnus redemit oves,
Christus innocens Patri
reconciliavit
peccatores.

3. Mors et vita duello
conflixere mirando;
dux vitae mortuus
regnat vivus.

4. Dic nobis, Maria,
quid vidisti in via?
‚Sepulchrum Christi viventis,
et gloriam vidi resurgentis;

5. Angelicos testes,
sudarium et vestes.
Surrexit Christus, spes mea;
praecedet suos in Galilaea.'

6. Credendum est magis soli
Mariae veraci
quam Judaeorum
turbae fallaci.

7. Scimus Christum surrexisse
ex mortuis vere;
tu nobis, victor
rex, miserere[19].

Der Text von dem „Dic nobis, Maria" an spricht in so lebendigem Dialog, daß seine Aufnahme in das Drama wie etwas Selbstverständliches scheint. Ein Dokument, das vielleicht noch in das 12. Jahrhundert zurückreicht, aus dem an liturgischer Überlieferung reichen Nordschweizer Kloster Einsiedeln, mag als Beispiel für die Aufnahme der Sequenz dienen. Da es auch in anderer Beziehung die rasche bedeutende Ausdehnung der ursprünglichen Visitatio deutlich macht, geben wir es im Wortlaut wieder:

IN RESVRRECTIONE DOMINI

Ad uisitandam dominicam sepulturam, una de Mulieribus cantet sola:
Hev! nobis internas mentes quanti pulsant gemitus
Pro nostro consolatore, quo priuamur misere,
Quem crudelis Iudeorum morti dedit populus.

Altera item sola:
Jam percusso ceu pastore, oues errant misere;
Sic magistro decedente, turbantur discipuli,
Atque nos, eo absente, dolor tenet nimius.

Maria Magdalena:
Sed eamus et ad eius properemus tumulum;
Sie dileximus uiuentem, diligamus mortuum.

Simul cantent:
Quis reuoluet nobis lapidem ab hostio monumenti?

Angelus:
Quem uos quem flentes?

Mulieres:
Nos Ihesum Christum.

Item Angelus:
Non est hic, uere.

Mulieres reuertentes cantent ad chorum:
Ad monumentum uenimus gementes, angelum Domini sedentem uidimus et dicentem quia surrexit Ihesus.

Mulieres uertentes se ad personam Petri Apostoli omnes cantnet:
En angeli aspectum uidimus,
et responsum eius audiuimus,

[19] Der Text aus Young I, 273.

qui testatur Dominum uiuere;
sic oportet te, Symon, credere.

Maria Magdalena sola cantet hos tres versus:

Cum uenissem ungere mortuum,
monumentum inueni uacuum.
Heu! nescio locum discernere
ubi possim magistrum querere.
Dolor crescit, tremunt precordia
de magistri pii absentia,
qui sanauit me plenam uiciis,
pulsis a me septem demoniis.
En lapis est uere depositus,
qui fuerat in signum positus.
Munierant locum militibus;
locus uacat, illis absentibus.

Chorvs:

Vna sabbati (Maria Magdalena venit mane ad monumentum, et vidit lapidem sublatum a monumento).

Mulieres recurrentes iterum ad sepulturam nichil dicant; et Maria Magdalena querendo circumquaque cantet:

Victime paschali usque *Dic nobis.*

Dominica Persona subito Marie Magdalene apparens dicat:

Mulier, quid ploras? Quem queris?

Maria respondeat:

Domine, si tu sustulisti eum, dicito michi ubi posuisti eum, et ego eum tollam, alleluia, alleluia.

Dominica Persona item ad eam:

Maria! Maria! Maria!

Illa procidens dicat:

Rabbi! quod dicitur magister.

Dominus ab ea paululum diuertens dicat:

Noli me tangere, nondum enim ascendi ad Patrem meum, alleluia, alleluia.

Dominica Persona stans cantet:

Prima quidem suffragia
stola tulit carnalia
exhibendo conmunia
se per nature munia.

Maria adorans in terre cantet:

Sancte Deus!

Dominica Persona:

Hec priori dissimilis,
hec est incorruptibilis,

que dum fuit passibilis,
iam non erit solubilis.

Maria eodem modo quo prius:

Sancte fortis!

Dominus iterum ibidem stans dicat:

Ergo noli me tangere,
nec ultra uelis plangere,
quem mox in puro sydere
cernes ad Patrem scandere.

Maria ut supra:

Sancte inmortalis, miserere nobis!

Item Dominus ad eam:

Nunc ignaros huius rei
fratres certos reddes mei;
Galileam, dic, ut eant,
et me uiuentem uideant.

Maria reliquis comitantibus, ad chorum sola dicat:

Surrexit enim sicut (dixit Dominus; ecce praecedet vos in Galilaeam; ibi eum videbitis, alleluia, alleluia).

Chorus ad eam:

Dic nobis, Maria, (quid vidisti in via?)

Ipsa ad chorum:

Sepulchrum Christi,

cum r(eliquis). Chorus:

Credendum est (magis soli Mariae veraci quam Judaeorum turbae fallaci). Scimus Christum (surrexisse a mortuis vere; tu nobis, victor rex, miserere).

Item chorus:

Currebant duo simul, (et ille alius discipulus praecucurrit citius Petro, et venit prior ad monumentum, alleluia).

Interea cum Mulieribus Petrus et Iohannes currant, et Iohannes precurrens expectet Petrum; et nichil inuenientes reuertantur simul cantantes:

Ergo die ista exultemus.
Astra, solum, mare.

Chorus alta uoce: *Te Deum laudamus.* (Young I, 390—392)

Die *Victimae-Paschali-Sequenz* ist hier geschickt in die Darstellung hineingearbeitet. Allerdings scheint es uns heute ein wenig unlogisch, daß der freudige erste Teil der Sequenz von Maria Magdalena gesungen wird, gerade bevor Christus ihr erscheint und sie mit den tröstenden Worten anredet: „Mulier quid ploras". Young hat das gerügt. Darf man rationales, logisches, vielleicht doch modernes Empfinden auf eine Zeit anwenden, wo diese Paradoxe ebenso ruhig hingenommen wurden, wie noch heute oft im Volkslied.

Interessanter fast noch wirkt der neue Anfang. In Fünfzehnsilbenzeilen klagen zwei Marien um den Tod ihres Trösters, worauf dann Maria Magdalena im gleichen Silbenmaß zum Gang nach dem Grab auffordert. Diese drei Strophen, wenn wir sie so nennen dürfen, erscheinen in der Folgezeit immer wieder im liturgischen Spiel, so nicht nur etwa in einem Text aus dem Kloster Rheinau bei Schaffhausen (Young I, 385/389) aus dem 13. Jahrhundert, der mit dem Einsiedler Dokument fast völlig übereinstimmt, sondern auch in einem Dokument aus dem norditalienischen Cividale (Young I, 378/380) aus dem 14. Jahrhundert, das freilich ebenfalls auch sonst dem *Einsiedler Spiel* nahesteht, oder in Texten aus Engelberg aus dem 14. Jahrhundert (Young I, 375—377) und Nürnberg aus dem 13. Jahrhundert (Young I, 398—401), ebenfalls mit dieser ganzen Gruppe eng verwandt, und endlich in veränderter Form auch in Barking bei London im 14. Jahrhundert (Young I, 381—384) oder in neuem rhythmischen Gewande in der berühmten Sammlung aus Fleury (Young I, 393—397).

Doch zurück zu unserem *Einsiedler Spiel*. Nach dem Quem queritis, das in der Handschrift in veränderter, leider rätselhaft verkürzter Form vorliegt, folgen gereimte Zehnsilbenverse, in denen die Frauen erst den Aposteln von der Auferstehung berichten, dann Maria Magdalena insbesondere ihre Zweifel und ihren Schmerz ausdrückt. Auch diese Verse erscheinen nicht nur wörtlich wieder in dem genannten Rheinauer Text, sie finden sich auch zum Beispiel in dem Klosterneuburger Osterspiel aus dem 13. Jahrhundert. Diese Versform, vermutlich ein Import aus Frankreich, läßt sich beschreiben als drei Daktylen mit einsilbigem Auftakt; freilich kann der Auftakt auch zweisilbig werden, so daß dann eine Senkung, meistens im ersten Fuß, fehlt.

Zum erstenmal begegnen wir jener so außerordentlich ergreifenden Szene, in der Christus Maria Magdalena erscheint. Man hat oft darauf hingewiesen, daß es volle zwei Jahrhunderte dauerte, bevor die Gestalt Christi, eigentlich doch die Zentralfigur des österlichen Geschehens, ja jedes christlichen Werkes, in das liturgische Drama eingeführt wurde. Man hat religiöse Bedenken als Grund dafür angegeben — eine moderne, eine protestantische Interpretation.

Mir scheint, es ergab sich aus dem natürlichen Verlauf der Entwicklung. Die Figur Christi wurde erst nötig, als sich das Drama entsprechend geweitet hatte.

Auch Christi Worte sind rhythmisch gefaßt und gereimt. Auch dieses Mal kommen drei Daktylen auf die Zeile, aber es fehlt der Auftakt und der erste oder zweite Fuß hat nur eine Senkung. Es ist also eine Achtsilbenzeile. Der Apostellauf am Schluß ist in archaischer Kürze gehalten. Man hätte auch hier größeren Umfang erwartet.

Wir haben dieses Dokument so ausführlich besprochen, weil es in beispielhafter Weise die Entwicklung zeigt. Wir haben schon angedeutet, daß mehrere Texte aus dem Alpengebiet mit dem Einsiedler Stück aufs engste verwandt sind. Aber auch ganz allgemein läßt ein Vergleich der zeitlich älteren, einfacheren Visitationes mit diesem recht durchgeformten Stück den Lauf der Entwicklung deutlich erkennen. Es bleibt nur noch eine Begebenheit im frühen österlichen Drama zu besprechen, bevor wir zum eigentlichen Osterspiel kommen, nämlich die berühmte Salbenkrämerszene.

Der erste Beleg für die Salbenkrämerszene, noch aus dem 12. Jahrhundert, kommt aus Vich in Nordspanien. Ich gebe den Anfang im Wortlaut:

VERSES PASCALES DE III MARIIS

Eamus mirram emere
cum liquido aromate,
vt ualeamus ungere
corpus datum sepulture.

Omnipotens Pater altissime,
angelorum rector mitissime,
quid facient iste miserime!

Dicunt Angeli[20]:

Heu, quantus est noster dolor!
Amisimus enim solatium,
Ihesum Christum, Marie filium;
iste nobis erat subsidium.
Heu, (quantus est noster dolor!)

Set eamus unguentum emere,
quo possimus corpus inungere;

---

[20] Schon Young meint hierzu: ,,Obviously this rubric is out of place" (Young I, S. 678).

non amplius posset putrescere.
Heu, (quantus est noster dolor!)

Dic tu nobis, mercator iuuenis,
hoc unguentum si tu uendideris;
dic precium, nam iam habueris.
Heu, (quantus est noster dolor!)

Respondet Mercator:

Mulieres michi intendite.
Hoc unguentum si uultis emere,
datur genus mirre potencie,
qvo si corpus possetis ungere,
non amplius posset putrescere
neque uermes possent comedere.
Hoc unguentum si multum cupitis,
unum auri talentum dabitis;
nec aliter umquam portabitis.

Respondet Maria:

O mercator, unguentum libera.
Ecce tibi (dabi)mus m(un)era.
Ibimus Christi ungere uulnera.
Heu, (quantus est noster dolor!)
(Young I, 678/679)

Es folgen Klagen der Marien auf dem Weg zum Grabe. Dann kommen uns schon bekannte Szenen, im allgemeinen in archaisch kurzer Form, nur daß vor der Erscheinung Christi ein etwas sonderbarer „Versus de Pelegrinis" eingefügt ist. Die sämtlichen Krämerverse erscheinen wörtlich wieder im Osterspiel von Tours, während das Klosterneuburger nur in einigen Versen übereinstimmt. Zwei Prager Visitationes aus dem 13. und 14. Jahrhundert, die einzigen anderen mit Krämerszene, weisen anderen Wortlauf auf.

Im 12. oder jedenfalls 13. Jahrhundert liegt also ein Grundstock von Szenen vor, auf dem sich leicht ein umfassendes Osterspiel formen konnte.

3. Das Osterspiel

Im 13. Jahrhundert erreicht das lateinische Drama der Kirche seinen Höhepunkt. Zum erstenmal haben wir in Deutschland Belege für Osterspiele, für Passionsspiele. Das mag zum Teil Zufall sein. Es mag solche umfassenderen Dramen auch schon im 12. Jahrhundert gegeben haben, und nur die Überlieferung fehlt. Tatsächlich ist erst in den letzten Dezennien das Fragment eines Passionsspiels aus Monte Cassino aus dem 12. Jahrhundert entdeckt worden, ein in der Tat wichtiger Fund[21]. Und doch wenn man die vorhandenen Belege historisch geordnet nach Umfang und Neudichtung miteinander vergleicht, wie wir das jetzt getan haben, so mag man erkennen, warum es zweieinhalb Jahrhunderte dauerte, ehe der Höhepunkt des lateinischen Dramas erreicht war, ehe dann das Drama der Volkssprache neben das liturgische Drama treten konnte. Mir will scheinen, daß eine raschere Entwicklung kaum vorstellbar ist, auch wenn schon aus dem 12. Jahrhundert geniale Einzelleistungen hervorragen wie der *Tegernseer Antichrist* oder außerhalb Deutschlands der *Jeu d'Adam*.

Übrigens ist es doch bezeichnend, daß wir in unserer historischen Betrachtung weitgehend zu denselben Resultaten kamen, wie bei der rein logisch entwicklungsgeschichtlichen Zusammenstellung, wie sie von Lange, Creizenach, Young und der bisherigen Forschung vorgenommen wurde[22]. Die ältere Darstellungsweise stieß gewiß den Leser manchmal vor den Kopf, wenn eine Entwicklung etwa von einem Dokument aus dem 16. Jahrhundert zu einem aus dem 11. Jahrhundert statuiert wurde. Dabei war vielleicht nicht immer klar, daß das einfache Dokument aus dem 16. Jahrhundert sehr wohl eine stehengebliebene Form aus früherer Zeit repräsentieren kann, hier also kein wilder Anachronismus herrscht. Uns schien es doch verläßlicher, einzig die historische Folge zu berücksichtigen, zumal so noch Belege genug übrig blieben. Es besteht immerhin die Möglichkeit, daß einfache Formen nicht aus alter Zeit stehengeblieben sind, sondern daß sie tatsächlich aus komplizierteren Formen rückgebildet wurden, man sie also für die frühe Zeit nicht benutzen darf. Es muß aber noch einmal ausdrücklich betont werden, daß neben den umfassenderen Dramen, mit denen wir es von

---

[21] Siehe hierzu Don Mauro Inguanez, „Un dramma della Passione del secolo XII" *Miscellanea Cassinese* XII (1936) 7—38. Sandro Sticca, „The Planctus Mariae and the Passion Plays" *Symposium* XV (1961) 41—47. Derselbe „The Montecassino Passion and the Origin of the Latin Passion Play" *Italica* XLIV (1967) 209—219.

[22] Carl Lange, *Die lateinischen Osterfeiern*. München: Ernst Stahl: 1887. Wilhelm Creizenach, *Geschichte des neueren Dramas* I². Halle: Max Niemeyer: 1911.

jetzt an zu tun haben werden, die einfachen liturgischen Feiern weiterbestehen bis ins 15. und 16., ja bis ins 17. und 18. Jahrhundert.

Doch zurück zu unseren Oster- und Passionsspielen. Darf man überhaupt abgrenzen zwischen Osterfeiern einerseits und Oster- und Passionsspielen andererseits? Man hat als Argument für die Scheidung angeführt, die Oster- und Passionsspiele seien nicht mehr mit der Liturgie verbunden. Sie seien viel zu umfangreich, um dem Gottesdienst zuzugehören oder gar ihm anzugehören. Das scheint mir ein zweifelhaftes Argument, ein Argument, das wesentlich modernem Empfinden entstammt. Noch im 18. Jahrhundert führte man in Fribourg in der Schweiz ein kompliziertes Dreikönigsprozessionsspiel in direktem Zusammenhang mit der Messe auf. Die Ministranten der Messe waren gleichzeitig die Hauptdarsteller[23]. Die acht Dokumente, mit denen wir es bei den Oster- und Passionsspielen zu tun haben, (die Mehrzahl von ihnen sind fragmentarisch) bieten keine ganz eindeutigen Belege für oder wider den Zusammenhang mit dem Gottesdienst. Anders als Young halte ich allerdings bei allen Spielen aus Deutschland diesen Zusammenhang für gesichert. Überhaupt will mir scheinen, daß das lateinische Drama, liturgisch in seinem Ursprung, aufgeführt von Klerikern und, so scheint mir, nahezu immer in der Kirche, sinnlos gewesen wäre ohne den Zusammenhang mit dem Gottesdienst. Selbständig allerdings, so definierten wir ja schon zu Anfang, unabhängig in dem Sinne, wie jedes Kunstwerk unabhängig sein muß.

Dann hat man die Frage viel diskutiert: besteht überhaupt ein wesentlicher Unterschied zwischen der größeren Visitatio, der Osterfeier, wie etwa der von Einsiedeln und dem eigentlichen Osterspiel. Man ist geneigt mit Young (Young I, 411) diese Scheidung nur aus praktischen Gründen anzunehmen. Dennoch wird im lateinischen Osterspiel eine Tendenz deutlich, die im Drama in der Volkssprache einen, wenn nicht den überwiegenden Charakterzug bildet: die Tendenz zur Vollständigkeit. Diese heiligen Geschichten, die wir alle kennen, müssen in allen ihren Einzelheiten so dargestellt werden, wie sie sich wirklich zugetragen haben.

Unter den vier Osterspielen ist das von Origny-Sainte-Benoite das einfachste (Young I, 412—421). Es geht an Umfang nicht

---

[23] Peter Wagner, „Das Dreikönigsspiel zu Freiburg in der Schweiz" *Freiburger Geschichtsblätter* X (1903) 77—101.

wesentlich über das hinaus, was wir bisher behandelten. Nach Gesang auf dem Wege zum Grabe kommen die Marien zum Salbenkrämer. Der Salbenkauf, übrigens ohne Maria Magdalena, die schon Salben hat, wird in längerer Szene dargestellt. Es folgt zuerst die übliche Szene am Grabe, dann aber ein ausführlicher Zwiegesang zwischen Maria Magdalena und einem Engel, bevor mit der Erscheinung Christi, dem Bericht der Marien an die Apostel und dem Wettlauf die übliche Szenenfolge wieder aufgenommen wird. Interessant ist dies Spiel vor allem, weil nicht nur die gesamte Salbenkrämerszene, sondern auch der Zwiegesang zwischen Maria Magdalena und dem Engel wie auch alle Bühnenanweisungen auf französisch gehalten sind. Also gerade in den beiden detaillierteren und wahrscheinlich neueren Szenen ertönt die Volkssprache.

Die beiden Osterspiele aus Deutschland sind eng miteinander verwandt; aber nur das eine, das *Klosterneuburger*, ist einigermaßen vollständig erhalten (Young I, 421—432). Die jüdischen Oberpriester bitten Pilatus um Bewachung des Grabes. Pilatus gewährt ihre Bitte, und die Soldaten ziehen aus. Das wird in, ich möchte den Slang-Ausdruck gebrauchen, schmissigen Zehnsilbenzeilen heruntergesungen, wobei der Refrain der Grabwächter prahlerisch halbdeutsch ertönt: „Schowa propter insidias". Sofort erscheint ein Engel, verkündet „Resurrexit victor ab inferis!" und überwältigt die Soldaten. Nur zwei Strophen werden benötigt für den Salbenkauf der Marien. Dann folgt die eigentliche Visitatio in Prosa. Inzwischen marschieren die Soldaten wieder im Zehnsilbentakt zu den Hohenpriestern. (Die hier eingeschobene Szene der Rückkehr der Marien, die nachher noch einmal erscheint, übergehe ich an dieser Stelle. Die Wiederholung der Szene, die Klammer, in die sie gesetzt ist, beweisen, daß sie hier getilgt werden sollte.) Pilatus besticht die Soldaten, und sie erzählen dem Volk, der Leichnam sei gestohlen worden. Nun verkünden die Marien den Aposteln die Auferstehung Christi. In nur zwei Vagantenzeilen drücken sie sarkastische Kritik aus. Gefolgt von Maria Magdalena, eilen sie aber doch zum Grabe. Apostel und Maria bleiben von Zweifel, Maria auch von Schmerz gequält, bis Christus ihr erscheint. Diese Szene ist wieder ganz in der traditionellen Prosa. In kurzen, markanten Gesängen wird Christi Höllenfahrt dargestellt. Es folgen Gesänge der Marien und Apostel voll Sieges- und Glaubensgewißheit. Am Schluß steht etwas sonderbar und nach Young „uncommonly ineffectual" das „Currebant duo simul".

Der Grundrhythmus des Ganzen ist der Zehnsilber, über den wir schon oben sprachen. Natürlich handelt es sich bei diesem Rhythmus um qualitative, nicht quantitative Metren; Silbenbetonung, nicht Silbenlänge wird beachtet. Der Zehnsilber zeigt beim Lesen einen leichten, flüssigen Charakter und bleibt sicher auch im Gesang lebendig. Dazwischen stehen in wirkungsvollem Kontrast, ob das beabsichtigt war oder nicht, Prosaszenen bei der ursprünglichen Visitatio und der Erscheinung Christi vor Maria Magdalena. Auch die völlig neue Szene der Höllenfahrt sticht ab von dem Rest des Dramas. Wir geben sie im Wortlaut:

Tunc duo Angeli precedentes Ihesum ad Infernum cantent:
Cum rex glorie Christus.

Ihesus ueniens ad portas Inferni et inueniens eas clausas cantet:
Tollite portas, principes, uestras, et e(levamini) p(ortae) e(ternales), et i(ntroibit) r(ex) glorie.

Tunc Diabolus:
Quis est iste rex glorie?

Ihesus:
Dominus fortis et p(otens), d(ominus) p(otens) in prelio.

Hoc ter repetito, Ihesus magno impetu confringat portas. Infernales uero intuentes uultum eius cantent:
Aduenisti, desiderabilis! (Young I, 425)

Der Text wurde zum großen Teil direkt oder indirekt aus dem apokryphen Evangelium Nikodemi übernommen und bildet zusammen mit der ergreifenden Hymne „Aduenisti, desiderabilis", die von den Seelen der Erzväter in der Hölle gesungen wird, nicht nur den Kern von vielen späteren Höllenfahrtsszenen des Dramas in der Volkssprache, sondern dieser apokryphe Text dient schon weit früher bei Palmsonntagsprozessionen und vor allem auch bei der Einweihung von Kirchen. Belege für das „Tollite portas", „Quis est iste rex glorie" und so fort reichen zurück bis ins 9. Jahrhundert. Auch damals schon zeigen sie einen außerordentlich dramatischen Charakter, aber erst 400 Jahre später, im Rahmen also unseres lateinischen Osterspiels werden sie wirkliches Drama, erfüllen sie ihre volle Potentialität[24].

[24] Die Höllenfahrt ist ausführlich behandelt von Young I, 149—177. Siehe auch K. W. C. Schmidt, *Die Darstellung von Christi Höllenfahrt in den deutschen und den ihnen verwandten Spielen des Mittelalters.* Marburg:

Das *Benediktbeurer Osterspiel* ist ein Fragment, das nur bis zur Auszahlung des Schweigegeldes an die Soldaten reicht und hier plötzlich abbricht (Young I, 432—438). Bis zu diesem Punkt jedoch wird der gesamte Text von Klosterneuburg aufgenommen, aber erheblich erweitert. Die Hohenpriester haben eine neue Strophe, das Weib des Pilatus wird mit einer Strophe eingeführt. Die Juden erhalten folgendes kleines Wortspiel:

Avdi, preses, nostras preces, ne sis deses; nobis debes hos prestare militites

Ad sepulchrum, ut defunctus obseruetur, ne tollatur suis a discipulis. (Young I, 433)

Dann folgt eine Szene, wo Juden und Soldaten um den Lohn feilschen. In der Szene mit dem Apotecarius sind weitere Strophen eingefügt und so fort. Beide Stücke wirken gegenüber den früheren Feiern durch neues, fast möchte man sagen, psychologisches Detail. Und doch ist der Wechsel von Ort zu Ort so lebendig, daß die textliche Einzelheit nicht ermüdet.

Das vierte Osterspiel, das von *Tours*, ist noch weit umfangreicher (Young I, 438—440). Leider fehlt in der Mitte ein Teil des Textes, so daß die Szenenfolge unklar bleibt. Auch hier steht wieder Neues und Altes nebeneinander. Young spricht von: „. . . novelties, blemishes and successful effects". Das bedeutet: manches ist auch hier wieder nicht in logischer Folge geordnet. Viele von den Strophen und den Prosateilen stellen hier wie in den anderen Osterspielen eine Art Gemeingut dar, das sich in früheren oder späteren liturgischen Stücken wiederfindet.

4. Das Passionsspiel

In engem Zusammenhang mit den Osterspielen sind die beiden auf deutschem Boden überlieferten lateinischen Passionsspiele zu nennen. Wir erwähnten schon, daß auch in Italien zwei Passionsspielfragmente erhalten sind[25]. Es handelt sich hier um Bruchstücke von vermutlich ein und derselben Spieltradition, mindestens sind die Übereinstimmungen sehr bedeutend. Das ältere Bruch-

Heinrich Bauer: 1915, und Karl Young, „The Harrowing of Hell" *Transactions of the Wisconsin Academy of Sciences, Arts, and Letters* XVI, 2 (1909) 889—947.

[25] Siehe hierzu Anmerkung 21.

stück stammt bereits aus dem 12. Jahrhundert. Das italienische Passionsspiel ist also hundert Jahre älter nicht nur als die deutschen Passionsspiele, sondern auch als die Osterspiele aus Frankreich und Deutschland. Ist das reiner Zufall? Hat sich das italienische liturgische Drama schneller entwickelt als das nördlich der Alpen? Müssen wir annehmen, daß auch im Norden schon ältere Passionsspiele existierten, die nur verlorengegangen sind? Vielleicht gibt es keine Antworten auf diese Fragen. Soviel freilich können wir doch mit einiger Sicherheit erwidern: aus dem 13. Jahrhundert haben wir Nachrichten von Passionsspielaufführungen in Italien (Young I, 697/698). In Deutschland ist das lateinische Passionsspiel nicht nur ein Unikum, die beiden einzigen Spiele aus Deutschland sehen nicht so aus, als ob sie auf eine ältere Tradition zurückgehen. Noch finden sich in Deutschland sonst irgendwelche Spuren einer älteren lateinischen Tradition[26]. Vielmehr lassen sich die späteren deutschen Passionsspiele in der Volkssprache auf Osterspiele in der Volkssprache zurückleiten. Die Entwicklung, soweit eine Entwicklung überhaupt zu verfolgen ist, wäre also nicht lateinische Visitatio — lateinisches Osterspiel — lateinisches Passionsspiel — deutsches Passionsspiel, sondern eher lateinische Visitatio — deutsches Osterspiel (oder vielleicht dazwischen noch lateinisches Osterspiel) — deutsches Passionsspiel. Wir berühren damit auch die Frage, was war der Ursprung des Passionsspiels? Die Forschung hat vielfach hingewiesen auf die Marienklagen als möglichen Ausgangspunkt[27]. Die Marienklagen sind lyrische Dichtungen im Anfang auf lateinisch und rein monologischen Charakters, später mit Dialog und auch in der Volkssprache. Die bekannteste lateinische Marienklage ist der *Planctus ante nescia* aus dem 12. Jahrhundert. Später, namentlich gegen Ausgang des Mittelalters werden diese Klagen zu regelrechten Dramen. Gewöhnlich konzentriert sich der Text um die Klage unter dem Kreuz. Gegen die Theorie, die das Passionsspiel aus diesen Marienklagen ableitet, spricht schon das eben erwähnte Argument, daß der uns bekannte Entwicklungsgang von dem Osterspiel zum Passionsspiel verläuft. Damit wäre die Entstehung des Passionsspiels aus dem Expan-

[26] Freilich wurde in Eisenach ebenfalls ein Passionsspiel aufgeführt, dessen Text nicht erhalten ist. Siehe Creizenach I, S. 89.

[27] Das Thema wird ausführlich von Young I, 493—513 und 697/698 behandelt; er gibt auch eine genaue Bibliographie.

sionsdrang des Osterspiels geklärt. Noch eine Möglichkeit ist zu erwägen. In seiner feinsinnigen Untersuchung über das *Passionsspiel von Monte Cassino* weist Sandro Sticca auf den Wechsel in der religiösen Auffassung der Zeit[28]. Wo das frühere Mittelalter Christus allein in seiner göttlichen Herrlichkeit feierte, da tritt etwa im 12. Jahrhundert das Mitgefühl für den leidenden Menschen in den Vordergrund. Zeigte man früher meist den lebenden Christus am Kreuz ohne irgendwelche Zeichen des Schmerzes, so überwiegen nun die Darstellungen des toten schmerzdurchfurchten Menschenkörpers. Der Sinn für das Mitleiden, das Leiden, die Compassio, die Passio war geweckt. Mir will scheinen, daß alle drei Theorien in gewisser Weise ihre Berechtigung haben und nebeneinander bestehen können, daß es nur gilt, ihre Bedeutung abzuwägen; und dazu mag nun die Betrachtung der Benediktbeurer Texte dienen.

Das eine der beiden Passionsspiele drückt schon im Titel seinen Charakter aus (Young I, 514—518). *Ludus Breuiter de Passione* nennt es sich. Und in der Tat, hier werden in kurzen, wörtlich aus der Bibel entnommenen Prosasätzen, sozusagen im Telegrammstil, die Ereignisse vom Abendmahl bis zu dem „Consumatum est" abgehandelt. Abendmahl, Judas' Verrat, Gefangennahme Christi, Verhandlung vor Pilatus, Kreuzigung, Verspottung, Tod, alles wird mit ein bis zwei Zeilen abgetan; nur die Verhandlungen vor Pilatus beanspruchen eine größere Zeitspanne. Außerdem heißt es während der Kreuzigungszene: „Et Maria planctum faciat quantum melius potest". Der Text der Klage wird aber nicht gegeben. Young vermutet, und wohl mit Recht, daß eine Version des *Planctus ante nescia* benutzt wurde, die auf einer der vorhergehenden Seiten niedergeschrieben ist. Dieser Planctus ist rein monologisch. Die Art, wie er hier gegeben wird, erweckt nicht den Eindruck, er sei der Kern, der Ausgangspunkt des Spiels; vielmehr gewinnt man eher den Verdacht, diese Klage sei erst nachträglich in das schon fertige Spiel eingefügt worden. Gerade durch die kompakte Kürze wirkt der *Ludus* außerordentlich dramatisch. Im übrigen scheint er als eine Art Vorspiel zu dem Benediktbeurer Osterspiel gedacht, das wir oben behandelten. Auf den Text folgt: „Et ita inchoatur ludus de Resurrectione. Pontifices: *O Domine recte meminimus*". (Die letzte Zeile ist der Anfang des Benediktbeurer Osterspiels.) Young freilich hält das für unmöglich:

---

[28] Siehe Anmerkung 21.

> The opening rubric of this Benediktbeuern Easter play, however, seems to prescribe that it be performed immediately after Matins (*cantatis Matutinis*), hence it could hardly be immediately preceded by the Passion play. (Young I, 537/538)

Dieses Bedenken Youngs scheint mir nicht entscheidend. Warum könnte nicht erst nur das *Osterspiel*, später beide Spiele zusammen unmittelbar nach der Matutin dargestellt worden sein? Irgendwie müssen wir doch diese Zeile am Schluß des *Ludus breuiter* erklären. Ich sehe keine andere Erklärungsmöglichkeit.

Einen völlig anderen Charakter zeigt das zweite Passionsspiel aus Benediktbeuren (Young I, 518—539). Schon der bedeutendere Umfang läßt das erkennen. Nach dem Einzug der Personen beruft Christus die Jünger. Es folgen in raschem Wechsel: die Heilung eines Blinden, das Gespräch mit Zacheus, der Einzug in Jerusalem und die Einladung des Pharisäers, bei ihm zu speisen. Die Gesänge bei den einzelnen Begebenheiten sind meist aus dem Palmsonntags-antiphonar. Es ist nicht immer ganz klar, wie viel von diesen Gesängen übernommen wurde, da nur die Anfänge, die Incipits, niedergeschrieben sind. Und nun kommt mit erstaunlicher Ausführlichkeit, etwa ein Drittel des ganzen Werks umfassend, ein fast selbständiges Maria-Magdalena-Drama. In blutvollen Vagantenversen wird von dem lebenslustigen Mädchen „Mundi delectatio" gepriesen, und es verlangt vom Mercator Schönheitsmittel, die dieser auch gleich zur Hand hat. Dann wiederholt Maria Magdalena ihre Bitte um „varwe" in deutscher Sprache und in variierter Versform. Auch die reine Daseinsfreude findet noch einmal in deutscher Sprache Ausdruck. Dazwischen tönt auf lateinisch und in gemessener Versform der Warnungsgesang eines Engels. Aber Maria Magdalena gibt sich weiter ihrem Lebensgenuß hin. Zum zweiten, zum dritten Male erscheint ihr der Engel — übrigens im Schlafe. (Für modernes Empfinden wirkt es ein wenig naiv, wie unvermittelt Maria Magdalena hier auf einmal schlafen muß, nur damit ihr der Engel im Traum erscheinen kann. In derselben Weise wird aber auch in anderen liturgischen Dramen diese plötzliche Engelserscheinung im Traume genutzt, im Dreikönigsspiel zum Beispiel sowohl für Joseph wie auch für die drei Könige selbst. Das Empfinden der Zeit stieß sich also nicht an dieser stilisierten Darstellung.) Abrupt und vollständig ist der Umschwung zur Reue. Wieder besucht Maria Magdalena den Krämer, doch nun um Salben für Christus zu kaufen. Die zwei Strophen bei diesem neuen

Salbenkauf sind wörtlich dieselben wie zwei Strophen beim Salbenkauf der drei Marien im *Osterspiel von Tours*. Erst in lateinischen Vagantenstrophen, dann wiederum auf deutsch fleht Maria Magdalena Christus um Vergebung an. Nach der Vergebung zieht sie fort mit den erschütternden Worten „Awe, awe, daz ich ie wart geborn". Hier scheint Youngs Urteil: „appears to be unfortunately placed", besonders pedantisch. Selbst wenn man modern, logisch empfindet, warum soll Maria Magdalena nicht auch nach der Vergebung bittere Reue empfinden?

Das Folgende ist im allgemeinen wieder kurz und kompakt gehalten, so die Erweckung des Lazarus, die Verhandlung von Judas mit den Hohenpriestern — diese etwas länger — der Ölberg (es fehlt also das Abendmahl), Gefangennahme Christi, Anklage Petri, Christus vor Cayphas, dann wieder etwas ausführlicher Christus vor Pilatus; und hier stimmt das Drama in drei Zeilen in 229/230, 237, später noch in 304 wörtlich mit dem *Ludus breuiter* überein, doch freilich auch mit der Bibel. Es folgt Judas' Reue, doch umsonst: „Statim veniat Diabolus, et ducat Iudam ad suspendium, et suspendatur." Die eigentliche Kreuzigungsszene wird begleitet von sehr ausführlichen Marienklagen, auf deutsch zunächst, dann auf lateinisch, wobei bekannte Marienklagen, so das *flete fideles*, genutzt sind. Am Schluß geht das Drama noch einmal ins Deutsche über. So erklärt Longinus:

Ich will im stechen ab daz herze sin,
daz sich ende siner marter pin.

Und nach dem Tode Christi:

Er hat zaichen an mir getan,
wan ich min sehen wider han. (Young I, 532)

Ohne eigentlichen Schluß endet das Werk. Ich möchte schon aus diesem Grunde annehmen, daß auch dieses Passionsspiel mit dem Osterspiel zusammen aufgeführt werden sollte. Beweisen läßt sich das freilich nicht. Jedenfalls kann ich mich Young nicht anschließen, wenn er sagt: „The direct attachment of so extended a play to a liturgical service is, of course, scarcely possible." Weit längere Spiele in der Volkssprache waren noch mit dem Gottesdienst verbunden. Eine Aufführung außerhalb der Kirche scheint mir bei dem stark liturgischen Charakter nicht wahrscheinlich, zumal bei den meisten anderen Benediktbeurer Dramen die Darstellung in der Kirche nachgewiesen werden kann.

Wie manches andere liturgische Drama der Blütezeit zeigt dieses *Passionsspiel* den oft überraschenden Wechsel zwischen Teilen, die in archaischer Kürze abrollen, und solchen, die mit allem Detail des persönlichen Interesses dargestellt werden, neben leichtester Lebenslust steht der tiefe Schmerz der Reue und des Mitleidens, neben dem liturgischen Latein die Volkssprache gerade bei radikalem Gefühlsausdruck. Diese Kontraste sind nichts Zufälliges, nichts Oberflächliches; sie demonstrieren einen Wandel der Grundauffassung. Auch die neue metrische Behandlung muß hier berücksichtigt werden. In der Maria-Magdalena-Szene ist von dem sogenannten Vagantenvers ausgiebig Gebrauch gemacht worden. Es ist dies ein trochäischer Vierheber mit ausgesparter letzter Senkung, auf den ein trochäischer Dreiheber folgt. Vierheber reimt mit Vierheber, Dreiheber mit Dreiheber. Vagantenvers heißt diese Form, weil sie sich besonders häufig in der Dichtung der Vaganten findet. Und nun erinnern wir uns daran, daß die *Carmina Burana*, in denen uns die *Benediktbeurer Spiele* überliefert sind, eine Sammlung vorzüglich von Vagantendichtung darstellt. Mit anderen Worten, jetzt, wo die Dramen der Osterzeit ihren Höhepunkt erreicht haben, stellt sich eine bedeutsame Beziehung zum Vagantentum her. Hier brechen wir ab, denn diese wichtige Beziehung kann erst voll gewürdigt werden, wenn auch die liturgischen Dramen zu den anderen Jahreszeiten untersucht worden sind.

5. Andere Spiele der Osterzeit

Zunächst freilich müssen wir kurz einige andere Dramen aus der Osterzeit erwähnen. Am Ostermontag formt sich eine Tradition, für die wir seit dem 12. Jahrhundert Belege haben. Die einzige deutsche Feier stammt wieder aus Benediktbeuren. Trotz Youngs scharfer Kritik: „uncouth discorder“ (Young I, 466) nutzen wir das Dokument, um die Form der Emmausspiele — gewöhnlich *Peregrinus* genannt — kurz darzulegen (Young I, 463—466).

Unerkannt begegnet Christus den beiden Jüngern auf ihrem Wege nach Emmaus. Beim Abendmahl erkennen die Jünger den Herrn an der Art, wie er das Brot bricht. Aber schon ist er verschwunden, und er erscheint nun allen Jüngern außer Thomas, zeigt seine Wundmale und verschwindet wieder. Thomas will den Jüngern nicht glauben, bis Christus auch zu ihm, dem warnenden

Beispiel der Kleingläubigkeit kommt. Die Jünger singen den Hymnus „Jesu, nostra redemptio." Bis hierhin folgt das Drama wesentlich der biblischen Erzählung, wenn auch der Wortlaut sich eher auf liturgischen als biblischen Text stützt. Zum Schluß wird die Mutter Gottes, geleitet von zwei Marien und zwei Engeln eingeführt und verherrlicht[29]. Der Text hier ist teilweise dem *Hohenlied Salomonis* entnommen. Im Gegensatz zu anderen Emmausspielen, die sich an den biblischen Text anlehnen, hält sich das *Benediktbeurer* völlig an liturgische Formen. Dadurch entstehen jene logischen Paradoxe, die Young so tadelt. Die starke Gebundenheit an liturgische Tradition hinterließ aber gewiß bei der aufnehmenden Gemeinde einen bleibenden Eindruck. Wir wollen uns die liturgische Form dieses Werkes merken für die spätere Besprechung aller Benediktbeurer Dramen.

Der einzige andere Stoff der Osterzeit, der zu dramatischer Behandlung führte — aber dafür gibt es nur einen einzigen Beleg in lateinischer Sprache und erst aus dem 14. Jahrhundert — ist Christi Himmelfahrt. Bei gotischen Kirchen ließ man gelegentlich das Spitzbogengewölbe der Deckenstrebepfeiler in einen Ring enden, der offen blieb und nur durch ein hölzernes entfernbares rundes Brett geschlossen war, so daß man von dem Raum zwischen Dach und Decke das Schiff von oben her erreichen konnte, zum Beispiel für Reparaturen an der Decke. Diese Öffnung scheint am Himmelfahrtstage benutzt worden zu sein, um Bilder oder Statuen Christi aus der Kirche hochzuziehen und so die Himmelfahrt anzudeuten. Ein Ordinarium aus Moosburg in Bayern aus dem 14. Jahrhundert enthält das einzige bekannte *lateinische Himmelfahrtsdrama*, das sich aus dieser Tradition entwickelt hat (Young I, 484—489). In einem Häuschen, das den Berg Sinai darstellt, ist eine Christusfigur und ein lebender Darsteller Christi verborgen. Die Christusfigur ist an einem Seil befestigt, das durch die Deckenöffnung herabgelassen worden ist. An anderen Seilen hängen die Figur einer Taube und eines Engels die zunächst unmittelbar unter dem Deckengewölbe schweben. Die zwölf Apostel, Maria und zwei Engel nähern sich von der Sakristei dem Berg Sinai unter Gesängen. Der verborgene Christusdarsteller antwortet

[29] Dieser letzte Teil wird von Rudolf Heym, „Bruchstück eines geistlichen Schauspiels von Marien Himmelfahrt" *Zeitschrift für deutsches Altertum* LII (1910), S. 50 als unabhängiges Spiel von Mariae Himmelfahrt ausgelegt; eine gewagte Hypothese.

und singt schließlich: „Ascendo ad Patrem . . .“ Daraufhin wird die Figur Christi aus dem Häuschen in die Höhe gezogen und die Figur der Taube, dann auch die Engelsfigur über den Kopf der Figur hinabgelassen. Nach weiteren Gesängen wird schließlich die Christusfigur durch die Öffnung im Gebälk völlig dem Blick entzogen und die irdischen Darsteller kehren wieder zu ihrem Ausgang zurück. Auch hier sind die Gesänge der Liturgie entnommen. Interessanterweise wird im Text ausdrücklich dagegen gewarnt:

> . . . ne strepitus et turpitudo ymaginis Dyaboli cum abhominacionibus ignis sulphuris et picis sev aqarumu coloribus permixtarum ceterisque irreuerencijs et parlamentis cuiuscumque condicionis per sanctam matrem ecclesiam prohibitis huic deuocioni admisceantur, ex quibus loca sancta diuino cultui consecrata ac domus Dei quam decet sanctitudo in longitudine dierum non solum prophanantur . . . (Young I, 487—488)

Dies ist ein klarer Beweis, daß in Moosburg oder anderswo solche Teufelserscheinungen mit Feuer und Schwefel Tradition gewesen waren. Bei einem deutschen Himmelfahrtsspiel aus Bozen ist tatsächlich solch eine Teufelserscheinung belegt. Wir kommen später darauf zu sprechen und werden dann auch ausführlicher auf die architektonischen Eigentümlichkeiten eingehen. Bei diesem späten liturgischen *Spiel aus Moosburg* wäre es sehr wohl möglich, daß ein Spiel in der Volkssprache und eine gewisse semidramatische Tradition das liturgische Drama erst erstehen ließen. Hier wäre dann also wirklich an eine Rückbildung vom umfangreichen Volksdrama zum einfacheren lateinischen Kirchendrama zu denken. Bei allem Bühneneffekt wirken jedenfalls diese Spiele ein wenig armselig verglichen mit den Oster- und Passionsspielen, von denen wir vorher sprachen.

6. Das Hirtenspiel

Die Feiern zur Weihnachtszeit haben nicht dieselbe Bedeutung wie die zu Ostern, noch konzentrieren sie sich in demselben Maße um ein biblisches Ereignis; endlich erhielten sie ihren dramatischen Anstoß von der Ostertradition, der sie auch in historischer Folge nachstehen. Im Introitus der Messe des Weihnachtstages bildet sich wie zu Ostern ein dramatischer Tropus, aber erst im 11. Jahrhundert ist dieser Tropus belegt. Der Wortlaut folgt dem Ostertropus aufs genaueste:

AD DOMINICAM MISSAM

Quem queritis in presepe, pastores, dicite?
Saluatorem Christum Dominum, infantem pannis inuolutum, secundum sermonem angelicum.

Adest hic paruulus cum Maria matre sua, de qua dudum uaticinando Isaias dixerat propheta: Ecce uirgo concipiet et pariet filium; et nunc euntes dicite quia natus est.

Alleluia, alleluia! Iam uere scimus Christum natum in terris, de quo canite omnes cum propheta, dicentes:

Psalmus: *Puer natus est.* (Young II, 4)

Auch zu Weihnachten ergibt sich die Möglichkeit zu wirklichem Drama erst durch die Trennung von der Messe. In der *Regularis Concordia* wurde der Tropus, zum Drama gewandelt, in die Matutinfeier übernommen als Ersatz für die im römischen Ritus für den Ostertag verpönte und darum ausgeschiedene Verlesung des Evangeliums. Das Spiel blieb im Rahmen der Matutinfeier, im Rahmen des liturgischen Gottesdienstes. Am Weihnachtstag hielt sich die Verlesung zu Ende der Matutinfeier. Als nun nach dem Vorbild von Ostertropus und Spiel auch der Weihnachtstropus dramatisiert und auf die Matutin verlegt wurde, konnte man das so entstandene Spiel nur unmittelbar vor die Matutin oder unmittelbar nachher einreihen. Für beide Vorgänge haben wir Belege. In einem Text aus Padua aus dem 13. Jahrhundert erscheint der Tropus als Drama, aber in ziemlich einfacher Form vor der Matutinfeier (Young II, 9/10). Die Tradition in Rouen erweckt weit größeres Interesse: die Überlieferung reicht vom 12. bis ins 14. Jahrhundert; die Texte zeigen lebendige Nutzung der dramatischen wie der theatralischen Möglichkeiten (Young II, 12—20). „Ante chorum in excelso“ verkündet ein Knabe als Engel die Geburt Christi. Die Hirten nähern sich der Mitte des Chors mit dem Gesang „Nolite timere . . .“. Verschiedene Knaben „In uoltis ecclesie“ (wird hier wie bei dem Himmelfahrtsspiel die Öffnung in der Decke benutzt?) singen das „Gloria in excelsis“. Die Hirten treten mit dem „pax in terris“ an die Krippe heran, die sich hinter dem Hauptaltar befindet. Es folgt der dramatisierte Tropus; bei dem „Adest hic paruulus“ wird ein Vorhang geöffnet und man sieht dahinter das Christkind mit der Gottesmutter. Nach der dramatischen Darstellung beginnt sofort die Messe.

So wirkungsvoll das *Hirtenspiel in Rouen* ausgearbeitet ist, es scheint keine weite Verbreitung gefunden zu haben. Für Deutschland existieren keine Belege für das Hirtenspiel als unabhängiges Drama. Auch die Belege für die romanischen Länder sind gering an Zahl. Das dramatische Interesse zur Weihnachtszeit konzentrierte sich auf andere Traditionen.

7. Das Dreikönigsspiel

An Reichtum der Überlieferung sowohl wie an dramatischer Lebendigkeit überragt das Dreikönigsspiel bei weitem die Tradition am Weihnachtstage. Aber der Wissenschaftler steht hier vor einem schwierigen methodologischen Problem. Die allereinfachsten Spiele aus Limoges und Besançon, bei Young an den Anfang gesetzt, sind offenbar erst spät niedergeschrieben. Limoges nicht vor 1100[30]; Besançon kennen wir nur aus einem Dokument aus dem 17. Jahrhundert (Young II, 37). Es ist eng verwandt mit anderen spät überlieferten Feiern. Rouen — ebenfalls noch einfach in der Form — ist nur in Texten aus dem 13. und 14. Jahrhundert erhalten (Young II, 43—50). Allerdings wissen wir von Aufführungen in Rouen schon im 11. Jahrhundert (Young II, 48). Dagegen entstammen die recht entwickelten Texte aus Nevers und Compiègne schon dem 11. Jahrhundert und vor allem auch der Text aus Freising, den Young nahezu an den Schluß seines Entwicklungsprozesses stellt. Da sich die Tradition vermutlich im 11. Jahrhundert überhaupt erst formte, so scheint es unmöglich einen Stammbaum aufzustellen, ja nur igrendwie eine logische Ordnung in die historischen Daten zu bringen. Denn die umfassenden textlichen Zusammenhänge zwischen den Dokumenten zeugen unwiderruflich für gemeinsame Wurzeln, denen sie entwachsen sein müssen. Young erkennt diese Wurzel in der Oblationsfeier der Messe (Young II, 32—34). Während dieses Teils der Messe brachte ursprünglich die an der Kommunion teilnehmende Gemeinde Brot und Wein für den Gebrauch beim Abendmahl. Im späteren Mittelalter übernahm die Geistlichkeit dieses Amt: „oblatio sacerdotalis". In dieser „oblatio sacerdotalis" sei die Keimzelle des Dreikönigsspiels enthalten. Diese Geistlichen konnten leicht die Darsteller

[30] Siehe hierzu Young II, 34, Anmerkung 2.

werden, die Gold, Weihrauch und Myrrhen darbrachten. Nun ist aber zu fragen, wenn die „oblatio sacerdotalis“, die Übernahme der Oblation durch die Geistlichkeit erst im späteren Mittelalter allgemein wird, wenn also priesterliche Beteiligung bei der Oblation erst im Spätmittelalter anzusetzen ist, wenn andererseits die „einfachen Formen“ des Dreikönigsspiels nur spät belegt sind, ob wir dann nicht die ganze schöne Ordnung von Anz, Creizenach, Young umstürzen müssen, ob wir nicht in den einfachen Formen, in der Verbindung mit der Messe eine Rückwirkung dramatisch entwickelter Stücke auf den Meßgottesdienst sehen müssen, ob wir nicht den Ursprung des Dreikönigsspiels anderswo zu suchen haben. Die Beantwortung dieser Frage erforderte eine eigene eingehende Untersuchung, die den Rahmen dieser Studie sprengen würde. Wir bescheiden uns, die Dokumente in ihrer historischen Folge, insbesondere die aus deutschem Sprachgebiet für sich sprechen zu lassen.

Von den drei Spielen aus dem 11. Jahrhundert zeigt das von *Nevers* die einfachste Form (Young II, 50—53). Die Könige ziehen zum Altar, während sie den Stern als Zeichen der Geburt des Herrn besingen. Sie kommen zu Herodes, der sie befragt, nach welchem König sie suchen; sie sollten nach Jerusalem zurückkehren und von dem Knaben berichten. Von neuem folgen die drei Könige dem Stern. Die „custodes“ wollen wissen, wer sie sind. Sie geben sich als „reges Tarsis et Arabum et Saba“ zu erkennen. „Ecce puer adest quem queritis“. Die Könige bringen ihre Geschenke dar; Gold dem König, Weihrauch dem Gott, Myrrhen als Zeichen der Sterblichkeit. Ein Knabe in „excelso loco“ warnt, sie sollten auf anderem Wege zurückkehren.

Das *Spiel von Compiègne*, ebenfalls aus dem 11. Jahrhundert, enthält weit mehr Detail in den Szenen vor Herodes (Young II, 53—58). Ein Bote läuft hin und her und beruft die Könige zu Herodes, die schon ihm gegenüber den dreifachen Charakter der Geschenke erklären. „Scribae“ finden Bethlehem als die Heimat des Heilandes. Am Schluß kehrt das Drama noch einmal zu Herodes zurück, der von der Täuschung erfährt und den Kindermord beschließt.

Das älteste Dreikönigsspiel aus Deutschland, ebenfalls aus dem 11. Jahrhundert aus Freising, übertrifft die beiden ebengenannten Spiele noch durch weitere Details vor allem wieder in den Herodesszenen (Young II, 92—99). Der „Armiger“ von Herodes — in

Compiègne noch eine untergeordnete Rolle — wird nun zum eingehenden Berater, und Herodes selbst ist sehr viel deutlicher als Wüterich gezeichnet. Außerdem enthält das *Freisinger Spiel* aber auch noch eine Episode oder eigentlich zwei, die in *Compiègne* und *Nevers* völlig fehlen; die Hirten werden eingeführt. Zu Anfang verkünden die Engel: „Pastores, annuntio vobis gaudivm magnum"; und sie beschließen: „Transeamus Bethlehem et videamvs hoc verbum". Später befragen die Könige sie: „Pastores, dicite quidnam (uidistis)", und die Hirten antworten: „Infantem vidimus pannis inuolutum". Das Stück endet in einem Jubelgesang, an dem trotz der vorangegangenen Ankündigung des Kindermordes die „pueri" teilnehmen. „Totally incongruous", meint Young.

Die anderen späteren Feiern unterscheiden sich meist nicht sehr wesentlich von diesen dreien. Aus dem Gebiete des deutschen Reiches sind noch zwei weitere Texte überliefert: aus Bilsen, im heutigen Belgien, aus dem 12. Jahrhundert und aus Straßburg um 1200. Beide enthalten auch Szenen mit den Hirten, wenn auch nicht sehr ausführlich. Außerhalb Deutschlands ist besonders das *Spiel aus Fleury* erwähnenswert (Young II, 84—92). Es enthält eine große Masse von Details, und vor allem sind die Bühnenanweisungen so außerordentlich reich, daß sie eine Rekonstruktion der Aufführungsform möglich machen. Wir werden im Zusammenhang der Bühnengeschichte auf dieses Werk zurückkommen.

Alle diese Spiele, das muß noch einmal ausdrücklich betont werden, sind aufs engste untereinander verwandt. Wie in der Ostertradition bemerkt man auch hier, Hymnen, neue liturgische Stücke werden zwar immer wieder eingefügt, aber der alte Kern, wenn auch vielleicht moduliert oder in anderer Reihenfolge angeordnet, bleibt doch wesentlich derselbe. Die außerordentliche Einheitlichkeit des lateinischen liturgischen Dramas kennt keine Begrenzung durch Sprache oder Politik. Die ganze westliche Welt umfassen diese eindrucksvollen Phänomene.

Unter den Dreikönigstexten haben allerdings doch einige eine besondere Gestalt. Von ihnen müssen wir jetzt sprechen. Es sind spätere Spiele einfachster Form, untereinander verwandt, mit der Messe verbunden, alle aus dem westlichen Alpengebiet. Das *Spiel von Besançon* erwähnten wir schon. Es mag als Beispiel dienen (Young II, 37—42). Drei Geistliche in Kostümierung als Könige und von Gefolge begleitet, von denen einer einen Kandelaber voranträgt, ziehen durch die Kirche mit dem Gesang: „Nouae geniturae".

Dann später stimmen sie das „Nos respectu gratiae" an, dessen letzte Strophe lautet:

Ius in auro regium,
thure sacerdotium,
myrrha munus tertium
mortis est indicium. (Young II, 39)

Sie besteigen die Kanzel und verlesen das Tagesevangelium, das natürlich von den drei Königen handelt, sozusagen mit verteilten Rollen, soweit das möglich ist. Sie kommen wieder von der Kanzel herab und besingen den Stern, während sie sich dem Hochaltar nähern, wo sie ihre Geschenke: Gold, Weihrauch und Myrrhen darbringen. Eine ganz ähnliche Feier ist aus Sitten aus dem 13. Jahrhundert überliefert[31]. Auch hier verlesen die drei Könige das Tagesevangelium. Auch hier singen sie das „Nos respectu gratiae". Auch hier werden während des Offertoriums oder vielmehr als Offertorium die Gaben von den Königen dargebracht. Freilich war in Sitten das theatralische Element, so scheint es, weit wirkungsvoller als in Besançon.

Mit diesen beiden Spielen ist ein *Spiel von Fribourg* in der Schweiz aufs engste verwandt[32]. Es ist aber zum großen Teil in der Volkssprache; wir werden es daher in anderem Zusammenhange zu würdigen haben. Alle drei Spiele, ungleich allen anderen liturgischen Spielen, sind mitten in den Meßgottesdienst eingebaut, ein Beweis, daß die Ehrfurcht vor dem heiligen Amt nicht unbedingt die Entwicklung des Dramas hinderte.

Ein anderes Thema der Weihnachtszeit wurde nur ganz gelegentlich dramatisch behandelt: der Mord der unschuldigen Kinder. Auch hier bietet Freising einen sehr frühen (11./12. Jahrhundert) und dennoch recht entwickelten Text, zugleich den einzigen aus Deutschland (Young II, 117—122). Die Darstellung beginnt mit einer kurzen Hirtenszene (einige Zeilen hier sind identisch mit Zeilen im Freisinger Dreikönigsspiel). Dann warnt ein Engel die heilige Familie, sie solle nach Ägypten fliehen. Herodes erfährt, daß

---

[31] Siehe hierzu Albert Carlen, „Das Ordinarium Sedunense und die Anfänge der geistlichen Spiele im Wallis" *Blätter aus der Walliser Geschichte* IX 4 (1943) 349—373. Young kannte dieses Spiel nicht.

[32] Peter Wagner, „Das Dreikönigsspiel zu Freiburg in der Schweiz" *Freiburger Geschichtsblätter* X (1903) 77—101. Auch dieses Spiel nicht bei Young.

die Könige ihn betrogen haben; er gibt den Befehl zum Kindermord, der in zwei Zeilen erledigt wird. Rachel, nach der Überlieferung Mutter getöteter Kinder, klagt und wird von einer „Consolatrix" getröstet. Der Autor scheint erstaunlich frei in seiner Textbehandlung, die weder von anderen Spielen noch von der Liturgie oder Bibel deutliche Abhängigkeit erweist. Bekannte andere Behandlungen dieses Themas sind aus Laon, Limoges und Fleury erhalten.

8. Das Prophetenspiel

Aus einer ganz anderen Wurzel als alle bisher erwähnten liturgischen Dramen erwächst das Prophetenspiel. Alle anderen liturgischen Dramen entsprießen der Liturgie, das Prophetenspiel geht zurück auf eine Predigt, die im Mittelalter fälschlich Augustin zugeschrieben wurde: *Contra Judaeos Paganos et Arianos Sermo de Symbolo,* und die im 5. oder 6. Jahrhundert verfaßt wurde. Ein Teil dieser Predigt wurde später als Lectio im Gottesdienst verwendet (Young II, 123—132); dieser Teil ist für uns von besonderer Wichtigkeit. Propheten und andere Figuren aus dem alten Testament — Ysaya, Iheremia, Danihel, Moyses, Dauid, Abacuch — werden als Zeugen für die Wahrheit der christlichen Lehre aufgerufen; Symeon, Zacharias, Elisabeth und Iohannes der Täufer werden erwähnt; schließlich werden selbst Heiden wie Virgilius, Nabuchodonosor und die Sibilla herangezogen. Die Lectio läßt mehrere dieser Zeugen nach einem „dic" in direkter Rede zitieren. Die Lectio bleibt also nur einen Schritt vom dramatischen Dialog oder sogar wirklichen Drama entfernt. So hat man angenommen, daß sie dem Prophetenspiel als Vorbild diente. Jedoch haben wir, soweit ich sehe, Belege für die Lectio erst aus dem 12. Jahrhundert. Die ältesten erhaltenen Prophetenspiele dagegen entstammen vielleicht schon dem 11. Jahrhundert. Es wäre also mindestens zu erwägen, ob nicht Spiel wie Lectio direkt aus der Predigt schöpften oder gar die Lectio eine Übernahme des Spiels in den Gottesdienst darstellt. Doch diese Frage bleibt für unsere Betrachtung im Grunde gleichgültig.

Aus Limoges, dem frühen Zentrum liturgisch dramatischer oder wenigstens semidramatischer Tätigkeit, stammt ein Dokument, vielleicht noch aus dem 11. Jahrhundert, das zwischen Drama und liturgischem Oratorium in der Mitte steht (Young II, 138—145). Musik und lyrische Form war jedenfalls dem Text zugefügt worden. An die Propheten gerichtete Fragen und die Antworten stehen einander gegenüber. Ist hier wirkliche Personifizierung gewollt? Hatte man so etwas wie dramatische Darstellung? War dies Teil des Gottesdienstes? Im Text, in der Auswahl der Propheten stimmt Limoges sehr weitgehend mit der Lectio überein.

Eine ähnliche Zwischenstellung zwischen Drama und liturgischer Dichtung nimmt das einzige Dokument aus Deutschland ein, ebenfalls vielleicht noch aus dem 11. Jahrhundert ein Fragment aus Einsiedeln, das ja auch andere frühe Spiele überliefert hat (Young II, 458—460). Der erhaltene Teil stimmt nahezu wörtlich überein mit einem Text aus dem 14. Jahrhundert, den Young „a troped form of the epistle for the Mass of Epiphany“ nennt (Young II, 461/62), nur daß in Einsiedeln die Sänger mit „Chorus“ und „Prophetae“ bezeichnet werden. Vielleicht war der verlorene Teil in wirkliches Drama übergegangen; denn der erhaltene Anfang findet sich außerdem auch weitgehend in dem großartigen, weit späteren *Prophetenspiel aus Rouen* wieder, nur daß in Rouen dieser Teil nicht von den Propheten, sondern von zwei Geistlichen und dem Chor gesungen wird.

Die älteste erhaltene voll dramatische Behandlung ist erst aus dem 13. Jahrhundert aus Laon überliefert. Nach einleitendem Gesang durch Chor und Cantores werden nacheinander Ysaias, Iheremias, Daniel, Moyses, Dauid, Abacuc, Elisabeth, Iohannes der Täufer, Virgilius, Nabugodonosor, Sibilla, Symeon, Balaam von zwei Apellatores als Zeugen aufgerufen. Dabei heißt es bei der Szene mit Nabugodonosor „Appellatores reducunt Danielem“. Balaam kommt ganz nach der biblischen Überlieferung geritten auf einem Esel — dargestellt von einem Knaben — der dann natürlich Balaam zu antworten hat. Damit endet das Drama recht abrupt.

Die großartigste Behandlung des Prophetenspiels stammt aus Rouen, freilich erst aus dem 14. Jahrhundert (Young II, 154—170). In der Mitte des Schiffes ist kulissenartig ein Ofen angedeutet. Auf der einen Seite dieses Ofens stehen sechs Juden, auf der anderen sechs Heiden. Zu diesem Schauplatz bewegt sich die Prozession der Propheten geleitet von zwei Geistlichen, die jene Lieder singen, die wir schon aus Einsiedeln kennen. Nacheinander werden hier die verschiedenen Propheten von zwei Vocatores aufgerufen, sie geben ihr gewöhnlich recht kurzes Zeugnis und werden von den Vocatores auf die andere Seite des Ofens geleitet[33]. Einzig die Aussage von Balaam ist wie schon in Laon zur Szene geworden. Und dazu kommt nun noch Nabugodonosor mit den Jünglingen im feurigen Ofen. Auch diese Szene wird aber verhältnismäßig kurz abgetan. Der prozessionale Charakter des Dokuments erlaubte keine längeren Szenen. Dieser prozessionale Charakter wird uns später noch beschäftigen. Übrigens sind auch eine Reihe von neuen Propheten in Rouen hinzugekommen.

9. Das Benediktbeurer Weihnachtsspiel

Wie Spiele aus Benediktbeuren den Höhepunkt und Abschluß der Darstellungen zur Osterzeit bedeuten, so wurden auch alle Themen der Weihnachtszeit in Benediktbeuren zu einer grandiosen Gesamtkomposition zusammengefaßt (Young II, 172—196). Auch hier also nimmt Benediktbeuren eine Schlüsselstellung ein. Am Westende der Kirche hat Augustinus seinen Platz, die Propheten hat er zu seiner Rechten, den Archisynagogus und die Juden zu seiner Linken, wie im Jüngsten Gericht die Auserwählten und Sünder rechts und links von Christus[34]. Die Propheten — übrigens hier nur fünf: Ysaias, Daniel, Sybilla, Aaron, Balaam — geben ihre Prophezeiungen, ohne von Apellatores dazu aufgefordert zu sein. Juden und Archisynagogus hatten diesen Prophezeiungen von Anfang an ihre Verachtung gezeigt; nun geben sie ihrer Opposition Ausdruck. Der Knabenbischof — sonst nur bekannt als Parodist des regelrechten Gottesdienstes — und die Schar der Propheten beklagen sich (übrigens in Vagantenversen) über das Verhalten der Juden. Und nun entspinnt sich ein hitziges Wortgefecht zwischen Augustin und Archisynagogus. Die „res miranda" der Propheten

---

[33] Dieses am Ofen Vorbeiführen ist zwar nur von dem ersten Propheten Moyses ausdrücklich angegeben, doch darf man es, wie Young, auch von allen anderen Propheten annehmen. Ja selbst in Laon müssen wir eine ähnliche Darstellungsweise deduzieren; nur so ist das Zurückführen Daniels sinnvoll.

[34] In der Annahme, daß Augustinus seinen Platz im Innern der Kirche hatte, folge ich Young II, 190, 196. Frühere Forscher hatten die Anweisung „In fronte ecclesiae" als vor der Kirche ausgelegt. Das scheint mir unhaltbar. Der Satz ergibt nur Sinn, wenn er sich auf einen spezifischen Ort bezieht, wo Augustinus im Gegensatz zu den anderen Spielern sein soll. Zudem wird später auch der Altar erwähnt.

wird immer mit einer „res neganda" des Archisynagogus beantwortet. Noch zuletzt drückt der Archisynagogus durch Gestik seine Verachtung aus.

Nun aber beginnt die eigentliche Weihnachtsgeschichte mit der Verkündung der Maria, ihrer Begegnung mit Elisabeth, Szenen, die in allen anderen lateinischen Dramen fehlen. Und dann heißt es:

> Deinde recedat Elysabeth, quia amplius non habebit locum hec persona. Deinde Maria uadat in lectum suum, que iam de Spiritu Sancto concepit, et pariat Filium. Cui assideat Ioseph. (Young II, 180)

Dem heutigen Leser mag es ein wenig schwer fallen, sich vorzustellen, wie hier in naiver Weise Realismus und Stilisierung sich gepaart haben. Ein Stern erscheint und der Chor singt: „Hodie Christus natus est . . .". In langer rabulistischer, vielleicht komisch gemeinter Diskussion unterhalten sich die Könige über den Stern, bis sie in „terram Herodis" kommen. Nun beginnt wie in den Dreikönigsspielen ein Hin- und Hereilen der Boten, wobei übrigens kurz die Vagantenstrophe benutzt wird. Der Archisynagogus, der also von der Rahmenhandlung in die Haupthandlung hinübergreift, beruhigt Herodes in seinem Wutanfall und schickt mit glatter Rede, „cum magna sapientia et eloquentia", die Könige auf ihren Weg. Nun erst erscheint der Engel den Hirten; aber ein Teufel sucht sie immer wieder abzulenken. Schließlich stimmen die Engel das „Gloria in excelsis" an, und die Hirten ziehen zum Presepe und verehren das Kind. Die Hirten begegnen den Königen. Nach der Verehrung werden die Könige gewarnt, auf anderem Wege zurückzukehren. Der Archisynagogus erklärt Herodes, daß Bethlehem die Geburtsstadt des Königs sein müsse; und der Befehl für den Kindermord wird gegeben und wortlos durchgeführt, denn es folgt sofort die Klage der Mütter. Nun lautet die Bühnenanweisung: „Postea Herodes corrodatur a uermibus, et excedens de sede sua mortuus accipiatur a Diabolis multum congaudentibus".

Wie soll man sich das vorstellen? Waren hier Darsteller als Würmer gekleidet? Oder deutete Herodes irgendwie die scheußliche Todesart an? Jedenfalls wurde in dieser Szene das Gräßliche zur Komik, wie mit dem „Diabolis congaudentibus" klar angedeutet wird. Dieser scharfe, psychologisch so interessante Übergang, ein Zeichen für brutalen Sadismus, war dem Mittelalter durchaus geläufig. Die ganze Teufelskomik im Drama beruht wesentlich auf diesem Zug. Hier tritt er zum erstenmal in Erscheinung. Jetzt warnt der Engel verspätet die heilige Familie und fordert sie auf, nach Ägypten zu fliehen.

Es folgt eine halbe Seite mit Einträgen von anderer Hand und dann, wieder in gleicher Hand, ein etwas schwer verständliches Stück, das Young als gesondertes Spiel ansehen möchte — er nennt es *Ludus de Rege Aegypti*. An anderer Stelle habe ich dieser Ansicht Youngs zugestimmt[35]. Nun glaube ich doch eher, daß das ägyptische Spiel dem Gesamtwerk zugehört. So wäre es zu verstehen, warum die Flucht nach Ägypten ganz am Ende steht; sie sollte überleiten zu dem Teil in Ägypten selbst. So würde auch der abrupte Ausgang verständlicher; freilich auch das Spiel in Ägypten hat kein eigentliches Ende. Sei dem wie ihm wolle, dieser letzte Teil zeigt mehr noch als alles andere vagantischen Stil. Der König von Ägypten und sein Gefolge feiern den Frühling in echtem Vagantenton; aber dann, noch ganz studentisch, strebt man „Ad fontem philosophie". Nun folgen wörtlich Verse aus dem *Tegernseer Antichrist* in Praktizierung der Vielgötterei. Wie aufs Stichwort erscheint die heilige Familie, und alle Götzenbilder fallen. Vergeblich suchen die Priester sie wieder aufzurichten. Die Weisen gestehen schließlich die Allmacht des „Deus Hebreorum". Darauf erklärt der König: „Ecce nouum cum matre deum ueneretur Egiptus". Nun kommen wieder Strophen aus dem Antichrist. Schließlich werden Herodes und Jerusalem verhöhnt. Der gottgleiche König von Ägypten werde dieses perfide Volk unterwerfen. Ein großer Teil dieses letzten Ludus ist wieder im Vagantenvers abgefaßt.

Wie Benediktbeuren in großartiger Weise die ersten und einzigen lateinischen Passionsspiele auf deutschem Boden schuf, so auch das erste und einzige lateinische Weihnachtsspiel. Auch hier wechselt archaische Verhaltenheit und Kürze — zum Teil freilich in neuen Szenen wie in der Verkündung — mit einer Fülle des Details. Vieles ist auch hier neu und anders als in den übrigen Spielen der Weihnachtszeit. Realismus, wenn nicht gar Komik, ist nicht nur am Schluß durchzuspüren, sondern wohl auch in der scholastischen Geschwätzigkeit der drei Könige. Vor allem verrät die Szene in Ägypten, wenn wir sie hinzurechnen dürfen, echte vagantische Lebenslust.

---

[35] Siehe Wolfgang F. Michael, *Frühformen der deutschen Bühne*. Berlin: Verlag der Gesellschaft für Theatergeschichte: 1963, S. 24/25.

10. Nikolausspiele, Ysaac und Rebecca

Bevor wir die lateinischen Spiele in einer Gesamtschau betrachten, bleiben noch einige wenige Dokumente, die keiner festen Tradition angehören, oder doch jedenfalls nur vereinzelte Beziehungen aufweisen. Wir beschränken uns dabei auf Spiele, die in Deutschland überliefert sind.

Der heilige Nikolaus wurde im Mittelalter mit einem Gewebe von Legenden umsponnen, besonders seit im 11. Jahrhundert sein Leichnam als kostbare Reliquie aus dem Morgenland nach Bari in Süditalien gebracht worden war. Jedoch wurde er schon vorher als Schutzheiliger der Notleidenden und besonders auch der Schüler verehrt. Zwei der Legenden wurden schon recht früh in Deutschland dramatisch behandelt, die eine sogar zweimal. Zwei dieser dramatischen Behandlungen finden sich in ein und derselben Handschrift aus dem 11. Jahrhundert aus Hildesheim (Young II, 311—316, 324—329)[36]. Coffman führt dieses bemerkenswerte Interesse für den Heiligen in Hildesheim, damals Bischofssitz und kulturelles Zentrum, auf Bischof Godehard (Bischof zu Hildesheim 1022—1038) zurück, dessen Schutzheiliger Nikolaus war und dessen Biograph gerade auf eine der beiden in Hildesheim dramatisierten Legenden anspielt als Vorbild für Godehards Handlungsweise.

Das eine *Hildesheimer Spiel* behandelt die Legende von dem verarmten Vater, dessen drei Töchtern die Sünde der Prostitution bevorsteht, wenn sie sich und den Vater erhalten wollen. Der Heilige bringt Geld, und alle Sorgen sind verschwunden. Die Behandlung des Themas in Hildesheim bleibt recht einfach. Der Vater klagt über die Armut; die älteste Tochter will sich selbst der Prostitution ergeben; Vater und Schwestern sind entsetzt über den Vorschlag; jetzt bringt offenbar Nikolaus das Geld, denn in der nächsten Strophe erfragt der Vater den Namen des Fremdlings; der Heilige nennt sich, aber sie sollten Gott die Ehre geben; eine letzte Strophe drückt die Freude des Vaters aus. In Zehnsilbenstrophen, die fünften und Endzeilen Viersilbler, rollt das Ganze flüssig, wenn vielleicht auch ein wenig eintönig ab. Der Mangel an Bühnenan-

---

[36] Neben Young siehe auch George R. Coffman, „A Note Concerning the Cult of St. Nicholas at Hildesheim", *The Manly Anniversary Studies in Language and Literature.* Chicago: The University of Chicago Press: 1923, S. 269—275 und Otto E. Albrecht, *Four Latin Plays of St. Nicholas.* Philadelphia: University of Pennsylvania Press: 1935.

weisungen erschwert die Interpretation, doch spricht der Text so sehr für sich selbst, daß man aus ihm leicht die dramatische Darstellung ersehen kann.

Ähnlich einfach bleibt auch das andere *Hildesheimer Stück*. Drei Clerici bitten um Nachtquartier, was gewährt wird. Der Hospes will sie ermorden, seine Frau, erst dagegen, stimmt schließlich zu. Nun muß wohl der Mord ausgeführt worden sein. In der nächsten Strophe bittet Nicolaus um Nachtquartier und will, nachdem er eingelassen, frisches Fleisch. Als der Hospes daraufhin seine Armut beklagt, beschuldigt ihn Nicolaus des Mordes; er solle um Vergebung bitten. In einer Oratio bittet Nicolaus, Christus solle die Clerici ins Leben zurückrufen. Nach einem Gesang des Chores (?) verkündet ein Engel die Wiederbelebung. Auch dieser Text fließt in denselben Zehnsilbenversen, nur daß zweimal die Viersilbler am Ende ausgelassen sind. Auch hier wieder fehlen alle Bühnenanweisungen. Für diese Legende bietet das Hildesheimer Spiel die älteste erhaltene Überlieferung. Allerdings erwähnt eine Hymne aus dem 11. Jahrhundert das Thema der Legende (Albrecht, S. 27). Albrecht folgert daraus, daß die Legende damals schon wohlbekannt gewesen sein müsse.

In dieser Legende erscheint der Heilige zum ersten Male als Schützer der wandernden Studenten. Ist dies ein weiterer Grund für das Interesse an der Nikolausfigur? für die Tatsache, daß beide Spiele in Fleury wiederauftauchen? daß eine Version auch nach Einsiedeln ihren Weg fand? Mit anderen Worten, sind Clerici Vagantes die Träger dieser verstreuten Spieltradition?

Die Behandlung der beiden Spiele in Fleury hat erheblich gewonnen an Detail (Young II, 316—324, 330—334). Das Spiel mit den drei Töchtern ist wörtlich übernommen, nur erweitert. Nachdem das Gold hingeworfen ist, erscheint sofort ein junger Mann, der die älteste Tochter heiraten will. Nun muß noch einmal und noch zum drittenmal ein Goldbeutel hingeworfen werden, um alle drei Töchter zu versorgen. Erst dann fällt es dem Vater ein, sich nach dem Geber umzutun. Ich finde nicht, daß die dramatische Behandlung durch diese stereotype Wiederholung und dadurch, daß das Glück der Töchter offenbar nur durch ihre Verheiratung zu erreichen ist, besonders gewonnen hat. Doch hält sich diese Behandlung enger an den Lauf der Legende.

Die Legende der drei Clerici wird ebenfalls in Fleury ausführlicher behandelt, hier finden sich jedoch keine textlichen Übereinstimmungen. Natürlich verläuft die Handlung ungefähr ebenso. Die Frau des Senex (nicht Hospes) nimmt eine wichtigere Stellung ein. Da ein „Te Deum laudamus" am Schluß des Spieles gesungen wird, glaubt Young, daß es zu Ende der Matutin dargeboten wurde.

Das *Einsiedler Fragment* enthält nur den Teil mit dem Erscheinen von Nikolaus, diesen aber mit größerem Detail (Young II, 335—337). Die Wirtsfrau zum Beispiel zeigt Reue über die Untat. Nikolaus selbst erweckt die Toten.

Zwei andere Nikolauslegenden finden wir nur in französischen Behandlungen, nämlich beide in der berühmten Sammlung aus Fleury, die eine auch in einer Dramatisierung durch Hilarius, den genialen Schüler Abälards. Hier können wir also tatsächlich einen Vagantenautor nennen.

Neben diesen Legendenspielen stehen vereinzelt Behandlungen von Szenen aus der Bibel. Aus Deutschland ist nur das Fragment einer *Ordo de Ysaac et Rebecca et Filiis eorum Recitandus* schon aus dem 12. Jahrhundert erhalten (Young II, 238—266). Die Handlung folgt der Bibel. Ysaac läßt nach Esau schicken, trägt ihm auf, Wildpret für ihn zu erjagen, so daß er ihn dann segnen könne. Rebecca überredet den erst unwilligen Iacob Esaus Stelle einzunehmen. Des Vaters Erstaunen, wie rasch Esau zurückgekommen sei, beschwichtigt Iacob mit dem Willen Gottes. Hier bricht das Fragment ab. Zwischenhinein aber ertönen begleitende und unterbrechende Allegorien, gesungen von Knaben, die wie der griechische Chorus das Werk begleiten, es präfigurativ auslegen, das heißt, das alte Testament wird hier auf das neue bezogen, gedeutet. Esau sei die Synagoge „non spiritus sed littere", Iacob dagegen sei der Berufene und so fort. Diese Art präfigurativer Beziehung des alten Testaments auf das neue ist in späteren Dramen der Volkssprache, besonders in den großen Zyklen ein leitendes Element. Das ganze alte Testament ist nur ein Vorspiel für die Heilsgeschichte. Es ist schade, daß das Ende nicht vorliegt, das dieses allegorische Werk vielleicht weiter entschlüsselt hätte.

11. Der Tegernseer Antichrist

Aus den liturgischen Einzeldramen ragt wie ein gewaltiger erratischer Block der *Tegernseer Ludus de Antichristo* (Young II,

369—396)[37]. Wir wissen von keiner anderen dramatischen Behandlung dieses Themas bis ins ausgehende Mittelalter, weder unmittelbar vorher, noch im Gefolge dieses Werkes. Die späteren Spiele in der Volkssprache zeigen keine Beziehungen zu dem *Ludus*. Der *Tegernseer Antichrist* entstammt aber vermutlich der Mitte des 12. Jahrhunderts. Diese Datierung ist allerdings ungewiß. Die Urteile der älteren Forschung gingen in der Datierung fast um hundert Jahre auseinander. In letzter Zeit neigt man dazu, die Entstehung oder wenigstens die Aufführung auf das Jahr 1160 anzusetzen. Die bisherigen Datierungsversuche stützen sich wesentlich auf den politischen Gehalt des *Ludus* oder vielmehr auf die Ausdeutung und historische Bezugnahme dieses angeblichen Gehalts. Mir scheint das ein gefährliches, unzuverlässiges Unternehmen, zumal viele dieser angeblichen historischen Bezüge bereits aus der Stoffquelle übernommen sind, also nicht gerechnet werden dürfen. Neben dem Duktus der Schrift — und dieser kann, wenn wir keine lokalen paläographischen Vergleiche anstellen, nur ungefähr das Jahrhundert andeuten — bleibt als einziger Anhaltspunkt der Hinweis auf ein Antichristspiel in einem kirchlichen Pamphlet. Gerhoh von Reichersberg, ein Eiferer für kirchliche Strenge, wandte sich in seinem Spätwerk *De Investigatione Antichristi* in einem kurzen Abschnitt in leidenschaftlicher Sprache gegen die Aufführung von Dramen in der Kirche; Spiele der Weihnachtszeit und der *Antichrist* werden angeführt[38]. Gerhoh war Oberbayer; als er das genannte Werk schrieb, 1161/62, lebte er in dem Augustinerkloster Reichersberg am unteren Inn, also nicht allzu weit von Tegernsee. Nicht also nur, weil wir von keinen an-

---

[37] Interessante Behandlung des Antichrist im Nachwort von Karl Langosch, *Geistliche Spiele*, Berlin: Rütten und Loening: 1957. Doch Langoschs Annahme von früheren Schwerttanzspielen als Vorbild für Tegernsee, eine Annahme, in der er Karl Hauck, „Zur Genealogie und Gestalt des staufischen Ludus de Antichristo", *GRM* n. F. II (1951/52) 11—26 folgt, scheint mir völlig unbegründet. Weder haben wir irgendwelche Dokumentation für solche Spiele, noch beruhen diese Schlachten (nicht Schwerttänze) auf irgend etwas anderem als der Beschreibung bei Adso — der Quelle für den Ludus.

[38] Eine gute zusammenfassende Darstellung mit ausführlicher Bibliographie: Karl Langosch, „Reichersberg, Gerhoh von" *Die deutsche Literatur des Mittelalters: Verfasserlexikon* III. Berlin: Walter de Gruyter: 1943, S. 1022—1040.

deren Antichristdramen wissen, sondern auch wegen dieser Nähe, ist es wahrscheinlich, daß Gerhoh unseren *Ludus* angreifen wollte. Zudem klingen Zeilen wie:

> Matrem ecclesiam uanitas occupauit. (v. 172)

oder

> Deus non diligit seculares prelatos. (v. 174)

fast wie Zitate aus früheren Werken Gerhohs. Diese Zeilen werden aber im *Ludus* von den Hypocritae geäußert. Der Autor des *Ludus* betrachtet also diese Anschauungen als verlogene Scheinheiligkeit; um so mehr Grund für Gerhoh gegen solche Stücke zu wettern, ja sie als das wahre Werk des Antichrist anzusehen. Wir geben zu, dies ist kein unumstößlicher Beweis für das Jahr 1160 als Datum des *Ludus*.

Wir sagten schon, für den Antichrist gab es keine dramatische Tradition, vielmehr ist der *Ludus* eine geniale Einzelleistung. Der Stoff freilich lag vor in dem *Libellus de Antichristo* des Mönches Adso aus dem 10. Jahrhundert (Young II, 496—500). Dieser Vorlage folgte der Autor des *Ludus* ziemlich genau, nur daß er eben das dürre Skelett der Materie mit blutvollem Leben umgab, die dogmatisch harte Prosa in geschmeidige Verse umgoß.

Das Drama verläuft in folgender Weise: In einem Einzugsgesang preisen die Heiden gefolgt vom König von Babylon die Vielgötterei. Die Synagoga bezweifelt, daß Christus anderen Leben spenden könne, wenn er sich selbst doch nicht errettet habe. Ecclesia, geleitet von Misericordia und Iustitia und gefolgt vom Papst und der Geistlichkeit, vom Kaiser und seinem Heer, lobt den Glauben. Die anderen Könige, nämlich von Griechenland, von Frankreich und von Jerusalem singen, „quod conueniens uisum fuerit". Nun da alle ihre Plätze eingenommen haben, schickt der Kaiser Boten aus, seine Oberhoheit vor den Königen aufrecht zu erhalten. Der König von Frankreich widersetzt sich und wird unterworfen. Die Könige von Griechenland und Jerusalem dagegen beugen sich der kaiserlichen Lehensgewalt. Der König von Babylon bedroht Jerusalem und überhaupt das Christentum. Der Kaiser besiegt und vertreibt ihn. Im Tempel in Jerusalem legt der Kaiser seine Krone nieder, denn Christus allein sei der Herr.

Nun beginnt die eigentliche Gegenhandlung. Antichrist geleitet von Ypocrisis und Heresis beginnt seinen Eroberungszug. Der König von Jersualem wird abgesetzt und vertrieben und Antichrist gekrönt. Die Könige von Griechenland und Frankreich unterwerfen sich; der König von Frankreich tut es nach Übersendung von Geschenken; er wird vom Antichrist geküßt. Der König der Deutschen dagegen widersetzt sich, kann auch nicht im Kampfe besiegt werden und wird erst durch Scheinwunder bewegt, dem Antichrist zu huldigen. Er besiegt und unterwirft dann den König von Babylon. Die Propheten Enoch und Helias bekehren die Synagoga zum christlichen Glauben und alle drei sterben den Märtyrertod. In diesem Augenblick der höchsten Macht des Antichrist ertönt Donner über seinem Haupt, er stürzt und alle kehren zum Glauben an die Kirche zurück.

Das Ganze ist durchzogen von national bewußter Verherrlichung des Kaisers und der Deutschen; und das beruht nicht auf Adsos Darstellung des Themas. Man hat daraus geschlossen, daß der *Ludus* sozusagen auf Bestellung Barbarossas angefertigt und vor ihm aufgeführt worden sei, eine hübsche nationale Legende des 19. Jahrhunderts. Bemerkenswert ist auch, daß der Autor des *Ludus* unabhängig von seiner Quelle und von allen späteren Behandlungen die Synagoga als Märtyrerin für den christlichen Glauben sterben läßt, ein erstaunlicher Philosemitismus, der im Spätmittelalter undenkbar wäre.

Grandios ist, so scheint mir, die metrische Behandlung. Die Mehrzahl der Verszeilen sind Dreizehnsilber, das würde also der Vagantenzeile entsprechen. Aber die Reime liegen am Ende dieser Dreizehnsilbenzeile, es gibt keine Binnenreime. Vor allem aber wechselt der rhythmische Fluß fortwährend. Gewöhnlich scheinen die Zeilen sechs Hebungen zu haben, die Senkungen sind aber fast beliebig verteilt. In einer Studie über den *Antichrist* behandelt Wilhelm Meyer die rhythmischen Formen mit erschöpfender Gründlichkeit[39]. Er — übrigens auch Young — übersieht aber eigentlich, daß diese Form, mag sie auch eine unentwickelte und einfache Form, vielleicht nur eine grobe Vorstufe zum Vagantenvers darstellen, doch eindrucksvolle Geschmeidigkeit und Kraft zeigt, gerade weil monotone Gleichheit vermieden wird. Mir scheinen zum Beispiel Zeilen wie:

Sicut scripta tradunt hystoriographorum,
Totvs mundus fuerat fiscvs Romanorum

[39] Wilhelm Meyer, „Der Ludus de Antichristo und Bemerkungen über die lateinischen Rhythmen des XII. Jahrhunderts" *Sitzungsberichte der k. bayer. Akad. der Wiss. Philos.-philol. Classe* 1882 1 S. 1—192.

auf der einen Seite dem soliden Selbstbewußtsein des Kaisers angepaßt, während in Zeilen wie:

> Sacra religio iam diu titubauit;
> Matrem ecclesiam uanitas occupauit

das giftige Girren der aktivistischen Heuchler durchklingt. Ich muß einräumen, das ist ein rein persönlich subjektives Urteil. Aber selbst Young gesteht dem Verfasser freundlich zu „the language is forcible and free from learned obscurities" (Young II, 395).

Die Wucht des Dramas muß auch besonders in der Aufführung Ausdruck gefunden haben. Youngs Urteil „but a *mise en scène* of the amplitude described above, and a dramatic action involving large movements and many persons, could have been most conveniently accommodated out of doors" (Young II, 394) scheint mir unbegründet. Wenn umfangreiche geistliche Dramen in der Volkssprache wie das *Bozener Passionsspiel* in der Pfarrkirche, wenn Hans Sachsens Tragedien mit Schlachten und Heereszügen im Saal oder der Marthakirche Platz finden mußten, so sehe ich nichts, was den *Ludus* ins Freie gezwungen haben sollte. Wenn wir Gerhohs Traktat auf unseren *Ludus* beziehen, so verbietet es sich, an eine Aufführung im Freien zu denken. Übrigens kenne ich kein lateinisch liturgisches Drama, bei dem sich eine Aufführung im Freien nachweisen läßt. Doch vielleicht sollten wir die Aufführung des *Tegernseer Ludus* betrachten im Rahmen eines theatergeschichtlichen Überblickes über das gesamte liturgische Drama.

12. Darstellungsformen

Das liturgische Drama begann, das haben wir gesehen, am Altar der Kirche. Brooks hat dargelegt, wie der Altar als Reliquienschrein den natürlichen Ort für das Grab Christi darstellte[40].

[40] Neil C. Brooks, „The Sepulchre of Christ", S. 61. Ich habe die Bühnenform in einem anderen Werk ausführlich behandelt: Wolfgang F. Michael, *Frühformen der deutschen Bühne* (Schriften der Gesellschaft für Theatergeschichte 62) Berlin: Gesellschaft für Theatergeschichte: 1963. Ich kann mich darum in diesem Rahmen auf eine Zusammenfassung der Hauptpunkte beschränken und für die einzelnen Beispiele auf die frühere Darstellung verweisen. Meine Arbeit hat im allgemeinen freundliche Aufnahme gefunden, nur von Dieter Wuttke ist sie scharf angegriffen worden in *Zeitschrift für deutsche Philologie* LXXXVII (1968) S. 120 bis 124. Jedoch kann man wenig aus Wuttkes Besprechung profitieren, da

Auch die Krippe im Weihnachtsspiel wurde zunächst auf, an oder bei dem Altar errichtet. In Deutschland nutzte man allerdings schon sehr bald eine besondere Struktur als Grab, nämlich das sogenannte Sepulcrum. Sepulcrum und Altar standen gewöhnlich am Ostende der Kirche im Chor oder wenigstens am Ostende des Hauptschiffes oder in der Vierung. So ergab sich eine begrenzte Spielfläche im Osten der Kirche. Mit der Blickrichtung nach dem Osten und vermutlich in noch einem gewissen scheuen Abstand verfolgte die zuschauende Gemeinde die frühen geistlichen Feiern.

Im 12. und 13. Jahrhundert oder vielleicht schon früher erweiterte sich dann das Spielfeld. Dieser Vorgang läßt sich recht deutlich an verschiedenen Osterfeiern aus Braunschweig aus dem späten 12. oder frühen 13. Jahrhundert verfolgen[41]. Während nach den älteren Texten die Spielfläche wesentlich auf das Ostende des Hauptschiffes begrenzt bleibt, wo der Eingang zur Krypta offenbar das Grab vorstellte, schreibt ein späterer Text vor, Maria Magdalena solle zweimal bis ans Westende der Kirche gehen, wenn sie Christus sucht. Die vollständige Ausweitung des Spielfeldes über die ganze Kirche läßt sich besonders klar demonstrieren an dem *Dreikönigsspiel aus Fleury* aus dem 13. Jahrhundert (Young II, 84 bis 92). Am Westportal der Kirche war die Krippe[42]. Die Könige aber beginnen ihren Zug im Chor, also im Ostende der Kirche. Dazwischen, vermutlich nahe der Vierung, am Ostende des Hauptschiffes hatte Herodes seinen Thron. Ungefähr von der Mitte des Hauptschiffes aus zogen die Hirten nach der Krippe. „In excelsis", vielleicht von einer Orgelempore verkündet der Engel den Hirten die frohe Botschaft. Eines der Seitenschiffe diente den Königen, auf anderem Wege zurückzukehren. Die Zuschauer waren hier nicht gesondert vom Spielraum; die Darstellung geht mitten durch

die Anwürfe entweder belanglose Kleinigkeiten betreffen oder unzutreffend sind. Es erübrigt sich daher, darauf zu antworten.

[41] Siehe hierzu Heinrich Sievers, *Die lateinischen liturgischen Osterspiele der Stiftskirche St. Blasien zu Braunschweig*. Berlin: Triltsch & Huther: 1936. Ferner Walter Duff Morris, *The Staging of the Visitatio Plays, a Contribution to Medieval Drama*. MA Thesis University of Texas: 1955 Masch. Young hat die Braunschweiger Texte übersehen.

[42] Siehe hierzu auch S. 18—21 in Wolfgang F. Michael, *Frühformen*. Übrigens glaubt Albrecht, *Four Latin Plays of St. Nicholas*, Philadelphia: University of Pennsylvania Press: 1935, S. 3/4 der Text sei schon im 12. Jahrhundert niedergeschrieben worden.

die Menge der Gemeinde, ja diese nimmt daran teil. Die Hirten „inuitent populum circumstantem adorandum Infantem" (Young II, 85) oder „omnis multitudo cum Angelo dicat" (Young II, 84) oder die Könige „interrogent astantes". Ähnlich mag auch das *Benediktbeurer Weihnachtsspiel* dargestellt worden sein. Die Bühnenanweisungen fehlen hier, so ist es schwer sich ein Bild zu machen. Die Zeile „ponatur sedes Augustino in fronte ecclesie . . ." erweist, daß Augustinus, Propheten, Archisynagogus und Juden im Westende der Kirche ihren Platz hatten[43]. Ich vermute, daß wie in Fleury auch die Krippe an diesem Kirchenende aufgeschlagen war; das würde fast automatisch die anderen Spielplätze in ähnlicher Weise wie in *Fleury* über das Kircheninnere verteilen. Gewiß könnte die Krippe auch am Ostende, am Altar gewesen sein; dann würde aber der Zug der orientalischen Könige ganz unsymbolisch im Westen begonnen haben. Das ist kaum denkbar.

Auch bei den Darstellungen aus dem Osterkreis läßt sich dieses Zusammenspiel mit der Gemeinde beobachten. Wir haben gesehen, wie bei dem *Spiel von St. Lambrecht* (Young I, 363—365) die „plebs" das „Giengen dreie urovven . . ." anstimmten; allerdings scheint der Schreiber mit dieser Beteiligung nicht sehr glücklich gewesen zu sein.

Doch das Zusammenspiel von Gemeinde und Darstellern wie in Fleury und möglicherweise auch in Benediktbeuren erhält sich nicht. Vielmehr ergibt sich schon im liturgischen Drama eine feste Blickrichtung, eine Trennung zwischen Darstellern und Beschauern, wie sie später beim Volksdrama ganz allgemein wird. Das läßt sich am besten am *Tegernseer Antichrist* darlegen.

Der *Tegernseer Antichrist* gibt ungewöhnlich genaue Angaben über die Verteilung der Spielplätze. Im Osten steht der Tempel des Herrn, also beim Hochaltar, und daneben sind die Sedes des Königs von Jerusalem und der Synagoga. Im Süden die Sedes der Könige von Griechenland und von Babylon mit den Heiden. Im Westen die Sedes des römischen Kaisers, des deutschen Königs und des Königs von Frankreich. Man sieht also, in weitem Halbkreis umziehen die Sedes das Innere der Kirche, wenn wirklich die Kirche der Schauplatz war. Der eigentliche Spielraum muß im Herzen der Kirche gedacht werden, während die Zuschauer vom nördlichen Seitenschiff aus die Handlung verfolgen konnten. Ungewöhnlicherweise richtet sich der Blick der Beschauer nach Süden, während in

---

[43] Vgl. hierzu Anmerkung 34.

den späteren Spielen der Volkssprache, ganz wie in den frühen liturgischen Dramen und wie bei den kirchlichen Gottesdiensten, das Volk sich nach Osten dem heiligen Lande zuwendete. Auch in *Tegernsee* zeigt sich bewußte Planung in der Verteilung der Schauplätze, aber sie zeigt geographische Gegebenheiten, nicht eigentlich symbolisches Empfinden. Kämpfe, Umzüge, Gesandtschaften hin und her trugen sicherlich zur Bühnenwirkung so sehr bei wie Text und Musik. Überhaupt dürfen wir nie vergessen, daß der Text allein oder selbst Text und Musik nur wenig aussagen über eine Kunstform, die erst in lebendiger Darstellung ihre volle Verwirklichung fand.

Der *Tegernseer Antichrist* zeigt auch besonders deutlich das Bühnenprinzip, das nicht nur von den allerersten Anfängen mit verschwindend geringen Ausnahmen das ganze liturgische Drama beherrscht, sondern auch im Volksdrama selbstverständliche Form bleibt, bis der Einbruch der Renaissance neue Bühnenmöglichkeiten eröffnete. Wir sprechen von der Simultanbühne. Für jede Figur oder Figurengruppe ist ein bestimmter Platz im Spielraum festgelegt, von ihm aus bewegte sie sich vorwärtes, wohin die Handlung erfordert, zu ihm kehrt sie später wieder zurück. Oder sie wird wie Herodes im *Benediktbeurer Weihnachtsspiel* von den Teufeln in die Hölle weggeschleppt, beziehungsweise von den Engeln in den Himmel geleitet. Die Personen treten nicht auf oder ab. Die Plätze der Personen sind zunächst ganz einfach zu denken. Im *Tegernseer Ludus* und auch in *Benediktbeuren* heißen die Plätze Sedes. Also ursprünglich muß man einfach Stühle verwandt haben. Im Volksschauspiel werden wir verfolgen können, wie diese Plätze anspruchsvoller ausgestaltet werden.

Über den schauspielerischen Stil wagen wir nicht zu reden. Das Material scheint für dieses Thema völlig unzureichend. Man käme höchstens zu solchen Gemeinplätzen wie: Im frühen liturgischen Drama war der Stil würdevoll und gemessen; oder König Herodes, Maria Magdalena waren realistisch in ihrer Darstellungsweise. Die Bühnenanweisungen geben im besten Falle Vorschriften. Was aber in einer Zeit als realistisch empfunden wird, mag für eine andere stilisiert archaisch erscheinen.

Der Kostümgebrauch — begrenzt wie er war — kann doch teilweise deduziert werden. Man blieb wesentlich im Rahmen der kirchlichen Gewandung, aber paßte diese in geschickter Weise den Anforderungen an. Schon in der *Regularis Concordia* soll der Engel eine Alba, also ein langes, fließendes Gewand, die Marien Cappa, also einen ärmellosen Umhang tragen, um so auszudrücken, daß Frauen dargestellt werden. Diese Art Bekleidung wird immer wieder genannt. Daneben werden gelegentlich Stolen oder auch die weitärmeligen Dalmatiken genutzt. Häufig aber heißt es auch einfach nur: die Darsteller sollen wie Frauen, wie Engel gekleidet sein. Während diese Kostümangaben sich sehr weitgehend wiederholen, fehlen die Angaben bei den Spielen der Weihnachtszeit; nur bei den Prophetenspielen finden sich gelegentlich sparsame Hinweise. Brauchte man für Männer, für Hirten, selbst für Könige nicht so genau zu sein? Bei den späteren, entwickelteren liturgischen Spielen, so ausführlich sie auch in ihren Bühnenanweisungen sind, über das Kostüm haben sie wenig zu sagen. Etwa im großen *Benediktbeuerer Passionsspiel* wird angegeben, daß Maria Magdalena ihre weltliche Kleidung ablegen soll und einen schwarzen Mantel tragen. Es scheint, daß man später die Kostüme nicht mehr zu beschreiben brauchte, weil sie selbstverständlich geworden waren. Nur in außgergewöhnlichen Fällen, wie dem eben genannten machte man noch Angaben. Erst viel später und zwar meist erst im 15. oder 16. Jahrhundert finden sich Angaben, die eine Rekonstruktion erlauben.

13. Entwicklungsgang

Überblicken wir die liturgischen Dramen noch einmal in ihrem historischen Verlauf. Der Anfang, die *Regularis Concordia* ist zwar einfach und knapp, aber doch schon erstaunlich lebendig und, so kann man sagen, durchaus dramatisch. Gewiß die enge Verbindung mit dem Gottesdienst erzwingt eine ruhige Verhaltenheit. Im 12. Jahrhundert wird insbesondere durch die Aufnahme der Sequenz *Victimae Paschali*, der großartigen Dichtung von Wipo, durch die Verarbeitung in den Gesamtverlauf eine bedeutende Ausweitung des dramatischen Stoffes erzielt. Im selben Jahrhundert entstehen selbständige Eigendramen: in Frankreich der *Jeu d'Adam*, in Deutschland der *Antichrist*. Der Damm liturgischer Verhaltenheit ist gebrochen. Nicht nur schwellen die Spiele rein stofflich auf, rhythmische Verarbeitung, Versform stellt sich ein, Komik drängt sich vor, die Volkssprache erklingt. Was Deutschland betrifft, nehmen die Spiele aus Benediktbeuren eine einzigartige Stellung ein. Wir wiesen schon hin auf die eigentümliche Verwendung metrischer Formen, insbesondere des Vagantenverses. Wir betonten die scharfen Kontraste zwischen archaischer Einfachheit und neuer psychologischer Detaillierung, zwischen lautester Lebenslust und reuevoller Entsagung, zwischen dem traditionsgebundenen Latein und der freien Volkssprache, zwischen drastischer Komik und stillem Ernst. War zuerst das liturgische Drama in Oster- und Weihnachtsfeiern feste Tradition, wo die Texte, wenn auch mit Variationen, als zusammenhängende Masse sich einheitlich über das ganze christliche Abendland streckten, so entstehen nun Einzelwerke, die kaum oder gar nicht in dieses Gesamtbild hineinpassen. All dies deutet auf ein Eindringen von außen; und dieses Außen heißt Clerici Vagantes.

Der Terminus ist vielumstritten und ist wohl auch nicht ganz einfach zu umreißen[44]. Forscher des 19. Jahrhunderts etwa wollten die *Carmina Burana* den Vaganten absprechen, weil diese viel zu gut seien für solche sittenlose Gesellen — als ob Sittenlosigkeit künstlerische Größe ausschlösse. Andererseits ist es ebenso albern, diese Sammlung als Kommersbuch der mittelalterlichen Studenten hinzustellen oder von einem Vagantenorden zu sprechen. Auch das ist geschehen. Wir können vielleicht das Vagantentum kurz so zusammenfassen. Mit dem größeren Interesse für die ,,Fontes philosophiae'', um den *Benediktbeurer Ludus de Rege Aegypti* zu zitieren, mit der stärkeren Abgrenzung von kulturellen Zentren, wuchs die Zahl der Kleriker, die herumzogen, um sich so eine bessere Bildung zu erwerben. Die Leichtlebigkeit der Jugend, die Befreiung von der Begrenzung der Klosterschule mag einen gewissen Libertinismus ermöglicht haben. Die Gefahr des Verbummelns, die Gefahr kein gesichertes Unterkommen zu finden, mag die Lebenshaltung mitgeformt haben. Man vergißt aber allzu leicht, daß die Vagantendichtung ebensosehr tief religiöse Themen als leichte Lebensfreude

[44] Wir können in diesem Rahmen natürlich keine erschöpfende Bibliographie dieses Themas geben. Noch immer die beste Zusammenfassung: Hennig Brinkmann, ,,Werden und Wesen der Vaganten'' *Preußische Jahrbücher* CVC (1924) 33—44. Daneben in Auseinandersetzung mit den Spielmann-Theorien von Naumann: Hans Steinger, ,,Fahrende Dichter'' *Deutsche Vierteljahrschrift f. Literaturwissenschaft und Geistesgeschichte* VIII (1930) 61—79. Für die Bedeutung von Rubin siehe auch: J. W. Muller, ,,Robijn en Consorten'' *Tijdschrift voor nederlandsche Taal- en Letterkunde* XXIX (1910) 103—121.

behandelt. Für unsere Betrachtung bleibt die Auseinandersetzung über den eigentlichen Charakter der Vaganten unwesentlich. Das Entscheidende ist, die lokale Gebundenheit der Tradition wird aufgelockert, die Form verfeinert und gleichzeitig überwunden. Es bilden sich auf dem Grundboden der Spiele Schmarotzerpflanzen wie das Maria-Magdalena-Spiel in Benediktbeuren. Diese Spiele konnten von dem Mutterboden losgelöst werden und ein Eigenleben führen. Aus späterer Zeit haben wir ein eigenes *Maria-Magdalena-Spiel* in der Volkssprache[45]. Ferner ist auch ein gesondertes *Salbenkrämerspiel* überliefert, das abrupt abbricht und offenbar als Einleitung in ein Osterspiel gedacht war[46]. Das sind derartige Sondererscheinungen. Die Bedeutung der Vaganten ist also eine vielfache. Das traditionelle Drama wird ausgeschmückt durch neue Formen und Farben; die Tradition wird aufgelockert; die Vorbedingung zu neuer unabhängiger dramatischer Dichtung wird geschaffen; ja diese selbst entsteht. Die Volkssprache wird eingeführt. Die Möglichkeit zum deutschen Drama wird gegeben.

---

[45] Karl Ferdinand Kummer, *Erlauer Spiele*. Wien: Alfred Hölder: 1882, S. 91—119. Siehe auch: Wolfgang F. Michael, ,,Fahrendes Volk und mittelalterliches Drama", *Kleine Schriften der Gesellschaft für Theatergeschichte* XVII (1960) S. 3—8.

[46] Curt F. Bühler und Carl Selmer, ,,The Melk Salbenkrämerspiel: An Unpublished Middle High German Mercator Play" *PMLA*, LXIII (1948) S. 21—63.

B. DAS DRAMA IN DER VOLKSSPRACHE

1. Die Osterspiele

Die Entstehung des Dramas in der Volkssprache ist nicht leicht zu erklären. Da die meisten Zuhörer kein Latein verstanden, da also, so meinte man, sie den Vorführungen nicht folgen konnten, so habe sich, sozusagen als Interlinearglossen, deutscher Text eingeschlichen; der deutsche Text habe schließlich überwogen; und das Lateinische sei einzig in den Ur- und Kernszenen wie der Visitatio als letztes Denkmal des liturgischen Dramas stehengeblieben. Eine hübsche These. Leider paßt sie nicht zu den Tatsachen. Wir haben zwar einen Text, wo das Deutsche das Lateinische begleitet wie ausführliche Untertitel in einem fremdsprachigen Film: Das *Trierer Osterspiel*[47]. Hier also wäre die angebliche Zwischenstufe dokumentiert. Doch dieses eine Beispiel wurde erst im 15. oder frühestens 14. Jahrhundert niedergeschrieben. Dagegen stammt das erste deutsche Osterspiel, das *Osterspiel von Muri*, aus der Mitte des 13. Jahrhunderts, und der Text ist nahezu ausnahmslos deutsch. Selbst die Kernszenen sind in der Volkssprache.

Auch die deutschen Stellen im lateinischen Drama sind ja alles andere als Interlinearglossen. Das „Giengen dreie urovven ce uronem grabe" in der Visitatio von St. Lambrecht und das „Christ ist erstanden" mit dem Kommentar „plebe conclamante" scheint fast nur eingefügt, damit man den Nichtlateinern auch etwas zu tun geben kann (Young I, 364/365). Anders das Deutsche in den *Benediktbeurer Spielen*. Im *Osterspiel* ist das „Schǎwe propter insidias!" nur ein wenig makkaronischer Pfeffer, der diese miles gloriosi charakterisieren hilft. Im *großen Benediktbeurer Passionsspiel* dagegen haben die deutschen Teile eine wichtige Sonder-

---

[47] Text R. Froning, *Das Drama des Mittelalters* I (Deutsche National-Litteratur hrsg. Joseph Kürschner 14) Stuttgart: Union Deutsche Verlagsgesellschaft: o. J. S. 46—59. Diese Ausgabe ist besser als Eduard Hartl, *Das Drama des Mittelalters* II, (Deutsche Literatur in Entwicklungsreihen Reihe Drama des Mittelalters) Leipzig: Philipp Reclam: 1937, S. 45—58.

funktion (Young I, 518—539). Auch hier kann von Übersetzung, von Interlinearglosse nicht die Rede sein. Sie erscheinen vielmehr als vagantische Freude an der anderen Ausdrucksweise. Gefühl, sei es Lebenslust wie bei Maria Magdalena, sei es tiefste Reue ebenfalls noch bei Maria Magdalena, oder tiefste Trauer in der Marienklage, benutzt hier eine andere Sprachform, ohne die alte zu vernachläßigen.

a) Das Spiel von Muri

All dies widerspricht der Theorie von dem gemächlichen Verdolmetschen des lateinischen Textes. Auch ein Blick auf das älteste deutsche Spiel führt zu demselben Resultat. Wie wir schon sagten, ist im *Osterspiel von Muri* nur noch ein verschwindend kleiner Teil auf lateinisch stehengeblieben, nämlich zwei der Hymnen; es sei denn, die Handschrift notierte nur die deutschen Zeilen, und lateinischer Gesang wurde als den Darstellern bekannt nicht aufgeschrieben. Außerdem aber steht das Spiel auch seinem Gehalt nach, in der Art, wie der biblische Stoff verarbeitet wird, durchaus einzigartig da. Übereinstimmungen mit lateinischen liturgischen Spielen gehen, soweit ich sehe, nicht über die gemeinsame Quelle, die Bibel hinaus. Das *Osterspiel von Muri* muß also ebenso als Einzelwerk gesehen werden wie der *Tegernseer Antichrist*, wie der *Jeu d'Adam*. Das Drama in deutscher Sprache entsteht hier also aus eigenem dichterischen Impuls, wie einst das in lateinischer Sprache. Gewiß, ohne das lateinische liturgische Drama als Vorbild für den Stoff, für die Dramatisierung dieses Stoffes, für die Form der Darstellung, wäre das *Spiel von Muri* kaum denkbar. Aber das lateinische Drama blieb eben nur Vorbild. Von „Autor" kann man im mittelalterlichen Drama nur selten sprechen; hier muß man es, denn die Behandlung ist durchaus einzigartig und von künstlerischer Qualität.

Das *Osterspiel von Muri* ist als Fragment auf uns gekommen[48]. Ranke vermutet, die Handschrift war eine „Soufflierrolle"; ich

[48] Die mustergültige Ausgabe von Friedrich Ranke, *Das Osterspiel von Muri*, Aarau: H. R. Sauerländer: 1944 macht alle früheren Ausgaben überflüssig. Rankes Verdienst beschränkt sich nicht auf die Ausgabe; er hat die späteren Textbruchstücke gefunden und den nahezu unleserlichen Wortlaut zugänglich gemacht. Ein kürzlich erschienener Facsimile Druck: *Das Osterspiel von Muri* Facsimile Druck der Fragmente. Basel: Alkuin: 1967 ist auf Ranke basiert und geht nicht über ihn hinaus.

möchte sie lieber Dirigierrolle nennen, denn Dirigieren und Soufflieren, das war im Mittelalter noch eins. Die Handschrift wurde im Einband eines Folianten aus dem späten 15. Jahrhundert entdeckt, ein Teil schon 1840, der Rest hundert Jahre später. Weitere Abschnitte des Textes sind im 15. Jahrhundert beim Einbinden verlorengegangen. Ranke schätzt den ursprünglichen Gesamtumfang auf 1100—1200 Verszeilen; nur 612 Verszeilen also kaum mehr als die Hälfte sind erhalten; jedoch genug, den Wert der Dichtung zu erkennen.

Das Fragment beginnt mit der Szene, in der Pilatus die Wächter ausschickt, das Grab zu bewachen. Die Juden ziehen mit, um die Wächter am Grabe zu verteilen. Dann kündigt Pilatus für den kommenden Tag einen Gerichtstag an. Ein plötzlicher Donnerschlag symbolisiert die Auferstehung Christi. Die Soldaten, erst entsetzt über Donnerschlag und Engel, geraten miteinander in Streit. Der Ausgang des Streites bleibt ungewiß, denn hier ist eine Lücke im Text. Pilatus beruft die Wächter zu sich, die nach der Erzählung des Geschehenen mit einem Schweigegeld abgefertigt werden. Der Krämer erhält von Pilatus die Erlaubnis, seinen Stand aufzuschlagen. In längerer Rede preist er seine Waren an. Auch hier ist der Text lückenhaft. Die folgende Höllenfahrtsszene hat eine ungewöhnlich lange Rede Christi über die Seelen in der Hölle. Mit dem „Advenisti desiderabilis" und wieder einer längeren Rede begrüßen die Seelen den Heiland, der sie befreit. Der Salbenkauf ist außerordentlich kurz gehalten; nur Maria Magdalena spricht. Nach dem lateinischen „Quis revolvet . . ." besprechen die Marien, wie sie den schweren Stein wegrollen können. Die eigentliche Visitatio ist völlig auf deutsch und im Wortlaut alles andere als eine genaue Übertragung des lateinischen Textes. Nur ganz gelegentlich tönt das eine oder andere Wort aus lateinischem Vorbild durch. Nach weiterer Lücke im Text folgen Bruchstücke der Erscheinungsszene und dann recht ausführliche Bitten der Maria Magdalena um Gnade. Mit der Antwort des Heilands bricht das Fragment ab.

Das *Spiel von Muri* sticht ab von allen anderen deutschen geistlichen Dramen durch Sprache und Stil. Ranke hat schon hervorgehoben, daß man auch rein formal erkennen kann, wie nahe zeitlich dieses Drama noch der höfischen Blütezeit war. Im metrischen Stil erinnert es an die höfische Epik; man hört noch nicht den Knüttelvers der späteren Spiele. Die Zeilen sind der Sprachfüllung nach Vierheber oder gelegentlich Dreiheber. Die Senkung fehlt manchmal; nirgends steht mehr als einfache Senkung. Die Reime klingen, wenn man den Dialekt berücksichtigt, vollständig rein. Die Sprache gleicht liturgisch archaischer Einfachheit. Mehrfach werden Begebenheiten mit wenigen Sätzen abgetan, wo das spätere Drama ausführlich verweilt. Eine „gleichzeitig natürliche und gepflegte Sprache" (Ranke S. 17) sollte man das nicht nennen. Noch sollte man von einem höfisch ritterlichen Drama sprechen. Die Zeit, in der dieses Werk entstand, erklärt die Form. Aber wenn die Wächter, diese miles gloriosi, Ritter genannt werden, so spürt man städtische Kritik. Zudem, wer anders sollten die Darsteller gewesen sein als die Bürger einer Kleinstadt, vermutlich unter der Leitung der Geistlichkeit.

Ranke meint, eine Aufführung in der Kirche komme nicht in Frage:

> Der Zank der Wächter und die Marktrede des Krämers überschreiten die Grenzen dessen, was selbst im Mittelalter einem gottesdienstlichen Raum zugemutet werden konnte. (Ranke S. 20)

Kennt Ranke gewisse Herodesszenen nicht? Weiß er nichts von dem Unfug, den der Knabenbischof gelegentlich in der Kirche anstellte? Dagegen bleibt die völlig harmlose Krämersszene — ohne alle später so beliebten Zoten — und das bißchen Prügelei der Wächter durchaus salonfähig oder kirchenfähig. Der Spielraum muß verhältnismäßig klein gewesen sein. Nirgends werden lange Reden gebraucht, um von einem Ort zum andern zu gelangen. Auch die Zahl der Darsteller ist klein, vielleicht zwei Dutzend. All dies würde eine Kirchenaufführung mindestens nicht ausschließen. Eine Rekonstruktion der Bühne nur nach dem Text, so wie Ranke sie versucht, scheint mir unmöglich.

Das *Osterspiel von Muri* hat offenbar auf andere deutsche Osterspiele nicht weitergewirkt. Es bleibt also für die Entwicklung des deutschen Osterspiels ohne Bedeutung. Die deutschen Osterspiele zeigen nämlich sonst erstaunlich weitgehende Zusammenhänge.

b) Osterspiel oder Osterspiele

„Es kann vielerlei Passionen und Fronleichnamspiele geben, aber es gibt im Grunde nur **ein** deutsches Osterspiel." So liest man in einer grundlegenden Arbeit von Hans Rueff über das Osterspiel[49]. Dieser Satz scheint recht gewagt, auch wenn man das *Osterspiel von Muri* und das spätere von *Redentin* nicht in Betracht zieht. Aber Rueff geht noch weiter. Er rekonstruiert aus allen Osterspielen ein Urspiel, dem alle anderen verwandt sein sollen. Ferner glaubt er aus sprachlichen Änderungen namentlich in den Reimen erweisen zu können, wo dieses Urspiel zu Hause war, nämlich im westlichen Mitteldeutschland, in der Mainzer Gegend und wie es sich dann weiter auswirkte. Rueffs Untersuchung ist gewiß recht anregend und von eindringlicher Überredungskraft. Sie ist auch bisher, soweit ich sehe, allgemein angenommen worden. Zum erstenmale wird hier versucht, ein System in die textlichen Zusammenhänge zu bringen: ein kühnes, mir scheint, ein unmögliches Beginnen. Sehr richtig beginnt Rueff seine Untersuchung:

> Eine solche textgeschichtliche Untersuchung des Osterspiels muß sich ihre nächste Aufgabe höchst bescheiden und vorsichtig stellen. Ihr Ziel kann nie ein einheitlicher Text, nie ein Stemma sein. (S. 75/76)

Aber dann kommt er doch zu jenem Stemma. Rueffs Bild der Zusammenhänge, des Urspiels ist verzerrt. Er zeigt nur die Teile, die Verse, die zusammenfallen oder sich ähneln. Die weiten Teile mit großen Unterschieden oder völlig anderer Gestaltung bleiben unerwähnt. Am bedenklichsten erscheint aber Rueffs Rekonstruktion der Richtung, in der die Einflüsse und Rückflüsse gegangen sein sollen. Dabei wird nicht so sehr das Alter der Überlieferung der Texte berücksichtigt, sondern der Wechsel in den Reimen wird als Basis für die historische Bestimmung genutzt. Starke Zusammenhänge von Osterspiel zu Osterspiel, ja auch von Osterspiel zu Passionsspiel, schließlich von lateinischem Spiel zu deutschem Osterspiel müssen zugestanden werden. Hier bietet Rueffs Analyse eine wertvolle Grundlage. Man kann tatsächlich einige Spiele wegen ihrer starken Übereinstimmung zu einer Gruppe zusammenfassen, sie gemeinsam behandeln. Andere Spiele dagegen haben ihre Eigenform, wenn natürlich auch bei fast allen gewisse Grundszenen nicht nur im Gehalt, sondern meist auch im Wortlaut Ähnlichkeiten

[49] Hans Rueff, *Das rheinische Osterspiel der Berliner Handschrift Ms. Germ. Fol. 1219.* (Abhandlungen der Ges. der Wiss. zu Göttingen Phil.-Hist. Klasse n. F. XVIII, 1) Berlin: Weidmann: 1925, S. 75. Weit vorsichtiger ist die Behandlung von Barbara Thoran, *Studien zu den österlichen Spielen des deutschen Mittelalters*, die andererseits Rueffs Ideen teilweise übernimmt.

aufweisen. Ich habe zum Beispiel an anderer Stelle verfolgt, wie das sogenannte *Innicher Fragment*, neun Zeilen einer Klage der Marien auf dem Wege zum Grabe in vielen, in teilweise nicht verwandten Osterspielen auftaucht[50]. Ich hätte diese Zeilen auch auf den lateinischen Text zurückleiten können.

c) Innsbruck, Wien, Erlau

Wir beginnen mit dem ältesten erhaltenen Osterspiel in deutscher Sprache nach dem von *Muri*, dem sogenannten *Innsbrucker Osterspiel* und ziehen gleichzeitig das *Wiener Osterspiel* und das *Erlauer Osterspiel* heran, die etwa hundert Jahre jünger sind, aber sehr weitgehend Verwandtschaft mit Innsbruck aufweisen[51]. *Innsbrucker Osterspiel* heißt das Stück, weil die Handschrift in der Innsbrucker Universitätsbibliothek aufbewahrt wird. Nach dem Sprachbestand gehört es ins Thüringische, genauer in die Gegend von Schmalkalden[52]. Die Handschrift ist 1391 datiert[53]. Doch vielleicht entstand das Spiel schon etwas früher.

---

[50] Wolfgang F. Michael, ,,Zum Innicher Osterspielfragment von 1340" *ZfdPh* LXXXVII (1968) S. 387—390.

[51] Das *Innsbrucker Osterspiel* noch immer am besten: Franz Joseph Mone, *Altteutsche Schauspiele* (Bibliothek der gesammten deutschen National-Literatur 21) Quedlinburg und Leipzig: Gottfr. Basse: 1841, S. 17/18, 107—144. Die Ausgabe von Eduard Hartl in *Das Drama des Mittelalters* II (Deutsche Literatur in Entwicklungsreihen) Leipzig: Philipp Reclam: 1937, S. 120—189 emendiert so stark und so sinnlos, daß sie unbrauchbar ist. Für das *Erlauer Spiel* am besten: Karl Ferd. Kummer, *Erlauer Spiele*, Wien: Alfred Hölder: 1882, S. 31—89. Auch hier ist die Ausgabe von Hartl im selben Bande S. 190—260 wertlos. Dagegen ist für das *Wiener Osterspiel* die Hartlsche Ausgabe im selben Bande S. 59—119, da leider eine neue bessere Ausgabe fehlt, trotz aller Schwächen noch immer der Ausgabe von Heinrich Hoffmann von Fallersleben, *Fundgruben für Geschichte deutscher Sprache und Litteratur* II, Breslau: Georg Philipp Aderholz: 1837, 296 bis 336 vorzuziehen.

[52] Siehe hierzu Rudolf Höpfner, *Untersuchungen zu dem Innsbrucker, Berliner und Wiener Osterspiel* (Germanistische Abhandlungen 45) Breslau: M. & H. Marcus: 1913, S. 38. Höpfners Arbeit gibt eine genaue, wenn auch etwas mechanische Zusammenstellung der Übereinstimmungen.

[53] Aus dem Hinweis auf den Streit des Papstes mit dem Kaiser (v. 652/653) glaubt Höpfner (S. 45) die ,,Abfassung" auf die Zeit 1323—1347 festlegen zu können. Mir scheint dieser Hinweis viel zu allgemein. V. 299, ein Hinweis auf Avignon als Sitz des Papstes beweist natürlich nur, daß das Drama vor dem Konstanzer Konzil geschrieben sein muß.

Das Drama beginnt mit dem Einzug von Pilatus. Die Juden bitten um Bewachung des Grabes. Pilatus, dies ist ein einzigartiger Zug, schickt erst einen Boten aus, um auch „in fremde lant“ (v. 84) Leute zu finden, die das Grab bewachen wollen. Solche Wächter kommen auch angetrollt, eingeführt durch den Boten. Sie ziehen weiter zum Grab. Sofort folgt die Auferstehung. Der Bote, von Pilatus ausgeschickt, findet die Wächter schlafend und bringt seinen Herrn selbst ans Grab. Der Bericht der Wächter artet schließlich in eine Schlägerei aus. Inzwischen ist Jesus vor der Hölle angelangt. Die Höllenfahrtzene weist eine Form auf, die später traditionell wird. Unter den befreiten Seelen sprechen nur Adam und Eva. Lucifer, entsetzt über die Entvölkerung seiner Hölle, beruft seine Teufel zusammen, die neue Seelen einbringen sollen. Angefangen mit Papst, Kardinal, Kaiser und König werden die verschiedenen Stände und Berufe als höllenwürdig anempfohlen. Und gleich werden auch sieben Seelen herangebracht, die ihre Untaten bekennen und in die Hölle weggeschleppt werden, während Lucifer warnend seine „hoffart“ beklagt, die ihn zu Fall gebracht habe[54]. Mit drei traditionellen lateinischen Gesängen, die in etwas erweiterte deutsche Reime übertragen sind, beginnen die Marien ihren Gang zum Grabe. Aber dieser Gang wird unterbrochen durch eine ungewöhnlich eingehende Krämerszene. Etwa 500 Zeilen lang, nahezu die Hälfte des Stückes, füllen der Krämer, seine Frau und seine Gehilfen die Bühne mit ihrer derben Komik. Der Krämer, übrigens hier „mercator“, braucht einen Gehilfen, und sofort ist Rubin zur Stelle, der erst seine Fähigkeiten in grotesker Weise anpreist und dann ebenso ruhmrednerisch die Tüchtigkeit seines Herrn. Dann soll Rubin die Krämerbude aufschlagen. Aber dazu verlangt er selbst einen Gehilfen. In Pusterbalk findet er die richtige Ergänzung. Derbe Witze wechseln mit Schlägerei und mit groben Possen. Dazwischen ertönt wieder der Gesang der Marien. Aber erst nach einiger Zeit bemerkt der Mercator „dry[e] schone frawen“, die dann von Rubin herangebracht werden. Auf einmal wechselt der Ton vom derben gesprochenen Deutsch in würdevollen lateinischen Gesang zum Teil übernommen aus lateinischen Spielen. Auf die Bitte der Marien läßt der Mercator ihnen die Salben um geringen Preis. Dagegen aber protestiert seine Frau, und so geht es wieder zurück in den derben Ton. Der Mercator schlägt seine Frau;

[54] Hartl setzt diese Rede sinnlos an den Anfang der Höllenszene.

es kommt zu weiteren Schimpfreden. Rubin nimmt für die Frau Partei. Dabei warten offenbar die Marien noch immer an der Krämerbude, denn nun schickt sie endlich der Mercator fort. Dann legt der Mercator sich schlafen, und sofort überredet Rubin die Frau, mit ihm zu entfliehen. Als einzige Bedingung bittet sie nur:

> Rubin, lyber bule,
> fure mich nicht in dy^{e} schule,
> kôm ich in daz schulhûs,
> ich kome nymmer mait eruz. (Mone S. 138 v. 77—80):

ein echter Studentenwitz. Zu spät erwacht der Mercator. Auf diese derben Scherze folgt in abruptem Übergang eine traditionelle Visitatio; lateinischer Gesang wechselt mit deutscher gesprochener Übertragung. Die Szene zwischen Maria Magdalena und Jesus ist etwas länger. Thomas glaubt Maria Magdalena nicht, und Jesus erscheint ihm. Diese Thomasszene ohne die anderen Jünger und an dieser Stelle ist recht ungewöhnlich, namentlich da nun erst das Victimae Paschali eingearbeitet ist. Petrus stellt die Frage:

> Dic nobis Maria,
> quid vidisti in via? (Mone, S. 143, v. 40/41)

Und auf Maria Magdalenas Erklärung singen Petrus und Johannes das „currebant duo simul". Dann zeigen sie die leeren Leichentücher. In einer Schlußrede ermahnt Johannes die Zuschauer:

> Ouch hatte ich mich vorgessen,
> dy armen schuler haben nicht czu^{e} essen,
> den sult ir czu tragen braten,
> schuldern und ouch vladen,
> wer yn gebit ire braten,
> den wil got hute und umirmer beraten,
> wer yn gebit ire vladen,
> den wil got in daz hymmelriche laden.
>
> (Mone, S. 144, v. 1174—1181)

Und wie um anzudeuten, wer denn eigentlich die Darsteller sind, heißt es dann noch:

> Nu hort, vil liben lute alle,
> dy pristere und dy schulere alle
> biten got mit großem schalle,
> daz her uns allen wulle geben
> noch desem leben daz ewige leben.
>
> (Mone, S. 144, v. 1182—1186)

Die Gemeinde wird aufgefordert:

> und syngit alle gliche:
> Crist ist entstanden von hymmelriche.
>
> (Mone S. 144, v. 1187—1188)

Das *Innsbrucker Spiel* wirkt auch rein formal weit altertümlicher als die späteren Osterspiele. Wie im *Osterspiel von Muri* wechseln Vierheber mit Dreihebern, doch ist die Verszeile weit weniger gleichmäßig. Besonders in den komischen Szenen können die Senkungen fast beliebig gehäuft werden. Andererseits ist der Zusammenhang mit den lateinischen Stücken noch weit deutlicher, besonders eben in den alten Kernszenen. Hier wirkt tatsächlich der gesprochene deutsche Text wie Übersetzung des Lateinischen. Die Bitte an die Zuschauer am Schluß, das „Christi ist erstanden" mitzusingen, erinnert an die Beteiligung der Gemeinde in Spielen wie dem von *St. Lambrecht* oder vor allem dem *Dreikönigsspiel von Fleury.*

Trotzdem kann man mit ziemlicher Sicherheit eine Aufführung im Freien annehmen. Schon die Aufforderung des Expositor ludi:

> (swige und) seczt uch neder czu^{e} der erden. (Mone, S. 109, v. 5)

läßt dies vermuten, obwohl natürlich mit „erde" auch der Kirchenboden gemeint sein könnte. Außerdem wurde für die Aufführung ein Bühnenpodium gebraucht. Nach v. 270 heißt es: „Tunc Lucifer currit ad palatium"[55]. Ein Podium für eine Aufführung in der Kirche im 14. Jahrhundert wäre mindestens ungewöhnlich. Endlich heißt es von dem Boten „Et sic nuntius currit hinc et inde in circulo" (Mone, S. 112 nach v. 99). Wäre der Bote in der Kirche umhergelaufen, würde die Bühnenanweisung doch wohl anders

---

[55] Palatium ist der technische Ausdruck für Podium in Mittel- und Norddeutschland, so etwa im Wiener Osterspiel: Eduard Hartl, *Das Drama des Mittelalters* II (Deutsche Literatur in Entwicklungsreihen), Leipzig: Philipp Reclam: 1937, S. 76, v. 53 und nach v. 56; oder im Zerbster Fronleichnamspiel: Willm Reupke, *Das Zerbster Prozessionsspiel* (Quellen zur deutschen Volkskunde 4), Berlin und Leipzig: Walter de Gruyter: 1930, S. 11; oder im *Johannesspiel zu Dresden*: Otto Richter, „Das Johannesspiel zu Dresden im 15. und 16. Jahrhundert" *Neues Archiv für sächsische Geschichte und Altertumskunde,* (1883) S. 101—114. Hartl (S. 123) mißversteht den Ausdruck und meint: „Pilatus . . . hat sich mit dem Boten in seinen Palast begeben."

lauten[56]. Außerdem wurde von anderer Seite immer wieder hervorgehoben, daß einige recht schlüpfrige Szenen und Zeilen die Aufführung doch wohl aus der Kirche vertrieben haben müssen. Ich möchte umgekehrt sagen: weil das Stück im Freien gespielt wurde, konnten schlüpfrige Szenen und Zeilen in das wahrscheinlich ursprünglich ernste Spiel eingefügt werden. Damit kommen wir zur Struktur des Spieles.

Ein Kern von alten Szenen, die im Gehalt, wenn nicht gar im Wortlaut aus dem liturgischen Drama entstammen: wie die Auferstehung, die Höllenfahrt, der Gang der Marien zum Grabe, der Salbenkauf, die Visitatio, Jesus Erscheinung vor Maria Magdalena, das dramatisierte *Victimae Paschali*, schließlich der Wettlauf der Apostel wurden von komischen, derben, grotesken, schließlich obszönen Auftritten völlig überwuchert. Die Wächterszene hat sich zu einer umständlichen Darstellung in fast hundert Zeilen entwikkelt. An die Höllenfahrtszene ketten sich in realistischem, zum Teil recht derbem Tone die Bemühungen um die Wiederbevölkerung der Hölle. Vor allem aber rankt sich um den noch vorhandenen ernsten Kern der Krämerszene in üppigem Wuchse ein weites Geflecht von lebensnahem Volkshumor, der bald ins lächerlich Absurde absinkt, bald sich ins übertrieben phantastisch Geile übersteigert. Hier spüren wir Tendenzen, die schon im liturgischen Drama zu erkennen waren, etwa bei den Benediktbeurer Spielen, mit denen übrigens auch direkte Zusammenhänge bestehen. Mit anderen Worten, auch hier sind es weniger die „pristere" als die „schulere alle", die in dieser radikalen Weise die Form durchbrechen, in anderen Worten: die Vaganten. Die unbekümmerte Offenheit, mit der alle Dinge beim Namen genannt werden, ist nicht einfach unerfreuliche Dreckerei, diese freie Lebenshaltung grenzt an Geniales.

In der Anlage und vielfach auch im Wortlaut ist das *Wiener Osterspiel* mit dem *Innsbrucker* verwandt[57]. Auch hier deutet der

---

[56] Auch bei diesem Stück scheint mir das Material unzureichend für eine auch nur hypothetische Rekonstruktion der Bühne. Nur eine kleine Bemerkung: Hier, wie später noch oft, kommt der Teufel auf die Bühne gelaufen für seine große Ansprache, offensichtlich, weil das Innere der Hölle für die Zuschauer schwer zu sehen war.

[57] Wir besitzen leider keine verläßliche Ausgabe des Textes. Heinrich Hoffmann von Fallersleben in *Fundgruben für Geschichte deutscher Sprache und*

Titel des Spiels nur auf den gegenwärtigen Aufbewahrungsort. Sprache und gelegentliche Hinweise lassen eindeutig schlesische Herkunft erkennen. Die Handschrift ist aus dem Jahr 1472.

Auch das *Wiener Spiel* beginnt mit der Bitte der Juden um Bewachung des Grabes und der Erfüllung dieser Bitte. Auch hier folgt auf die Auferstehung fast sofort die Höllenfahrt. Auch hier sind Adam und Eva die einzigen Sprecher unter den erlösten Seelen. Es fehlt aber die Szene, in der neue Seelen in die Hölle gebracht werden. Statt dessen beraten nun Pilatus, Juden und Wächter über die Auferstehung Jesu, und die Wächter fordern ihr Schweigegeld. Dann wird diese Szene abrupt abgelöst durch die Krämerszene, die verhältnismäßig kurz gehalten ist. Der Gang der Frauen zum Grabe und die Visitatio, obwohl dem Wortlaut nach recht traditionell, bleibt völlig auf deutsch. Dabei wird der Text abwechselnd gesungen und gesprochen. Dasselbe gilt auch für die Erscheinung Christi vor Maria Magdalena. Wie in *Innsbruck* sind nun in sonderbarer Weise die Szenen mit dem ungläubigen Thomas eingefügt. Erst dann singt Maria das *Victimae Paschali*, dieses Mal wirklich den lateinischen Text, der dann auch für den folgenden deutschen Dialog zugrunde gelegt wird. Wie in *Innsbruck* ist damit der Wettlauf der Apostel verbunden, doch hier mit grotesk komischer Detaillierung. Am Schluß zeigt Johannes den Zuschauern die leeren Leichentücher und fordert sie auf, das „Christ ist irstanden" zu singen.

Der ganze Ton des *Wiener Spiels* klingt viel verhaltener. In der Krämerszene fehlt Pusterbalk, der Knecht Rubins; und so sind auch die krassesten Witze weggefallen. Mercator und Mercatrix streiten auch hier zum Teil in denselben Worten. Dagegen entführt Rubin die Mercatrix nicht, sondern alle drei ziehen „yn fremde lant" (Hartl, S. 103, v. 763). Auch die Wächterszene bleibt in den Grenzen des gewöhnlichen geistlichen Spiels. Nur der Lauf der Apostel ist mit neuer Komik ausgeschmückt. Auch hier vermute ich Auf-

---

Litteratur II, Breslau: Georg Philipp Aderholz: 1837, S. 296—336 ändert den Text nach naiver vor-Lachmannscher Methode; Eduard Hartl, *Das Drama des Mittelalters* 2 (Deutsche Literatur in Entwicklungsreihen) Leipzig: Philipp Reclam: 1937, S. 74—119 behandelt ihn mit der Pseudowissenschaftlichkeit falsch verstandener Lachmannscher Grundsätze. Wir brauchen endlich einen sauberen diplomatischen Druck. Im Folgenden zitieren wir nach Hartl.

führung im Freien. Wir erwähnten schon, daß ein Podium, ein „pallas“ vorhanden war. Anspielungen auf Schüler fehlen vollkommen. Überhaupt könnte man sich dieses Werk wie das *Spiel von Muri* von der Bürgerschaft eines Städtchens gespielt denken, nicht von lebenslustigen, unmanierlichen Vaganten, wäre nicht der Prolog des „Praecursor“ in leichtestem Tone gehalten mit den mehrfach zitierten, schnoddrigen Zeilen:

> wir wellin haben eyn ostirspil
> das ist frolich vnd kost nicht vil. (Hartl, S. 75, v. 23/24)

Bedeutet das, es wurde Geld eingesammelt? Die Darsteller waren nicht Dilettanten, sondern eine umherziehende Spielgruppe?

Das *Erlauer Spiel* steht in gewisser Weise dem *Innsbrucker Spiel* viel näher und doch hat es wieder seinen eigenen Charakter[58]. Der ganze erste Teil, also die Szenen zwischen Pilatus und den Juden, die Grabwächterszenen, die Auferstehung, die Höllenfahrt fehlen. Das Spiel beginnt mit dem Gang der Marien, wobei immer lateinischer Gesang und deutscher Text nebeneinanderstehen. Auch in der Visitatio wird immer wieder traditioneller lateinischer Gesang von der deutschen Übertragung abgelöst. Hymnen wie „Jesu nostra redemptio“ sind genutzt. Auch die Szene zwischen Jesus und Maria Magdalena bleibt bei wesentlich traditionellem Wortlaut. Die Erkennung ist völlig lateinisch. Auch hier führt das *Victimae Paschali* zum Wettlauf der Apostel nach einer kurzen Szene des zweifelnden Thomas, dem Jesus aber nicht erscheint. Auch hier kann Petrus nicht so schnell laufen wie Johannes, aber die Komik ist nur kurz angedeutet. Der Schluß lautet:

> und singt all geleich
> in allen christenlanden,
> Christ sei derstanden
> von des todes panden

Tunc chorus cantet:

> Te deum laudamus, te dominum confitemur.
> (Kummer, S. 89, v. 1328–1331)

---

[58] Auch hier ist die Ausgabe von Eduard Hartl *Das Drama des Mittelalters* II (Deutsche Literatur in Entwicklungsreihen) Leipzig: Philipp Reclam: 1937, S. 190—260 unbrauchbar. Statt dessen ist zu benutzen Karl Ferdinand Kummer, *Erlauer Spiele*, Wien: Alfred Hölder: 1882, S. 33—89. Nach der Lautgebung stammt der Text aus Kärnten, die Handschrift ist aus dem 15. Jahrhundert.

Es bleibt also zweifelhaft, ob die Zuschauer mitgesungen haben.

Soweit scheint das Spiel im Charakter völlig verschieden von den beiden anderen eben besprochenen Osterspielen. Auch im Wortlaut schließt es sich weit mehr an die lateinischen Vorbilder als an *Innsbruck* oder gar *Wien* an. Aber der größte Teil dieses Spieles nämlich von v. 57—942, also fast 900 Zeilen des Spieles, das nur 1331 Zeilen umfaßt, sind eingenommen von der Mercatorszene. Und diese Mercatorszene hält sich sehr eng an das Innsbrucker Vorbild. Rubin und Pusterbalk können gar nicht genug grobe Witze vorbringen. Auch hier entläuft Rubin mit der Medica, die auch hier nur bittet:

Rubein, lieber půl,
nu fůr mich nicht in die schůl!
der schůlmaister ist ein gråuleich man,
er lernt mich des ich nie wegan;
chům ich in das schůlhaus,
ich chum nimmer wider maid herauz.

(Kummer, S. 66/67, v. 881—886)

Kurz der Rahmen eines durchaus ernsten verhaltenen Osterspiels ist gesprengt von grober Komik, die uns vagantische Herkunft vermuten läßt.

In der Erlauer Sammlung ist daneben allerdings noch ein anderes Osterspiel enthalten (Kummer, S. 121—145) — wenn wir es so nennen dürfen. Und hier werden nun gerade die Szenen abgehandelt, die in dem anderen Spiel fehlen, nämlich die Verhandlungen zwischen den Juden und Pilatus, der Zug der Soldaten zum Grabe, die von einem Engel verscheucht werden, dann von Caiphas wieder zum Grab zurückgeschickt werden. Diesmal werden sie vom Engel niedergeschlagen. Auferstehung und Höllenfahrt ist in ziemlich traditioneller Form gehalten. Pilatus will nun die Soldaten in den Kerker legen, und auch Caiphas fühlt sich betrogen. Damit bricht das Stück plötzlich ab. Sollte nun die oben besprochene Visitatio folgen? Das würde erklären, warum dieses Spiel die Visitatio nicht enthält, warum andererseits im anderen Spiel die Wächterszenen, die Auferstehung und die Höllenfahrt fehlen. Derber Humor konzentriert sich in diesem letztgenannten Spiel um die Wächterszenen, die auch weit ausführlicher sind als die ernsten Szenen von Auferstehung und Höllenfahrt.

d) Berlin, Osnabrück, Wolfenbüttel, Trier

Auch das sogenannte *Berliner Osterspiel*, 1460 abgeschlossen, verdankt seinen Namen nur seinem Aufbewahrungsort[59]. Der Herausgeber, Hans Rueff, versuchte nachzuweisen, daß es aus Mainz stammt. Jedenfalls gehört es nach Rheinhessen oder dem Rheingau. In Anlage und Ton unterscheidet es sich weitgehend von den vorher besprochenen Spielen.

Das Osterspiel beginnt mit der Auferstehung. Nach kurzer Judenszene beklagen die erschrockenen Wächter die Auferstehung und beschließen, die Juden um ein Schweigegeld zu bitten. In der Höllenfahrt dient das traditionelle „Tollite portas" und „Quis est iste rex glorie" nur als Ausgang zu einer ziemlich eigenartigen und lang ausgeführten Szene. Eine Gruppe von Figuren des alten Testaments preisen Christus für ihre Befreiung. Neue Seelen füllen die Hölle, aber ihre Sündenbeichte enthält nichts Derbes oder gar Zotenhaftes. Ebenso bleibt auch die folgende Krämerszene in gemäßigtem Ton. Krämersfrau und zweiter Knecht fehlen. Natürlich geht es nicht ohne übertriebene Anpreisung der ärztlichen Kunst; und die Verhandlungen um den Lohn des Knechtes nehmen recht groteske Formen an. Aber der Kontrast mit der Marienszene ist wesentlich abgemildert. Nun erst folgt die Szene, wo die Wächter von den Juden mit einem Schweigegeld abgefertigt werden, worauf es wieder zurückgeht zum Krämer und den Marien. Ohne jedes Feilschen nehmen sie die Salbe. Wieder wird in der Visitatio wie in der folgenden Erscheinung Christi vor Maria Magdalena lateinischer Text nicht ohne Geschick in die Volkssprache umgearbeitet. Dann erscheint Christus auch vor Petrus. Der Stoff vom Gang nach Emmaus wird ziemlich frei behandelt, ebenso die beiden Erscheinungen vor den Jüngern. Dazwischen steht eine merkwürdige weitere Krämerszene. Die Conclusio Ludi gibt lange Moralanwendungen. Sie endet mit der so oft genutzten Aufforderung, das „Christ ist erstanden" anzustimmen.

Eine Aufführung in der Kirche halte ich wenigstens für möglich. Der Mangel an derber Komik, ja die wesentlich unrealistische Darstellung würde einen solchen Aufführungsort selbst für modernes Empfinden glaubbar machen. Ein Sepulcrum, in dem man sitzen

---

[59] Hans Rueff, *Das rheinische Osterspiel der Berliner Handschrift Ms. Germ. Fol. 1219* (Abhandlungen der Gesellschaft der Wiss. zu Göttingen: philol.-hist. Klasse n. F. XVIII, 1) Berlin: Weidmann: 1925.

kann: „Duo angeli sedentes in sepulchro“ (Rueff, S. 167, nach v. 1028), das an anderer Stelle „monumentum“ heißt (Rueff, S. 168, nach v. 1048), wäre im Freien mindestens ungewöhnlich. Obwohl dieses *Berliner* oder auch *rheinische Osterspiel* gelegentlich im Wortlaut mit anderen Spielen übereinstimmt, zeigt es doch einen recht anderen Grundcharakter.

Die bisher behandelten Spiele gehörten alle dem mitteldeutschen oder oberdeutschen Raume an, die Spiele aus Niederdeutschland sind alle spät, 15. oder 16. Jahrhundert, und zeigen mit einer Ausnahme einen verhaltenen archaischen Charakter; die lateinische Sprache, die liturgischen Gesänge nehmen eine überragende Stelle ein. Wir können diese Spiele ziemlich kurz behandeln.

Im *Osnabrücker Osterspiel*, vor 1541 in Osnabrück niedergeschrieben, überwiegt das Episch-Erzählerische[60]. Der Chorus singt lateinisch erklärend, was geschehen wird, dann wiederholt der Regens in deutschen Reimen diese Vorschau. Aber auch die Darsteller erzählen gelegentlich die Geschehnisse. In einzigartiger Weise beginnt das Drama mit einer ausführlichen Höllenfahrt. Dann erst schicken Caiphas und Pylatus die Soldaten zum Grabe. Ohne daß die Soldaten am Grabe oder auch nur die Auferstehung gezeigt werden, geht es gleich weiter mit Visitatio, Lauf der Jünger zum Grabe, Erscheinung Christi vor Maria Magdalena und vor den anderen Marien. Dann folgt der Gang nach Emmaus. Es ist besonders überraschend, wie die Wächter fest von Christi Gottheit überzeugt sind, dann von den Juden bestochen, nach einem Rededuell mit Petrus und Johannes doch offen zugeben, daß Christus auferstanden ist. Mit der Thomasszene und liturgischen Gesängen schließt das Drama. Ich halte es für wahrscheinlich, daß die Kirche als Aufführungsort diente.

Das Stück trägt alle Kennzeichen der Spätzeit. In der sonderbaren Anordnung und Behandlung des Stoffes steht es völlig außerhalb der Tradition. Wo in den anderen Spielen, mögen sie sich auch im einzelnen voneinander unterscheiden, die naive selbstverständliche Übernahme den Gesamtcharakter kennzeichnete, spürt man hier bewußte rationale Formung, wie besonders in der Behandlung der Wächter, wie aber auch in den episch erzählenden Teilen des

---

[60] Hans-Hermann Breuer, *Das mittelniederdeutsche Osnabrücker Osterspiel* (Beiträge zur Geschichte und Kulturgeschichte des Bistums Osnabrück I) Osnabrück: Ferdinand Schöningh: 1939.

Regens und dem Wirken des Chorus. Im frühen liturgischen Drama war das Epische gelegentlich stehengeblieben in charmanter Unbeholfenheit, weil man es noch nicht dramatisch bewältigen konnte. In *Osnabrück* nehmen die epischen Teile eine durch bewußte Planung erreichte Funktion ein. Wir sprachen von bewußter Einzelleistung bei der *Regularis Concordia,* beim *Tegernseer Antichrist,* beim *Osterspiel von Muri.* Im *Osnabrücker Osterspiel* möchte ich sprechen von sentimentalischer Bewußtheit im Schillerschen Sinne. Dieses Osterspiel hat mit naivem mittelalterlichem Geiste wenig zu tun.

Das *Wolfenbüttler Osterspiel* etwa aus der Mitte des 15. Jahrhunderts beginnt mit dem Gang der Marien[61]. Es folgt eine kurze ernste Mercatorszene. Die Visitatio, die Erscheinung Christi vor Maria Magdalena und vor Thomas, die deutsche dramatisierte Übertragung des *Victimae Paschali* geben dem Ganzen einen würdevollen, archaischen Charakter.

Einen ähnlichen Eindruck erweckt auch das *Trierer Osterspiel,* das nur aus Marienszenen besteht[62]. Der Gang zum Grabe, ohne Krämerspiel, die Visitatio, die Erscheinung Christi vor Maria Magdalena werden behandelt. Wir erinnern uns, daß dieses Spiel vielfach als Beispiel für den Übergang von lateinisch liturgischem Spiel ins Deutsche genannt wurde. Die späte Überlieferung läßt es als Beispiel wertlos erscheinen. Rueff nennt es „stark entstellt" (S. 79), also es hat mit seinem Urspiel wenig zu tun. Mir scheint das *Trierer* und vielleicht auch das *Wolfenbüttler Osterspiel* eine Rückbildung darzustellen. Nachdem das deutsche Osterspiel — und übrigens auch das Passionsspiel — sich eingebürgert hatte, sucht man die alten liturgischen Feiern mit deutschen Übertragungen auszuschmücken. Die Gemeinde, längst der klösterlichen Begrenzung entwachsen, sollte neuen Anreiz erhalten. Ich gebe zu, das ist nur Hypothese.

---

[61] Die beste Ausgabe ist die von Otto Schönemann, *Der Sündenfall und Marienklage,* Hanover: Carl Rümpler: 1855, S. 149—168. Zur Datierung siehe S. XIII der Einleitung.

[62] Der beste Text: Richard Froning, *Das Drama des Mittelalters* I (Deutsche National-Litteratur hrsg. Joseph Kürschner 14) Stuttgart: Union Deutsche Verlagsgesellschaft: o. J., S. 46—56. Der Text von Eduard Hartl, *Das Drama des Mittelalters* II (Deutsche Literatur in Entwicklungsreihen) Leipzig: Philipp Reclam: 1937, S. 45—58 ist nicht verläßlich.

e) Redentin

Neben dem *Osterspiel von Muri* mag man wohl das *Redentiner Osterspiel* als unabhängigstes deutsches Osterspiel ansehen[63]. Darrum haben wir auch seine Behandlung für den Schluß aufgehoben. Wenn wir absehen von *Erlau V*, das aber vielleicht mit *Erlau III* zusammengehörte, ist der *Redentiner Text* das einzige mittelalterliche Osterspiel, das die Kernszene des Osterspiels, ja überhaupt die Quelle des gesamten geistlichen Dramas ungenutzt läßt: die Visitatio. Nach einleitendem Gesang der Engel beraten die Juden erst untereinander, dann mit Pilatus die Bewachung des Grabes. Pilatus führt die Wächter persönlich an das Grab. Die Wächter legen sich sofort schlafen und lassen sich auch durch Begebenheiten auf hoher See nicht stören. Statt wie in anderen Spielen die Ritter niederzuwerfen, versetzen die Engel sie nur in tieferen Schlaf. Nach der Auferstehungsszene spüren Propheten und Erzväter in der Vorhölle die bevorstehende Befreiung durch Christus, während die Teufel natürlich besorgt sind. Die eigentliche Höllenfahrt ist ziemlich ausgedehnt. Schließlich werden die befreiten Seelen in den Himmel geführt. Jetzt erwachen die Grabwächter, erzählen den Juden, dann Pilatus das Geschehene. Dieser läßt sich erst durch die Juden beschwichtigen. Nun wird Lucifer aus der Hölle geführt; er beklagt seine Niederlage, und die Teufel werden aufgefordert neue Seelen heranzuführen. Wie im *Innsbrucker Spiel* gestehen die Seelen ihre Missetaten. Der Conclusor warnt vor den Sünden und fordert auf zu singen: „Kristus is upgestanden!" (Krogmann, S. 89,v. 2025).

Schon diese kurze Skizze zeigt den eigentümlichen Charakter des *Redentiner Spiels*. Die Szenen in der Hölle wurden oft und mit Recht als eine lebendige Ständesatire empfunden. Sie sind weit umfangreicher als etwa die entsprechenden Szenen in *Innsbruck*. Das weltliche Element überwiegt in diesem Drama weit mehr noch als selbst in *Erlau*. Die Auferstehung und die Höllenfahrt sind überhaupt die einzigen religiösen Szenen. Und schon die Höllenfahrt

---

[63] Ausgabe: Willy Krogmann, *Das Redentiner Osterspiel* (Altdeutsche Quellen 3) Leipzig: S. Hirzel: 1937. Krogmann erklärt, es „wurde überall dort geändert, wo die Überlieferung eine ursprünglichere Fassung erkennen ließ" (S. 8). Das scheint mir ein gefährlicher Grundsatz, der die Willkür der Herausgebers zum Maßstab macht. Es ist daher auch die ältere Ausgabe von Richard Froning, *Das Drama des Mittelalters* I (Deutsche National-Litteratur 14) Stuttgart: Union Deutsche Verlagsgesellschaft: o. J., 107—198 mit einzusehen.

zeigt starke weltliche, komische Elemente; wenn zum Beispiel ein Teufel versucht, Johannes den Täufer in der Hölle zu behalten, und dieser sich erst zur Wehr setzen muß (Krogmann, S. 38/39, v. 618 bis 646). Das Stück paßt also kaum in die Tradition des Osterspiels. Fast will es scheinen, daß nicht so sehr die Abschreckung vor dem bösen Geschick in der Hölle den Impuls für dieses Drama gab, sondern die Freude am Spiel, an der Darstellung. So steht *Redentin* noch heute in alter Frische vor uns.

Das *Redentiner Spiel* wurde in dem Kloster Redentin nicht weit von Wismar 1464 niedergeschrieben. Neuerdings hat man ziemlich überzeugend Aufführung und Text in Lübeck angesetzt[64].

f) Entwicklung der Osterspiele

Überblicken wir die deutschen Osterspiele in ihrer Gesamtheit. Natürlich ist den meisten Spielen ein gewisser Grundstock von Szenen gemein; und in diesen Szenen läßt sich auch sehr weitgehend das Vorbild der lateinischen liturgischen Fassungen erkennen. Das beweist aber weder die Existenz eines deutschen Urspiels, noch selbst die langsame Entstehung der deutschen Spiele in verschiedenen Stufen des Verdolmetschungsprozesses. Der Stoff der Osterspiele stammt ja sehr weitgehend aus der Bibel, aus der Liturgie, aus dem religiösen Schrifttum[65]. So erklärt sich schon ein großer Teil der Übereinstimmungen. Dann aber ist das liturgisch lateinische Drama so sehr allgemein bekannt, daß man immer wieder darauf zurückgreifen konnte. Das beweist also nicht ein allmähliches Heranwachsen aus lateinischer Grundform, sondern es zeigt nur, daß zwischen deutschem und lateinischem Spiel ein lebendiger Kontakt erhalten blieb. Das liturgische lateinische Drama war eben längst Gemeingut geworden.

Das Osterspiel im Gegensatz zum Passions- und Fronleichnamspiel hat außerdem einen Eintagscharakter. Bei keinem Osterspiel

[64] Siehe hierzu: Hellmut Rosenfeld, „Das Redentiner Osterspiel — ein Lübecker Osterspiel", *Beiträge zur Geschichte der deutschen Sprache und Literatur* LXXIV (1952) 485—491.

[65] Siehe hierzu die beiden Schriften von Georges Duriez, *La Théologie dans le Drame religieux en Allemagne au Moyen Age*, Paris und Lille: René Giard: 1914 und *Les Apocryphes dans le Drame religieux en Allemagne au Moyen Age* (Mémoires et Travaux publiés par les Professeurs des Facultés catholiques de Lille, X) Lille: René Giard: 1914.

läßt sich eine Tradition nachweisen. Wo bei den meisten Passionsspielen eine Aufführungsfolge von Jahrzehnten oder Jahrhunderten aus den Dokumenten hervorgeht, wo man bei den Passionsspielen die Änderungen des Textes: Erweiterungen, Ausschmückungen, Umstellungen, psychologische Vertiefung, Zusammenfassung, Beschränkung, Verkürzung und so fort an Hand von verschiedenen Handschriften oder auch schon an den Änderungen einer Handschrift verfolgen kann, steht jedes Osterspiel für sich. Auch daran erkennt man die Wurzellosigkeit dieses Phänomens, daß so viele der Handschriften von ihrem Entstehungsort weit verschleppt wurden. Man würde sagen, sie kennzeichnen den Übergang von der festen Tradition des kirchengebundenen liturgischen Dramas zur festen Tradition des lokalgebundenen Volksdramas. Aber dann vergäße man, daß das Volksdrama in seinen Anfängen auch schon ins 13. Jahrhundert zurückreicht, daß zwar Stücke wie das *Innsbrucker Osterspiel* auf die Tiroler Passionsspiele befruchtend wirkte, daß aber zur Zeit des *Wiener, Erlauer, Rheinischen, Trierer Osterspiels* die Passionsspiele längst ihren festen Platz gefunden hatten. Neben dieser Tradition mit Einflußbereichen die mehrfach im großen Radius eine ganze Landschaft beherrschen, verblassen die wenn auch einmaligen, so doch eintäglichen Osterspiele.

2. Die Weihnachtsspiele

a) St. Gallen

Bevor wir zu den umfassenden Traditionen der Passions- und Fronleichnamsspiele vorstoßen, müssen wir andere vielfach nur vereinzelt überlieferte Stoffe betrachten. Weihnachten ist neben Ostern natürlich auch im späteren Mittelalter die wichtigste Spielzeit. Wie den Osterspielen der vereinzelte frühe *Text von Muri* vorangeht, so den Weihnachtsspielen ein Text aus St. Gallen, das *St. Galler Spiel von der Kindheit Jesu*[66]. Beide Dokumente stammen nach ihrer Sprache aus derselben Gegend der Nordschweiz; ja man hat das *St. Galler Spiel* in Muri ansetzen wollen[67]. Das ist völlig unerwiesen. Noch scheinen mir die „Übereinstimmungen" über

[66] Joseph Klapper, *Das St. Galler Spiel von der Kindheit Jesu* (Germanistische Abhandlungen 21) Breslau: M. &. H. Marcus: 1904.

[67] So Klapper S. 45—48. Selbst wenn ein Zusammenhang *Muri — St. Gallen* bestanden hätte, so sehe ich nicht, warum dann auch das *St. Galler Spiel* in Muri seinen Ursprung gehabt haben müßte.

formelhaftes Allgemeingut hinauszugehen und irgendwelche definitive Zusammenhänge zu bestätigen. Trotzdem zeigen sich schon beim ersten Blick erstaunliche Parallelitäten. Beide Werke stehen ganz vereinzelt da in ihrem Charakter wie in ihrem Aufbau. Beide Werke sind nahezu völlig in der Volkssprache. Beide Werke erinnern in ihrer Sprache und ihrer rhythmischen Form viel eher an die höfische und Heldenepik als an die späteren Dramen mit ihrem Knüttelversgeklapper. Aber beide Dramen, noch im 13. Jahrhundert entstanden, stehen eben jener epischen Blütezeit noch nahe genug, um von ihrem grandiosen Formempfinden noch mit erfaßt zu sein. Das *St. Galler Spiel*, obwohl vermutlich etwas jünger als das von *Muri*, nämlich etwa gegen Ende des Jahrhunderts entstanden, zeigt einen so epischen Charakter, daß gelegentlich überhaupt die dramatische Form bezweifelt wurde[68]. Es fehlt jeder Hinweis auf die Darstellung. Die sparsamen Angaben, wer zu sprechen habe, sind überwiegend, allerdings nicht ausschließlich im erzählenden Imperfekt gehalten. Zweimal werden diese Angaben etwas ausführlicher, und sofort wandeln sie sich in episch erzählende Reimpaare. Eigentliche Anweisungen an den Regisseur, den Dirigierer fehlen völlig. Waren in *Muri* wenigstens an zwei Stellen lateinische Gesänge stehengeblieben, so wird in *St. Gallen* der ganze Stoff ohne Ausnahme in deutschen Reimpaaren abgehandelt. Das Stück beginnt ebenso abrupt, als es auch wieder abrupt endet, obwohl allerdings der Stoff der Weihnachtsgeschichte ziemlich erschöpfend dargestellt wird. Ist das *St. Galler Stück* also ein wirkliches Bühnenwerk? Ich glaube nicht, daß man diese Frage mit Sicherheit beantworten kann.

In der Stoffauswahl, aber nicht der Stoffbehandlung berührt sich *St. Gallen* eng mit dem *Benediktbeurer Weihnachtsspiel*; ich sehe aber keine Zusammenhänge[69]. Prophetenverkündungen, aber nicht wie in Benediktbeuren in dramatische Kontroverse gewandelt, sondern noch durchaus einfach episch, leiten das Spiel ein. Cleophas, der Vater der Maria gibt seinem Bruder Joseph, also hier dem Onkel der Maria, seine Tochter zur Frau. Er will ihre angelobte Keuschheit bewahren. Es folgt abrupt Mariae Verkündigung und die Szene zwischen Maria und Elisabeth. Ein Engel erscheint Jo-

[68] So Jacob Baechthold, *Geschichte der Deutschen Literatur in der Schweiz*, Frauenfeld: J. Huber: 1892, S. 208.

[69] Die Frage wird ausführlich behandelt von Klapper S. 39—42.

seph, der, so folgern wir aus den Worten des Engels, Maria verlassen wollte, und erklärt Mariae Schwangerschaft. Nach der Verkündigung und Anbetung der Hirten folgt eine ungewöhnliche Szene der Anbetung der „töhtran von Syon". Die Dreikönigsszenen werden in derselben Ausführlichkeit behandelt wie in vielen der späteren Spiele. Freilich, das erste Zusammentreffen der Könige fehlt. Aber das Hin und Her zwischen Herodes und den Königen, Herodes und den Schriftgelehrten, die umständlichen Beratungen, das entspricht ganz der gewöhnlichen Gestalt. Unser Herodes ist jedoch so blutrünstig, daß er alle Unglücksboten gleich umbringen läßt. Wie in Benediktbeuren begegnen die Könige den Hirten. Die Anbetung selbst bleibt in der gewöhnlichen Form, wie auch die Warnung des Engels. Nun wird zuerst noch die Darbietung im Tempel behandelt, bevor Herodes den Kindermord beschließt und Joseph auf die Warnung des Engels nach Ägypten flieht. Ganz kurz wird wie in Benediktbeuren der Fall der heidnischen Götter in Ägypten episch erzählt. Nach langer Rahelklage schließt das Stück mit dem Befehl des Engels an Joseph, wieder aus Ägypten zurückzukehren. Man sieht, es geschieht eigentlich nichts. Nirgends wird der wesentlich epische Dialog oder Monolog in Handlung aufgelöst wie in *Muri* oder *Benediktbeuren*.

In der Stoffbehandlung wie auch in der epischen Form bleibt das *St. Galler Werk* trotzdem ein interessantes Dokument, gerade auch weil es so einzigartig ist, weil wir keine Linie von ihm in frühere oder spätere Zeit ziehen können.

b) Das hessische Weihnachtsspiel

Erst aus einer Zeit etwa 100 Jahre nach dem *St. Galler Spiel* ist uns wieder ein deutsches Weihnachtsspiel erhalten, das sogenannte *hessische Weihnachtsspiel*[70]. Es ist vermutlich aus Friedberg. Reinhold setzt die Entstehung des Spieles zwischen 1450 und 1460. *Bruder Philipps Marienleben* hat weitgehend als Quelle gedient.

[70] Erschöpfend hierüber Erich Reinhold, *Über Sprache und Heimat des hessischen Weihnachtsspiels*, Marburg: Heinrich Bauer: 1909. Ferner auch Anton Dörrer, *Verfasserlexikon* IV, S. 871—883. Text Richard Froning, *Das Drama des Mittelalters* 3, S. 902—939 (Deutsche National-Litteratur 14) Stuttgart: Union Deutsche Verlagsgesellschaft: o. D., und auch Walter Lipphardt, „Das hessische Weihnachtsspiel" *Convivium Symbolicum* II (1958) 23—48, 66/7.

Auch das *hessische Drama* zeigt einige recht sonderbare Züge in der Stoffbehandlung. Es beginnt allerdings mit Abschnitten, die später recht allgemein übernommen werden. Nach einem kurzen Prolog des Proclamators folgt gleich Mariae Verkündigung und eine Szene, die den Zweifel Josephs ausdrückt, der dann von einem Engel zurechtgewiesen wird; dann suchen Joseph und Maria vergeblich nach einer Herberge. Nun heißt es einfach: „Tunc Maria parit puerum". Wie beim *Benediktbeurer Spiel* erfahren wir nicht, wie das dargestellt wird. Nachdem Joseph dann eine Wiege herbeigebracht hat, beschränkt sich das Spiel 200 Zeilen lang auf preisende Reden und Loblieder, die zum Teil noch heute bekannt sind, wie das „In dulce jubilo" oder „Puer nobis nascitur". In der folgenden Hirtenszene hat der Pastor Schwierigkeiten, seine Knechte mit den schönen Namen Zcegenbart und Unvertrossen aus dem Schlafe zu wecken. Überhaupt ist diese Szene in derber, komischer Volkstümlichkeit gehalten. Ja, wenn es heißt: „Pastor dicit ad populum", so könnten unsere modernen Kritiker von Verfremdungseffekt sprechen. Aber gerade die folgende Rede zieht nur das Publikum mit hinein in die naive Weihnachtsfreudigkeit. Von Reflexion kann hier nicht die Rede sein. Und nun geht es weiter in den völlig undramatischen Preis- und Lobreden beziehungsweise Gesängen, an denen sich Engel, Hirten, Cantores und Puellae beteiligen. Unterbrochen wird diese Stimmung erst, wenn sich Joseph, wiederum in recht derber Weise, mit zwei schlampigen Mägden herumschlägt, oder wenn in einer Teufelszene, die ihrem Gehalt nach dem Osterspiel entnommen scheint, die Teufel sich in großenteils zotenhafter Weise beraten, wie sie die Hölle wieder bevölkern wollen. Solche Szenen lassen den Einbruch des Vagantentums auch ins Weihnachtsspiel vermuten. Mit der Flucht nach Ägypten schließt das Spiel; also Herodes und die drei Könige erscheinen nicht. Die Schlußrede Josephs:

> nu woluff uund volge mir:
> mir woln geen zu dem guden bier! (Froning, S. 937, v. 869/870)

oder eine andere von Luciper:

> wille got, daß mir unß uber eyn jar mochten gesünt hy fyngen,
> szo wollen mir aber frolich syngen und springen!
> (Froning, S. 937, v. 13/14)

zeigen die ganze überquellende und nicht sehr heilige Fröhlichkeit des Weihnachtsfestes. „Syngen und springen" ist überhaupt der

Grundton dieses handlungsarmen Stückes, das auch das Motiv des Kindelwiegens in die dramatische Literatur einführt, aus der es bis in unsere Zeit nicht verschwunden ist.

c) Das Erlauer Weihnachtsspiel und Dreikönigsspiel

Ein sehr kurzes Stück aus dem Erlauer Spielbuch zeigt ebenfalls mehr Fröhlichkeit als Heiligkeit[71]. Nach einleitendem Kauderwelsch des Magister Judeorum erzählt der Pastor dem Publikum von der Engelsverkündigung und wird gleich von Joseph zur Krippe gebracht. In recht grotesker Form wird Joseph von dem Magister Judeorum Maria angetraut. Joseph gibt immer wieder allen: dem Pastor, Maria, dem Kind und sich selbst zu trinken. Nach eingestreuten Engelgesängen meint der Pastor: „dem chint sei die chelten nicht gůt“ (Kummer, S. 8, v. 50); und Joseph ist gleich bereit sich zurückzuziehen. Das Ganze ist also mehr ein Vagantenscherz als ein geistliches Drama. Freilich sind die Bühnenanweisungen hier recht ausführlich.

Ein anderes Stück aus derselben Sammlung, ein *Ludus trium magorum*, behandelt den Stoff ausführlicher[72]. Nach einer Engelsverkündigung machen sich die Hirten auf den Weg, wobei sie zuerst zu Herodes kommen, dem sie von der Engelerscheinung erzählen. Dann ziehen sie sich zurück und erscheinen merkwürdigerweise nicht wieder; es gibt also keine Anbetung der Hirten. Statt dessen kommen nun die Könige angeritten, die von Herodes zu einem Mahle eingeladen werden. Bei der Anbetung wird ausdrücklich betont, daß immer nur einer der Könige hineingeht, „alii vero manent foris“. Die heilige Familie muß sich also in einer Mansion, einer Art Bühnenhäuschen, und zwar einem ziemlich kleinen befunden haben. Auf dem Rückweg warnt nicht ein Engel, sondern „vir unus“ „in medio“ vor der Rückkehr zu Herodes, während Joseph freilich von einem Engel die Flucht nach Ägypten angeraten wird. Wie weit der Kindermord wirklich realistisch durchgeführt wird, bleibt unklar. Nach einer kurzen Rahelklage steht etwas abrupt „et sic est finis“. Abgesehen von bewußt grotesken Zügen bei dem Kindermord bleibt dieses Dreikönigsspiel im ganzen ernst und würdevoll.

---

[71] Karl Ferdinand Kummer, *Erlauer Spiele*. Wien: Alfred Hölder: 1882, S. 1—9.

[72] Kummer, S. 11—30.

d) Das Sterzinger Weihnachtsspiel

Während diese beiden Spiele mehr oder weniger für sich stehen und nur den Geist der Erlauer Sammlung widerspiegeln, zeigt das sogenannte *Sterzinger Weihnachtsspiel*, erst Anfang des 16. Jahrhunderts niedergeschrieben, starke Beziehungen zu dem hessischen Weihnachtsspiel[73]. Allerdings könnten viele der starken Gleichheiten aus gemeinsamer Quelle: *Bruder Philipps Marienleben* abgeleitet werden. Jedoch stimmt der ganze Aufbau des *Tiroler Spiels* so sehr mit dem *hessischen* überein, daß wir im Gegensatz zu Rudolf Jordan direkte Abhängigkeit annehmen. Das Kindelwiegenmotiv ist in Tirol weit stärker entwickelt, und das Tirolerische kommt nicht nur in der Sprache, sondern auch in vielen Einzelheiten zum Ausdruck.

e) Das Dreikönigsspiel aus Fribourg

Ganz abseits von dieser Tradition steht ein *Dreikönigsspiel aus Fribourg in der Schweiz*[74]. Man kann bei dem vermutlich erst im 16. Jahrhundert entstandenen Spiel noch die Abstammung aus dem liturgisch lateinischen Drama deutlich erkennen. Ja mehr noch, die eigentliche Kernszene des Spieles ist noch ganz auf lateinisch. Noch erstaunlicher wirkt es, daß die ganze Vorführung in den eigentlichen Meßgottesdienst eingebaut ist. Das *Fribourger Spiel* ist das einzige bekannte Dreikönigsprozessionsspiel auf deutschem Boden. Von dem offenen Platz, wo die Könige sich treffen, wo Herodes thront, wo an langem Drahtseil der Stern sich fortbewegt, zieht man in die Kirche, in der die Anbetung während des Meßgottesdienstes vollzogen wird. Im Barock wandeln militärische Paraden das Ganze zu einem recht auffälligen Spektakel. Im 18. Jahrhundert, in der Zeit des Rationalismus, in der Zeit, in der die Franzosen in die Schweiz einrückten, wurde die ganze Spieltradition aufgegeben.

---

[73] Text R. Jordan, *Das hessische Weihnachtsspiel und das Sterzinger Weihnachtsspiel vom Jahre 1511*, Programm Staatsgymnasium Krumau: 1902/3 und 1903/4. Siehe auch Anton Dörrer, *Verfasserlexikon* IV, S. 871—883.

[74] Text Peter Wagner, „Das Dreikönigsspiel zu Freiburg in der Schweiz" *Freiburger Geschichtsblätter* X (1903) 77—101. Ferner Wolfgang F. Michael, *Die Geistlichen Prozessionsspiele in Deutschland* (Hesperia 22) Baltimore: Johns Hopkins Press: 1947, S. 13—18 dort auch weitere Literatur.

3. Das Erlauer Spielbuch

Wahrscheinlich würde auch der Weihnachtsspielkreis wie der Osterkreis einheitlicher wirken, wenn sich eine größere Zahl von Texten erhalten hätte. Es ist aber doch bezeichnend, daß wir nur bei einem dieser Spiele, dem von *Fribourg in der Schweiz,* eine wirklich feste, ja in diesem Falle sogar über Jahrhunderte dauernde Tradition nachweisen können. Selbst für das sogenannte *Sterzinger Spiel* aus dem spielfrohen Südtirol läßt sich keine Überlieferung erkennen. Freilich zeigt der Zusammenhang mit dem hessischen Dokument, daß diese beiden Texte doch über eine Einmaligkeit hinausgewachsen sind.

Fehlt so weitgehend bei den Osterspielen und mehr noch bei den Weihnachtsspielen die historische Kontinuität, so steht wenigstens an einer Stelle für den zeitlich vertikalen, wenn ich so sagen darf, ein örtlich horizontaler Spielzusammenhang, eine Spielsammlung, meine ich, die verschiedene Themen wesentlich im selben Geiste behandelt: das Erlauer Spielbuch. Die Handschrift, ins nordungarische Erlau verschlagen, stammt offensichtlich aus Kärnten (Kummer XXVI—XXIX). An vier der Spiele aus dieser Sammlung: zwei Osterspielen, zwei Spielen aus der Weihnachtszeit glaubten wir schon bei der Behandlung einen starken vagantischen Einschlag zu erkennen. Das wird noch deutlicher bei einem weiteren Spiel (Erlau IV), dem *Ludus Mariae Magdalenae in gaudio.* Wir erwähnten diesen Text schon kurz, als wir vom Eindringen vagantischen Geistes, von dem Ursprung weltlicher Sonderspiele sprachen (S. 63); wir müssen den Charakter dieses Dokuments jetzt umreißen[75].

Nach einem an dieser Stelle höchst überraschenden „Primo angeli cantant: Silete" und einer gänzlich weltlichen, recht derben Begrüßungsrede des Proclamators fogt eine ausführliche Teufels-

---

[75] Ein weiteres *Maria-Magdalena-Spiel* oder vielmehr das Fragment eines solchen Spiels befindet sich in einer Donaueschinger Handschrift (siehe Wolfgang Irtenkauf und Hans Eggers, „Die Donaueschinger Marienklage" *Carinthia* I [1958] 358—382). Allerdings zeigt es nur geringe Übereinstimmungen mit Erlau. Das charmante vagantisch klingende Lied, „Ich wil preysen meinen leib" (Erlau, S. 105, v. 318) wird auch hier leicht variiert von Maria Magdalena gesungen. Daß keine weitgehenderen Übereinstimmungen vorhanden sind, überrascht umso mehr als eine Marienklage derselben Handschrift mit der *Erlauer Marienklage* eng verwandt ist.

szene, wie wir sie aus den Osterspielen kennen. Die Erlauer Teufelsszene zeigt auch wirklich Verwandtschaft mit anderen solchen Szenen. Die Teufel rühmen sich vor Lucifer ihrer Künste, und sie werden ausgeschickt, neue Seelen in die Hölle zu bringen. Ein Schneider, ein Schuster, ein Räuber, ein Bäcker und ein Wirt werden ohne Bedenken in die Hölle geschleppt. Eine schöne Maid dagegen scheint Lucifer auf der Erde wertvoller als in der Hölle. Ein Schreiber und zwei Schüler rühmen sich in so lebendiger, saftiger Beschreibung ihrer Liebesabenteuer, daß Lucifer vor ihnen Angst bekommt und sie wegschickt. Der Übergang zum eigentlichen Maria-Magdalenen-Spiel bleibt sehr oberflächlich. Sonderbar greifen auch hier die Engel wieder ein nicht nur mit einem „Silete", sondern mit vier Zeilen, die an dieser Stelle recht merkwürdig klingen:

> Irͤ swaiget lieben låute,
> und lat euch das bedåuten
> von unserm herren Jhesu Christ,
> der von dem tod erstanden ist.
>
> (Kummer, S. 104/105, v. 3103/13)

Der Rest des Spieles besteht wesentlich aus Gesang und Tanz der Maria Magdalena. Die Lieder erinnern weit mehr an den Minnesang als an das geistliche Drama. Tatsächlich finden sich eine Reihe der Verse nicht nur in anderen geistlichen Dramen, wie etwa das „Mundi delectatio" im *Benediktbeurer Passionsspiel* oder „ich will preisen meinen leib" im *Alsfelder Passionsspiel*, sondern auch Strophen wie „ja ließ ich meinen mandel in der aue", die Verwandtschaft mit Vagantenlyrik sowohl wie mit dem späten Minngesang erkennen lassen; ja selbst Walthers unsterbliches „Under der linden" scheint hier nachzutönen[76]. Die einzige Handlung besteht eigentlich darin, daß ein junger Mann, Procus, mit Hilfe einer Vetula um Maria Magdalena wirbt. In den Gesang und Gegengesang von Maria Magdalena und Procus tönt aber immer wieder das „Revertere" der Martha. Abrupt bekehrt sich Maria Magdalena. Auf die Vergebung der Dominica Persona, die nur hier ganz am Schluß zu sprechen hat, schließt das Stück mit dem „Jhesu nostra redemptio", das von Maria Magdalena gesungen wird. Vielmehr es folgen nun einige sonderbare Zeilen zwischen Rubinus und

---

[76] Siehe hierzu Richard Heinzel, „Abhandlungen zum altdeutschen Drama", *Sitzungsberichte der Kais, Akademie der Wissenschaften in Wien*, Phil.-Hist. Classe, CXXXIV, 1896.

Petrus, die fast wie ein Plagiat auf die Visitatio klingen. Dann meint Petrus:

> Ir pauren, wes stet ir also?
> singt: Christ ist erstanden
> von der marter etc. (Kummer, S. 119)

Weitere Zeilen beziehen sich auf das in der Sammlung folgende zweite Osterspiel, sind aber zum Teil getilgt.

Überblicken wir dieses Spiel, so bleibt wesentlich der Eindruck der weltlichen Unterhaltung. Die kurze Bekehrungsszene am Schluß, das „silete" der Engel wirken wie ein allzukleines moralisches Feigenblatt, oder sagen wir lieber, wie Überreste eines ursprünglich wirklich religiösen Werkes, das eben durch die Spielfreudigkeit der Vaganten den religiösen Charakter fast völlig verloren hat.

Ganz anders in Gehalt und Ton ist das letzte Erlauer Spiel: eine Marienklage. Dieses Werk ist mehr als die anderen Erlauer Spiele völlig statisch in seinem Charakter, was freilich für fast alle Marienklagen zutrifft. Es ist ferner durchaus ernst, ja tieftrauernd in seiner Stimmung. Dies ist natürlich durch das Thema bedingt, denn Eindringen vagantischen Lebensüberschwangs in dieser Szene ist kaum denkbar. Dagegen ist es doch auffällig, daß dies Spiel nur sehr spärliche Bühnenanweisungen enthält. Selbst das erste Weihnachtsspiel: 58 Zeilen vagantischer Ausgelassenheit, bezeichnet sehr genau, wer wo und wann sein soll. In der *Erlauer Marienklage* muß man alles aus dem gesprochenen oder gesungenen Text rekonstruieren. Maria fragt:

> Sag an, lieber Johan,
> wo hast du mein chind gelan,
> oder wo hast du es gesehen?
> des solt du mir der warhait jehen!
>
> (Kummer, S. 154, v. 58—61)

und Johannes antwortet:

> Maria, ich wil dir sein nicht laugen,
> ich sach das mit meinen augen,
> das in di Juden viengen
> und an das chråuz gehiengen.
> dar umb schull wir nicht lenger stan,
> wir sûllen zu dem chråuez gan.
>
> (Kummer, S. 154, v. 66—71)

Maria bittet etwas später:

> und fůr mich an die stat,
> da ich sech, wi es im ergat.
> (Kummer, S. 155, v. 110/111)

Dann klagt sie:

> Owe ich hor einen großen růf,
> das ist Jhesus, der mich weschůf.
> (Kummer, S. 156, v. 116/117)

Dann redet sie Christus direkt an:

> Herr vater Jhesu Christ,
> trôst mich zu diser frist;
> (Kummer, S. 157, v, 152/153)

Schließlich tröstet Johannes sie mit den Worten:

> dein chind hat dich enpholhen mir,
> also hat er mich auch dir.
> (Kummer, S. 158, v. 172/173)

als ob Jesus inzwischen gesprochen hätte. Aber in der endgültigen Fassung bleibt Jesus stumm. Er sollte ursprünglich das „In manus tuas" singen und dazu auch deutsche Worte sprechen, aber das ist vom gleichen Schreiber wieder ausgestrichen (Kummer, S. 166, Anmerkung). An dieser Stelle findet sich die einzige Bühnenanweisung, die direkt auf eine Örtlichkeit hinweist, es heißt nämlich: „Maria recedit a cruce cantando" (Kummer, S. 166, nach v. 392). Etwa vierzig Zeilen später endet das Spiel.

Aus den gesprochenen, beziehungsweise gesungenen Worten ersieht man also, daß die Marien und Johannes, ursprünglich nicht am Kreuz, zu diesem hinziehen und dann am Schluß sich wieder vom Kreuze wegbewegen. Hatte man später nur ein Kruzifix, nicht einen Darsteller Christi? Ist das der Grund, weswegen Christus nicht wie bei anderen derartigen dramatischen Marienklagen am Dialog teilhat? Weswegen der ursprünglich ihm zugewiesene Gesang wieder gestrichen wurde?

Die Gesänge dieses Spiels sowohl wie der Dialog sind weitgehend Gemeingut. Man findet vieles davon in früheren oder späteren Dramen, aber auch im gemeinen Liedgut früherer oder späterer Zeit. Hier können wir eine Gemeinsamkeit erkennen bei den beiden Erlauer Stücken, die ihrem Charakter nach am stärksten von einander abstechen: *Erlau IV*, dem *Maria-Magdalenen-Spiel* und *Erlau VI*, eben unserer *Marienklage*. Die Gemeinsamkeit sowohl wie der

Kontrast sind durchaus im Sinne vagantischen Geistes. Wie in der Benediktbeurer Sammlung tief religiöse Stimmung von frivolster Lebenslust abgelöst wird, so stehen auch in Erlau diese beiden Extreme nebeneinander. Dazu zeigen sich in Erlau die engen Verbindungen zu der Vagantendichtung nicht nur in dem Einbruch weltlicher Elemente in die geistliche Dichtung, sondern vor allem in der engen Verbindung mit der Lyrik, ob es sich um eine makkaronische Strophe handelt wie „in dulce jubilo" oder um ein Lied, das in und außerhalb des Dramas populär war, wie das Mantellied oder schließlich um die Schmerzenshymnen der Mutter Gottes, wie das „Flete fideles", das im Gottesdienst wie außerhalb, in dramatischer wie in lyrischer Klage den Menschen des Mittelalters erschütterte. Kurz, der reiche Austausch zwischen Drama und Drama, zwischen Drama und Lied, die Freiheit, mit der die Form behandelt wird, der Mangel jedoch an eigentlicher Traditionsgebundenheit läßt die Erlauer Sammlung als charakteristisch für den vagantischen Geist im Drama erscheinen.

4. Die Marienklagen

Wir haben zuletzt die *Erlauer Marienklage* herangezogen, wir sollten nun die Gattung der Marienklagen ein wenig genauer betrachten. Bei der Behandlung der lateinischen Passionsspiele drückten wir Zweifel aus, daß diese Stücke, wie gelegentlich angenommen worden war, die Keimzelle der Passionsspiele darstellten (S. 34). Bei den *Benediktbeurer Spielen* gewinnt man eher den Eindruck, daß die Klage erst später in ein bereits vorhandenes Spiel eingefügt wurde. Die großen Passionsspiele in der Volkssprache, das erwähnten wir schon, das werden wir später noch im Einzelnen ausführen, entstanden als Erweiterung von Osterspielen. Auch hier nehmen die Marienklagen nur eine untergeordnete Stelle ein. Trotzdem zeigen die Klagen eine interessante, in gewisser Weise einzigartige Form. Fehlte bei den Osterspielen schon, mehr noch bei den Weihnachtsspielen, vor allem aber bei den verstreuten Spielen, die Einzelthemen behandeln, eine Tradition und meist auch ein Zusammenhang von Spiel zu Spiel, so ist die Masse des Materials bei den Marienklagen so überwältigend, daß es schwer, wenn nicht unmöglich wird, die Beziehungen, die Abhängigkeiten, die Übereinstimmungen alle im Auge zu behalten, die historische

Folge zu übersehen, die Einzelleistung abzuwägen. Die Marienklagen entstanden zu jener Zeit des Hoch- und Spätmittelalters, als das religiöse Empfinden, wir erwähnten das schon bei der Behandlung des lateinischen Passionsspiels, Christus nicht so sehr als thronende Gottheit, denn als leidenden Menschen sah. Gleichzeitig und im Zusammenhang damit gewinnt die Marienverehrung an Intensität und Bedeutung. Verehrt wird aber nicht so sehr die jungfräuliche Gottesmutter in ihrer Erhabenheit, als die schmerzzerrissene Mutter des am Kreuze leidenden Christus. Hier liegt der geistige Grund für die Marienklage, die episch-lyrische sowohl als auch die dramatische.

In einer noch heute grundlegenden Studie hat Anton Schönbach gezeigt, wie die Marienklagen letztlich alle zurückgehen auf den lateinischen *Planctus ante nescia*[77]. Er führt Zeile für Zeile auf den Planctus zurück. Natürlich erweitern die deutschen Klagen diesen Text, oder sie schmücken ihn aus, oder beschneiden und vereinfachen ihn. Schon aus diesem Entwicklungsgang läßt sich die Unmöglichkeit ersehen, hier Stammbäume aufzustellen oder auch nur die gegenseitigen Abhängigkeitsverhältnisse klar abzugrenzen. Wir werden daher im Folgenden nur die wichtigsten Klagen herausgreifen, um an ihnen die Gesamterscheinung zu dokumentieren.

Gewiß wirkten auf die Marienklagen auch andere Vorbilder. Weitere liturgische Stücke wie das *Flete fideles* haben wir schon gelegentlich erwähnt. Vor allem muß uns aber auch die Musik als Weiser dienen, von wo Einflüsse zu erwarten sind. Walter Lipphardt hat die Musik der Klagen besonders eingehend untersucht und auch die musikalischen Zusammenhänge mit der Liturgie eindeutig dargelegt[78]. Daneben erwähnt Lipphardt aber auch die Totenklagen der Epik. Einen weit stärkeren Einbruch nichtdramatischen, nicht-liturgischen Gutes sucht Anna Amalie Abert

---

[77] Anton Schönbach, *Über die Marienklagen*, (Festschrift der K. K. Universität in Graz zur Jahresfeier am 15. Nov. 1874) Graz: Leuschner & Lubensky: (1874).

[78] Die folgenden Aufsätze von Lipphardt sind wichtig für unser Thema: „Altdeutsche Marienklagen" *Die Singgemeinde* IX (1933) 65—79. In „Studien zu den Marienklagen" *Beiträge zur Geschichte der deutschen Sprache und Literatur* LVIII (1934) 390—444 weist Lipphardt auf die Totenklagen hin; ebenso auch in „Marienklagen und Liturgie" *Jahrbuch für Liturgiewissenschaft* XII (1932) 198—205, wo der Zusammenhang mit der „Adoratio crucis" und der „Depositio" besonders betont wird.

zu erweisen[79]. In der *Bordesholmer Marienklage* sei Walthers Kreuzlied und die Tagweise des Peter von Altenberg genutzt. Abert kommt zu dem recht radikalen Schluß:

> Die Bordesholmer Marienklage, wäre demnach also als Liederspiel anzusprechen, als Spiel, dessen Gefühlsgehalt an bestimmten Stellen verdichtet und den Zuhörern in der ihnen vertrauten Gestalt bekannten Liedgutes nähergebracht wird (S. 103).

und:

> So hätte man hier ein Reservoir bisher unbekannter, in jener Zeit aber ausgesprochen bekannter minnesingerlicher Weisen vor sich (S. 105).

Endlich sieht Arnold Geering einen Zusammenhang zwischen Heldenliedstrophe (Nibelungenstrophe), frühem Minnesang und der *Trierer Marienklage*[80].

Neben der Musik ist auch die Betrachtung der bildenden Kunst von Bedeutung für die Marienklagen. Wir denken bei der Marienklage natürlicher Weise sofort an die vielen so ausdrucksvollen Pieta-Figuren besonders des späten Mittelalters. In einem geistvollen Artikel hatte Wilhelm Pinder die Geschichte des Themas über die Kunstformen zu verfolgen gesucht und er kommt zu dem Resultat:

> Die Gestaltung wandert also aus der Seele des Lyrikers durch die Schilderung des Epikers in die Hände des Bildners . . . erst nachdem sie (dies) getan, folgt im Abstande der Regisseur des geistlichen Schauspiels[81].

Diese Ergebnisse wurden später weitgehend umgestoßen. Elisabeth Reiners-Ernst erwies, daß die Anfänge der Pieta viel weiter zurückgreifen als die epische Behandlung[82]. Das freudvolle Vesperbild, bei dem ein siegesgewisser Christus aufrecht auf dem Schoße

---

[79] Anna Amalie Abert, „Das Nachleben des Minnesangs im liturgischen Spiel" *Die Musikforschung* I (1948) 95—105.

[80] Arnold Geering, „Die Nibelungenmelodie in der Trierer Marienklage" *Internationale Gesellschaft für Musikwissenschaft, Kongreßbericht.* Basel: 1949, 118—121.

[81] Wilhelm Pinder, „Die dichterische Wurzel der Pieta" *Repertorium für Kunstwissenschaft* XLII (1920) 154—163. Das Zitat S. 162/163.

[82] Elisabeth Reiners-Ernst, *Das freudvolle Vesperbild und die Anfänge der Pieta-Vorstellung* (Abhandlungen der Bayrischen Benediktiner-Akademie 2) München: Neuer Filser-Verlag: 1939.

der Mutter sitzend dargestellt wurde, reicht zurück in jene Zeit, bevor man Maria, bevor man Christus als leidende Menschen empfand. Erst später dann sank der Kopf Christi herab, durchfurchte der Ausdruck tiefen Leidens Miene und Gestalt der Gottesmutter. An einen Einfluß des Dramas oder selbst der liturgischen Klage auf die bildende Kunst ist also nicht zu denken. Hier wie bei so vielen anderen Themen laufen einfach Drama und bildende Kunst nebeneinander her, vielleicht sich gegenseitig befruchtend und fördernd, aber ohne entscheidenden formenden Einfluß.

a) Die frühen Klagen

Muß man so aus allgemeinen Erwägungen zweifeln, daß die Marienklagen eine primäre Stellung einnehmen gegenüber der bildenden Kunst, oder daß sie bei der Entstehung der Passionsspiele entscheidend mitgewirkt haben, so bestätigt ein Blick auf die Dokumente diese Zweifel. Bei den älteren Marienklagen scheint der dramatische Charakter ungewiß. Zum Beispiel in der ältesten, der sogenannten *Lichtenthaler Marienklage* findet man zwar gelegentlich den Sprecher Maria oder Johannes angegeben, ja zweimal werden lateinische Zeilen eingelegt, die aus der Visitatio bekannt sind, aber es fehlen nicht nur alle Hinweise auf eine Aufführung und das Stück endet eben so plötzlich und ohne Abschluß, wie es auch abrupt anfängt, sondern auch der eigentliche Gehalt scheint völlig undramatisch in der Klage stehengeblieben zu sein[83]. Freilich zeigt dieses frühe Stück die eindrucksvolle Form in Sprache und Metrik des 13. Jahrhunderts, dem es angehört.

Deutlicher kann man den undramatischen Charakter erkennen bei der sogenannten *Berner*, eigentlich *Spiezer Marienklage* aus dem 14. Jahrhundert, die in einer Gregoriushandschrift eingebettet ist[84]. Zwei andere Klagen aus dem 14. Jahrhundert, die sogenannte *Breslauer* und *Böhmische Klage*, stehen textlich in engem Ver-

---

[83] Text: F. J. Mone, *Schauspiele des Mittelalters*, Karlsruhe: C. Macklot: 1846, 1, S. 27—37. Das Stück stammt aus dem Kloster Lichtenthal bei Baden-Baden. Der Text ist bayerisch-österreichisch. Für weitere Literatur siehe Hans Eggers, *Verfasserlexikon* V, S. 660/661.

[84] Hermann Paul und B. Hidber, „Geistliche Stücke aus der Berner Gregoriushandschrift", *Beiträge zur Geschichte der deutschen Sprache und Literatur* III (1876), 358—372. Weitere Literatur: Hans Eggers, *Verfasserlexikon* V, 656/657.

wandtschaftsverhältnis[85]. Die *Breslauer Klage* ist aber nur ein Fragment und ihr Charakter daher unbestimmbar. Die *Böhmische Klage* dagegen, überliefert zusammen mit einer Fassung von *Bruder Philipps Marienleben,* enthält fast keine Angaben der Sprecher, oder die Vergangenheitsform: „Jhesus zu seiner můter sprach!" oder „Johannes zu Jhesum sprach" ist angewandt. Freilich klingt das Ende doch fast dramatisch:

was schol ich nu vil armes weip.
sint ich dein pin worden ane?
amen sprechet alle,
das es Crist můz gevallen. (S. 62, v. 304—307)

Bei zwei anderen Marienklagen des 14. Jahrhunderts ist es mindestens wahrscheinlich, daß sie für eine Aufführung gedacht waren. Eine Klage aus dem Kloster Aggsbach hat einige Bühnenanweisungen[86]. Es wäre möglich, daß dieses Fragment einem größeren Drama zugehört. Das wäre auch denkbar bei der *Münchner Marienklage,* bei der Anweisungen wie „Dum vadit ad crucem "oder„ cum recedit a sepulchro" den dramatischen Charakter sicherstellen[87].

b) Die Bordesholmer Klage

Die Klagen des 15. Jahrhunderts enthalten weit mehr und interessanteres Material. Die *Bordesholmer Marienklage* überragt alle anderen an künstlerischer Gestaltungskraft, und sie gibt zugleich

[85] Text der Breslauer Klage: Alwin Schultz, „Bruchstücke eines Passionsspiels", *Germania* XVI (1871) 57—60, der Böhmischen Marienklage: Anton Schönbach, *Über die Marienklagen* (Festschrift der K. K. Universität in Graz zur Jahresfeier am 15. November 1874) Graz: Leuschner & Lubensky: 1874, S. 55—62. Über beide Spiele: Hans Eggers, *Verfasserlexikon* V, S. 657—658.

[86] Text: Hermann Maschek, „Eine deutsche Marienklage aus dem 15. Jahrhundert" *Beiträge zur Geschichte der deutschen Sprache und Literatur* LX (1936) 325—339. Das Kloster Aggsbach liegt in der Gegend von Prag. Die Sprache ist böhmisch.

[87] Text: Franz Pfeiffer, „Die Münchener Marienklage" *Altdeutsche Blätter* II (1840) 373—376. Eggers hält eine solche Zugehörigkeit zu einem größeren Drama unmöglich, da Aggsbach und München weitgehend übereinstimmen (*Verfasserlexikon* V, S. 655, 661). Das scheint mir kein Argument. Schließlich sind viele der entsprechenden Szenen in größeren Dramen, zum Beispiel in Eger, in Alsfeld mit individuellen Klagen verwandt.

auch eine Fülle von Material, das zur Ausdeutung dieser Klage selbst wie der Klagen im allgemeinen beiträgt[88]. Eine lange lateinische Einleitung liest sich wie eine faszinierende Interpretation. Gleich zu Anfang heißt es da:

> planctus iste non est ludus nec ludibrium, sed est planctus et fletus et pia compassio Mariae virginis gloriose. et quandocunque fit a bonis et devotis hominibus, in genere sive in specie valde provocat homines circumstantes ad suum fletum et ad compassionem, sicut facit sermo devotus bona sexta feria de passione domini nostri Ihesu Cristi.

Mit anderen Worten, es kommt den Darstellern nicht auf realistische Aufführung an, nicht auf Unterhaltung, sondern vielmehr der Zuhörer oder besser die Gemeinde soll mitgerissen werden nicht von der Handlung oder der Darstellung, sondern von Text und Wort. So bleibt auch das Ganze völlig statisch oratorienhaft. Christus, zunächst mit dem Kreuz in der Hand, legt dieses dann nieder, um, wenn ich die Stelle richtig verstehe, ein Kruzifix in die Erde zu stoßen. Dieses Kruzifix wird von der Gottesmutter mit ihrem Schleier bedeckt. Christus kann dann auch am Schluß wieder, als sei er lebendig, eingreifen. Ganz im Gegensatz zu der Kreuzigungsszene der großen Passionsspiele wurde hier also der Christusdarsteller nicht am Kreuz gezeigt, sondern der gekreuzigte Christus wurde nur durch ein Kruzifix markiert. Andererseits wird das Motiv des „Schwert im Herzen" in eindrucksvoller Weise angedeutet. Johannes hält ein Schwert in der Hand und muß immer wieder damit die Brust der Gottesmutter berühren. Nicht also realistische Wahrheit ist erstrebt, sondern die eindrückliche Symbolik sollte die Gemeinde zu schmerzlichem Mitleiden fortreißen. Die *Bordesholmer Klage* ist, so viel ich weiß, das einzige mittelalterliche dramatische Werk, in dem bewußt jeder Realismus gemieden wird. Dies stellt keine archaische Frühform dar — die Klage ist aus den siebziger Jahren des 15. Jahrhunderts — vielmehr mag es eher eine Abkehr andeuten von dem lauten Schaugepränge der großen geistlichen Dramenzyklen, eine Art von Verinnerlichung, ja geradezu von Absage an das geistliche Drama. So wenigstens klingt jener Satz der lateinischen Einleitung, den wir zitierten; so ist es wohl auch zu verstehen, daß die Rolle des Heilands einem „devotus sacerdos",

[88] Ausgabe: Gustav Kühl, „Die Bordesholmer Marienklage" *Jahrbuch des Vereins für niederdeutsche Sprachforschung* XXIV (1898) 1—75, 149. Weitere Literatur siehe: L. Wolff, *Verfasserlexikon* III, S. 247—250.

der Johannes mindestens einem „sacerdos" zugewiesen wird, während freilich für die Frauen nur einfach Jünglinge („juvenes") benötigt werden. Übrigens enthält die lateinische Einleitung selten ausführliche Angaben zur Kostümierung. Die fast antidramatische Einstellung dieses Dramas kann man sicher auch bei den meisten anderen Klagen erkennen; und so mögen die frühen Klagen doch auch einer undramatischen, dramatischen Darstellung gedient haben.

c) Andere späte Klagen

Neben dem eindrucksvollen Text aus Bordesholm wirken alle anderen Klagen kalt und oberflächlich. Drei Bruchstücke aus der Schweiz, aus St. Gallen, Luzern und Engelberg sind zu fragmentarisch überliefert, als daß sich darüber etwas sagen läßt[89]. Die sogenannte *Docensche Marienklage*, eine Handschrift aus dem 15. Jahrhundert, die von Docen ohne jede nähere Angabe veröffentlicht wurde und seitdem verschollen ist, erweckt Interesse durch die Bühnenanweisung: „Iudaei annectant clavos[90]." Bei diesem Bruchstück also wurde im Gegensatz zu Bordesholm und den meisten anderen Klagen auf realistische Darstellung Wert gelegt.

Die sogenannte *Wolfenbüttler Marienklage* überrascht durch den Titel „ludus passionis domini nostri Jesu Christi[91]". Es wird nicht nur die Klage unter dem Kreuz dargestellt, sondern auch die Bestattung. Eine Bühnenanweisung lautet: „Hic portant crucem ad sepulcrum" (S. 144). Wie ist das zu verstehen? Waren hier wie in Bordesholm Kruzifix und Christusdarsteller getrennt? Hat etwa der liturgische Brauch der „Depositio Crucis" nachgewirkt? Wie dem auch sei, die Klage unterscheidet sich ihrem Charakter nach nicht von den anderen Klagen, mit denen sie auch mehrfache textliche Übereinstimmungen oder Anklänge aufweist.

---

[89] Text von St. Gallen: F. J. Mone, *Schauspiele des Mittelalters*, Karlsruhe: C. Macklot: 1846, I, S. 198—200; Engelberg: Ebenda, S. 201; Luzern: Ebenda, S. 201—203. Siehe auch Eggers, *Verfasserlexikon* V. S. 659—660.

[90] Text: Heinrich Hoffmann von Fallersleben, *Fundgruben für Geschichte deutscher Sprache und Litteratur*, Breslau: Georg Philipp Aderholz: 1837, II, 282. Siehe auch Hans Eggers, *Verfasserlexikon* V, S. 658.

[91] Text. Otto Schönemann, *Der Sündenfall und Marienklage*, Hannover: Carl Rümpler: 1855, S. 129—148. Siehe auch Hans Eggers, *Verfasserlexikon* V, S. 665.

Der *Wolfenbüttler Klage* steht eine *Klage aus Trier* nahe[92]. Auch hier wechselt Gesang mit gesprochener Rede. In eigentümlicher Weise werden hier gewisse Gesänge nach Belieben wiederholt. So heißt es „Et tunc Maria potest repetere cantando: owe owe owe . . .“ (S. 262) oder „Et tunc Maria potest iterum cantare: Owe owe! . . .“. Solche Stellen zeigen deutlich, daß diese Klage nicht für einmalige Darstellung geplant war, daß hier eine Tradition vorliegen muß.

Auch bei einem Bruchstück aus Himmelgarten finden sich so viele Einfügungen und Änderungen, daß mehrfache Aufführungen als sicher gelten müssen[93]. Das Stück könnte aber auch ein Rollenbuch eines größeren Spieles gewesen sein. Aus Halberstadt ist ein kurzes doch außerordentlich eindrucksvolles Fragment einer Marienklage erhalten. Einzig Maria spricht, beziehungsweise singt. Da Noten gegeben sind, und immer wieder entweder dicit oder cantat vor den Zeilen steht, bleibt kein Zweifel an dem dramatischen Charakter. Ich halte es nicht für wahrscheinlich, daß dies „Bruchstücke eines Passionsspieles“ waren[94].

Die Marienklage, so können wir unsere Betrachtung zusammenfassen, ein besonders im späten Mittelalter weitverbreitetes Genre, stehen auf der Grenze zwischen Drama und Kurzepos. Eng untereinander verwandt wurden die Klagen bald deutlich für dramatische Darstellungen verfaßt, bald nur zum Lesen oder zum rein rezitativen Vortrag. Dann auch wieder bleiben wir im unklaren über ihren Charakter[95]. Alle Klagen sind eindrucksvolle Zeugnisse für die mächtig anschwellende Marienverehrung, die religiöse Verinnerlichung des Spätmittelalters.

5. Dramatische Fragmente

Neben dem klar umrissenen und verhältnismäßig übersehbaren Genre der Marienklagen blieben aus derselben Periode des Spät-

[92] Text: Heinrich Hoffmann von Fallersleben. *Fundgruben für Geschichte deutscher Sprache und Litteratur,* Breslau: Georg Philipp Aderholz: 1837, II, S. 259—283. Weitere Literatur Hans Eggers, *Verfasserlexikon* V, S. 664/665.

[93] Text: Eduard Sievers, „Himmelgartner Bruchstücke“, *Zeitschrift für deutsche Philologie* XXI (1889) 384—404.

[94] Gustav Schmidt, *Die Handschriften der Gymnasialbibliothek* II.

[95] Die vielen Dokumente, die eindeutig nicht für dramatische Darstellung gedacht waren, haben wir nicht behandelt, nur zweifelhafte Fälle haben wir noch herangezogen.

mittelalters verschiedene Einzeldokumente, die vor allem die Mannigfaltigkeit dramatischer Interessen erweisen. Einige, deren fragmentarischer Charakter eingehendere Interpretation verbietet, können in wenigen Worten abgehandelt werden. Ein ganz kurzes niederdeutsches Bruchstück — nur eine Seite — umfaßt Teile des Gesprächs zwischen Isaac und Esav, nachdem Jakob bereits den Segen empfangen hat[96]. Mit dem oben besprochenen *Vorauer Fragment* über dasselbe Thema besteht kein sichtbarer Zusammenhang. Der Sprache nach ist es etwa um 1400 entstanden. Ein lateinischer erzählender Gesang leitet das Bruchstück ein.

Recht unklar ist eine nur als Splitter erhaltene Behandlung des Simsonstoffes aus dem 15. Jahrhundert[97]. Die Sprache ist braunschweigisch. Häufige Korrekturen scheinen auf mehrfache Aufführungen hinzuweisen[98]. War es Teil eines Rollenbuches aus einem größeren Drama?

Solch ein Rollenbuch liegt schon aus früherer Zeit aus Gotha vor, wo tatsächlich nur der Text notiert ist, den ein Bote zu sprechen hatte[99]. Auch dieses Stück umfaßt nur wenige Zeilen. Da von „altero die" gesprochen wird, schließt Schröder auf ein zweitägiges Stück. Die Erwähnung von Titus und Vespasian lassen an ein Spiel von der Zerstörung Jerusalems denken.

Ein anderes Fragment, ein niederrheinischer, vielleicht Kölner Text behandelt die Legende von *Jesus in der Schule*[100]. Das Stück ist aus dem frühen 16. Jahrhundert. Der dramatische Charakter scheint mindestens zweifelhaft, da eines der vierundvierzig erhaltenen Reimpaare außerhalb des Dialogs eine Begebenheit episch berichtet.

---

[96] Text: Karl Meyer, „Niederdeutsches Schauspiel von Jacob und Esau" *Zeitschrift für deutsches Altertum und deutsche Litteratur* XXXIX (1895) 423—426.

[97] Text: L. Hänselmann, „Fragment eines Dramas von Simson" *Jahrbuch des Vereins für niederdeutsche Sprachforschung* VI (1880) 137—139. Ferner: Hans Eggers, *Verfasserlexikon* IV, S. 220/221.

[98] Eggers glaubt, das Stück sei der „Entwurf zu einem Lesedrama". Das leuchtet nicht ein.

[99] Edward Schröder, „Die Gothaer Botenrolle" *Zeitschrift für deutsches Altertum und deutsche Litteratur* XXXVIII (1894) 222—224.

[100] Text: Johannes Bolte, „Der Jesusknabe in der Schule" *Jahrbuch des Vereins für niederdeutsche Sprachforschung* XIV (1888) 4—8.

6. Heiligenlegenden

Vereinzelt werden schon in verhältnismäßig früher Zeit Themen aus Heiligenlegenden dramatisch behandelt. Zum Beispiel scheint der Dorotheenstoff besonders in Böhmen und in Mitteldeutschland populär gewesen zu sein[101]. Für Bautzen haben wir einen Beleg für Aufführungen eines *Dorotheendramas* für das frühe 15. Jahrhundert (Schachner, S. 158). Deutsche und tschechische Darstellungen dieses Themas sind noch in neuerer Zeit überliefert. Trotzdem ist aus dem Mittelalter nur ein einziger Text erhalten und dieser nur als Fragment (Schachner, S. 186—193). Freilich geht er vermutlich bis in die Mitte des 14. Jahrhunderts zurück. Der Text stammt aus dem Thüringischen[102]. Das Spiel hält sich ziemlich eng an die Überlieferung, wie sie aus der *Legenda Aurea* dem Mittelalter bekannt war. Auf einer Simultanbühne werden verschiedene Mansionen benötigt, wie viele bleibt unklar, denn die Bühnenanweisungen sind meist bedauerlich kurz. Nach 270 Zeilen, unmittelbar nach der Zerstörung der Götzenbilder bricht die Handschrift ab. Der ursprüngliche Gesamtumfang des Stückes läßt sich nicht berechnen; doch der Titel *Ludus de S. Dorothea* macht es klar, daß man nicht an einen Ausschnitt aus einem größeren zyklischen Spiel denken kann.

Die Geschichte der heiligen Katharina ist einer der wenigen anderen Legendenstoffe, von dem sich aus dem mittelalterlichen Deutschland außerhalb eines größeren Zyklus ein Text erhalten hat. In Solothurn wurde die Legende 1453 aufgeführt[103]. Der Text zu dieser Aufführung ist aber verloren. Erhalten hat sich dagegen ein Text aus Mitteldeutschland und zwar aus Thüringen, genauer aus Erfurt, also aus derselben Gegend, aus der auch das *Dorotheenspiel* stammt[104]. Das *Katharinenspiel* ist aber vollständig überliefert.

---

[101] Wilhelm Schachner, ,,Das Dorotheaspiel" *Zeitschrift für deutsche Philologie* XXXV (1903) S. 157—196.

[102] Im Gegensatz zu Otto Beckers, *Das Spiel von den zehn Jungfrauen und das Katharinenspiel* (Germanistische Abhandlungen 24) Breslau: M. &. H. Marcus: 1905, S. 127 verlegt Schachner den Text ins östliche Mitteldeutschland. Eine genauere philologische Untersuchung des Fragments wäre wünschenswert. Dabei müßte freilich die Handschrift eingesehen werden; denn auch Schachner hat keinen diplomatischen Druck gegeben.

[103] J. Kaelin, ,,Volk und Theater in Solothurn" *Theater-Illustrierte* VII 4 (1934) S. 2/3.

[104] Otto Beckers, *Das Spiel von den zehn Jungfrauen und das Katharinenspiel* (Germanistische Abhandlungen 24) Breslau: M. &. H. Marcus: 1905.

Lateinische Hymnen und Responsorien lassen an die Kirche als Aufführungsort denken. Freilich wurde ein recht großer Spielplatz benötigt. Himmel und Hölle stehen sich als feindliche Mächte gegenüber. Die bekehrten Christen werden alle nach ihrem Tode von Christus und Engeln in den Himmel geleitet, die unbekehrten Heiden natürlich von den Teufeln in die Hölle geschleppt. Interessanter Weise wird Katharina auf der Bühne enthauptet, aber nachher, von Christus zum Himmelsthron geführt, preist sie die Gnade des Herrn. Für die Enthauptung wurde vermutlich eine Puppe untergeschoben. Die Masse der Hinrichtungen oder der gewaltsamen Todesfälle, immer mit nachfolgender Belohnung oder Bestrafung in Himmel oder Hölle, macht dieses Stück für den modernen Betrachter reichlich monoton; aber der mittelalterliche Mensch genoß diese merkwürdige Mischung von Didaktik und Grausamkeit.

7. Das Zehnjungfrauenspiel

Zusammen mit dem *Katharinenspiel* ist eine der beiden Fassungen eines *Zehnjungfrauenspieles* überliefert. Die Nachricht über die Aufführung dieses Spieles erscheint immer wieder in Theatergeschichten und Literaturgeschichten, weil sie die Wirkung eines geistlichen Dramas in so hübscher Weise demonstriert.

> Wir wissen von der Aufführung eines Dramas von den klugen und törichten Jungfrauen, die zu Eisenach in Gegenwart des Markgrafen Friedrich mit der gebissenen Wange von Klerikern und Schülern i. J. 1321, wahrscheinlich am 4. Mai veranstaltet wurde. Bei der Stelle, wo die törichten Jungfrauen trotz der Fürbitte Marias und aller Heiligen keine Gnade finden, ging der Markgraf weg (marchio iratus recedebat) und rief: „Was ist der christliche Glaube, wenn der Sünder nicht durch die Bitten der Jungfrau und der Heiligen Gnade finden kann". Der Gedanke ließ ihn nicht los, bis ihn 5 Tage nachher der Schlag traf[105].

So Creizenach nach einer zeitgenössischen Quelle. So erschütternd dies alles klingt, leider stimmt es nicht ganz. Der Markgraf war schon 1320 so schwer erkrankt, daß seine Frau von da an die Regentschaft für den unmündigen Sohn übernahm; der Markgraf mag tatsächlich im Gefolge der Aufführung einen Schlaganfall

---

[105] Wilhelm Creizenach, *Geschichte des neueren Dramas* I² Halle: Max Niemeyer: 1911, S. 121/122.

gehabt haben, aber jedenfalls starb er erst 1324[106]. Das Drama wirkte also nicht ganz so sensationell, wie alte und neuere Beschreibungen es wahrhaben wollen.

Man hat das Drama sozusagen als erstes protestantisches Dokument auslegen wollen, weil die Fürbitte der Maria ohne Erfolg bleibt[107]. Hätte das Drama etwa das biblische Gleichnis umdrehen sollen und die törichten Jungfrauen in den Himmel einlassen? Zudem ist mehrfach von guten Werken die Rede.

Der Text des Dramas ist uns in zwei Fassungen überliefert. Die eine, A, wie schon erwähnt in derselben Handschrift mit dem *Katharinenspiel*, wurde etwa um die Mitte des 14. Jahrhunderts ebenfalls im Thüringischen niedergeschrieben, die andere, B, mit dem Schlußdatum 1428, ist in der Sprache wesentlich oberhessisch, obwohl die Reime thüringische Herkunft verraten[108]. Nach dem „Original" des Spieles zu fragen, die beiden Fassungen als „spätere Abschriften" zu behandeln, bedeutet den Charakter des mittelalterlichen Dramas mißverstehen. In der Volksdichtung, und damit haben wir es hier zu tun, ist jede Fassung „Original". Der Gang der Aufführungstradition mag unserem ästhetischen Gefühl nach — aber das ist schließlich subjektives Empfinden — das vorhan-

[106] Siehe hierzu Reinhold Bechstein, „Das Spiel von den zehn Jungfrauen" *Beilage zur Allgemeinen Zeitung* 316, S. 5005—5007 (12. xi. 1870) sowie Ludwig Koch, „Das geistliche Spiel von den zehn Jungfrauen zu Eisenach" *Zeitschrift des Vereins für thüringische Geschichte und Altertumskunde* VII (1870) 109—132 und Franz Wegele, *Friedrich der Freidige, Markgraf von Meißen*, Nördlingen: C. H. Beck: 1870.

[107] Albert Freybe, „Das Spiel von den zehn Jungfrauen" *Allgemeine evangelisch-lutherische Kirchenzeitung* XL (1907) S. 1087—1091, 1109—1113.

[108] Die Behandlungen und Ausgaben dieses Werkes sind zahlreich. Wir nennen hier nur die wichtigsten. Besonderes Verdienst bei der Neuausgabe und Behandlung des Spiels haben Ludwig Bechstein und Reinhold Bechstein: Vater und Sohn. Siehe hierzu besonders Reinhold Bechstein, *Das Spiel von den zehn Jungfrauen, ein deutsches Drama des Mittelalters*, Rostock: Ernst Kuhn: 1872. Ferner die oben erwähnte Ausgabe Otto Beckers. Dazu auch Max Rieger, „Das Spiel von den zehn Jungfrauen" *Germania* X (1866) S. 311—337. Die beste Ausgabe: Karin Schneider, „Das Eisenacher Zehnjungfrauenspiel" *Lebendiges Mittelalter. Festschrift Wolfgang Stammler*, Freiburg i. Ue.: Universitätsverlag: 1958, S. 162—203. Wieder abgedruckt: Karin Schneider, *Das Eisenacher Zehnjungfrauenspiel* (Texte des späten Mittelalters und der frühen Neuzeit 17) Berlin: Erich Schmidt: 1964.

dene Stück in seiner Wirkung verstärken oder abschwächen, jeder Schritt auf diesem Wege hat seine Berechtigung. Neue sprachliche Formulierung, anderes metrisches Empfinden, neue Einstellung zum Gehalt, die wollen wir erhalten sehen, sie dürfen nicht irgend einer verwaschenen, idealisierenden Emendationstechnik zum Opfer fallen. Nach vielen wohlmeinenden, doch unzulänglichen Ausgaben haben wir jetzt endlich eine diplomatische Wiedergabe der beiden Fassungen, die hier bequem nebeneinander gedruckt sind[109]. Der Vergleich erweist, daß die Fassungen erstaunlich weitgehend zusammenfallen. Die Fassung B allerdings gibt die lateinischen Gesänge nicht, vielleicht weil sie als bekannt vorausgesetzt wurden. Auch die Bühnenanweisungen sind begrenzt, sie sind aber so eindeutig, daß B durchaus als Bühnenwerk angesehen werden muß und nicht als ein aus einem Drama umgeschriebenes Lesestück interpretiert werden darf. Das 1321 vor dem Markgrafen aufgeführte Spiel mag sehr wohl noch eine dritte Fassung gewesen sein. Zwischen diesem Datum und der Niederschrift in A liegen ja sicher 30 Jahre oder mehr. Doch da die beiden späteren Fassungen und die Erfurter Aufführung im weiteren Sinne derselben Gegend und derselben Epoche angehören, so dürfen wir wohl annehmen, daß es sich um eine und dieselbe Tradition handelt. Dagegen lassen sich zu einem lateinischen, liturgischen Drama aus Frankreich keine direkten Beziehungen erkennen[110]. Auch im *Zehnjungfrauenspiel* stehen sich Hölle und Himmel, Heiland und Teufel gegenüber, aber weit statischer, beschränkter als bei dem Katharinenspiel. Die Zahl der Spielorte bleibt begrenzt.

8. Das Juttaspiel

Gegen die angeblich antikatholische Tendenz des *Zehnjungfrauenspiels*, in dem die Fürbitte der Gottesmutter machtlos bleibe, sei das *Juttaspiel* sozusagen als Gegenschrift oder Gegendrama ent-

[109] Siehe die oben zitierte Abhandlung von Karin Schneider.

[110] Ottokar Fischer, „Die mittelalterlichen Zehnjungfrauenspiele" *Archiv für das Studium der neueren Sprachen und Literaturen* CXXV (1910) S. 9—26 versucht zwar solche Zusammenhänge nachzuweisen. Die Ähnlichkeiten in der Behandlung scheinen mir auf die Bibel und mittelalterliche theologische Literatur zurückzugehen. Der Text des liturgischen Dramas: Young II, 361—368.

standen. Denn hier habe die Fürbitte Mariae und des heiligen Nikolaus die Seele der faustischen Dulderin Jutta aus der Hölle oder vielmehr aus dem Fegefeuer befreit. Die Bedenken gegen die Theorie einer antikatholischen Tendenz im *Zehnjungfrauenspiel* lassen sich auch gegen die Theorie einer prokatholischen Tendenz im *Juttaspiel* erheben. Schließlich folgt auch hier der Dichter — und hier können wir tatsächlich von einem Dichter sprechen, nämlich dem Mainzer Vikar und späteren Notar in Thüringen Dietrich Schernberg — nur seiner Quelle, der Legende. Ja, die reichlich unbeholfene Dramatisierung wirkt als alles andere denn als bewußtes Tendenzdrama. Wir haben dieses im Jahre 1480 geschriebene Spiel nur im späten Abdruck eines protestantischen Eiferers, der mit diesem Stück eben die moralische Verworfenheit des Papsttums angreifen wollte[111].

In naiver Weise wird die junge Jutta vom Teufel dazu angestachelt, nach Ehren zu streben. Als Mann verkleidet studiert sie mit ihrem Buhlen in Paris; sie wird in Rom erst Kardinal, dann Papst. Christus, erzürnt über ihre Sünde, stellt sie durch seinen Boten, den Engel Gabriel, vor die Wahl zwischen ewigem Tod oder weltlicher Schande. Sie wählt die weltliche Schande, kommt in die Hölle und wird schließlich durch die Fürbitte Mariae und des heiligen Nikolaus befreit. In abgehackten, unverbundenen Szenen wird uns das, man möchte sagen, vorerzählt. Einzig die Teufelsszenen sind etwas breiter gehalten; alles andere läuft in raschem Dialog dahin, der sich nur auf das Allernotwendigste beschränkt. Von „faustischem Streben" hat Schernberg seiner Jutta nichts zu geben vermocht.

9. Der Theophilus

Thematisch verwandt mit dem Juttastoff ist der Stoff des Theophilus. Ein dem Teufel Verfallener wird durch das Eingreifen der Gottesmutter errettet. Nur zeigt dieser Teufelsverschriebene mindestens in einigen der Behandlungen wirkliche Größe. Seit dem 10. Jahrhundert wurde das Theophilusthema immer wieder aufgegriffen. Auch unsere brave Stiftsdame aus Gandersheim hat sich

---

[111] Text am besten: Edward Schröder, *Dietrich Schernberg Spiel von Frau Jutten*, (Kleine Texte für theologische und philologische Vorlesungen und Übungen 67) Bonn: A. Marcus und E. Weber: 1911. Ferner siehe Anton Dörrer, *Verfasserlexikon* IV, S. 56—62.

an diesem Stoff versucht. Der Bühne gewonnen wurde der Theophilus in Deutschland freilich erst am Ausgang des Mittelalters. Drei untereinander verwandte Bearbeitungen zeigen dramatische Form: Handschriften aus Helmstädt (H), aus Stockholm (S) und aus Trier (T)[112]. Bei den ersten Fassungen mag man sich fragen, ob sie wirklich für die Aufführung, für die Bühne geschrieben wurden. Petsch hat mit viel Überzeugung und großer Beredsamkeit die dramaturgische Begabung des „Dichters" der *Helmstädter Fassung* gefeiert[113]. Ich kann ihm hier nicht folgen. Ein in Dialog gegossenes Werk ist noch kein Drama. Es fehlt jeder Hinweis auf die Aufführung, jede Rücksichtnahme auf Bühnengegebenheiten. Die Figuren reden, sie handeln nicht. Noch deutlicher scheint mir das bei der zweiten, der *Stockholmer Fassung*. Sie beginnt mit den Worten: „Hyr gheyt Theophelus an" und schließt: „Dyt bok ys vthe Got vns an syne hute" und dann:

Hyr ys Theophelus vthe,
Me gheue vns ber up de snute
Help Got toden besten,
Ik blyue by den mesten.

Ein solcher Rahmen scheint für ein Bühnenwerk kaum denkbar.

Dagegen steht bei dem *Trierer Theophilus* der Charakter des Bühnenwerks außer Zweifel. Mit einem: „Silete, silete, silencium habete!" wird das Werk eingeleitet. Die bühnentechnische Phrase, die in vielen anderen Dramen einen Höhepunkt kennzeichnet, wird später noch einmal wiederholt. Mehrfache Bühnenanweisungen geben wenigstens einen gewissen Einblick in die Gegebenheiten. Ein

---

112 Der beste Text von allen drei Fassungen: Robert Petsch, *Theophilus mittelniederdeutsches Drama in drei Fassungen* (Germanische Bibliothek II, 2) Heidelberg: Carl Winter: 1908. Die beste Behandlung des Themas: Karl Plenzat, *Die Theophiluslegende in den Dichtungen des Mittelalters* (Germanische Studien 43) Berlin: Emil Ebering: 1926. Die Ausgabe von Chr. Sarauw, *Das niederdeutsche Spiel von Theophilus* (Det Kgl. Danske Videnskabernes Selskab. Historisk-filologiske Meddelelser. VIII, 3) København: Andr. Fred. Høst & Søn: 1923 versucht aus den drei Fassungen ein „Original" herauszuemendieren, freilich ohne überzeugenden Erfolg.

113 Robert Petsch, „Der Aufbau des Helmstädter Theophilus" *Niederdeutsche Studien, Festschrift für Conrad Borchling*, S. 59—77, Neumünster: Karl Wachholtz: 1932. Dagegen meint Plenzat „Entsprang H wahrscheinlich dem Bedürfnis, ein Lesewerk zu schaffen, so ist S dagegen von seinem Bearbeiter . . . sicher als Grundlage für eine Aufführung gedacht." S. 163.

„Kreis“ dient als neutraler Bühnenplatz wahrscheinlich in der Mitte des Spielfeldes. In ihm kündigt der „Boede“ das Spiel an, hier beschwört Theophilus den Teufel. Wo das Domkapitel seinen Sitz hatte, wo die „Gesellen“ beim Trunke saßen, wird nicht klar, noch ob eine Hölle vorgesehen war, aus der Sathanas hervorkam. Kurz nach der Teufelsverschreibung bricht das Werk ab. Wir wüßten, gerne, wie bei den Trierer Aufführungen das Erscheinen der Maria durchgeführt wurde, wie das Stück endete. Wir müssen uns mit dem bescheiden, was erhalten ist. Auch dies ist eindrucksvoll genug. Die Trierer Fassung stammt wie die anderen aus dem 15. Jahrhundert, ist aber später als diese. Man könnte also sagen, daß nun endlich der dramatische Charakter sich durchgesetzt hat. „Die Sprache dieser Dichtung weist nach dem Südostzipfel des niederfränkischen Sprachgebietes[114].“ Das bedeutet also wohl, die Dichtung ist im unteren Ruhrtal entstanden.

10. Andere Marienspiele

Die Spiele, die wir zuletzt betrachtet haben, können alle im weiteren Sinne als Marienspiele gelten. Es bleiben einige andere Spiele, die neben den Marienklagen im engeren Sinne als Marienspiele angesehen werden müssen. Aus dem spielfrohen Tirol, so reich an mittelalterlichen Dramenhandschriften, ist ein *Mariae Lichtmeßspiel* überliefert[115]. Die Handschrift stammt aus dem 15. Jahrhundert. Christi Darbringung im Tempel, gelegentlich auch in Weihnachtsspielen behandelt, ist Gegenstand dieses Stückes. Tatsächlich endet es auch wie viele der Weihnachtsspiele mit der Flucht nach Ägypten. Jedoch wird Maria zur Zentralfigur durch die Prophezeiung Simeons. Wie Johannes in der *Bordesholmer Klage* hält Simeon ein Schwert gegen die Brust Mariae, um so die Leiden der Gottesmutter zu symbolisieren. Die Aufführung fand in der Kirche statt: „Tunc sit altare in medio ecclesiae vel loco congruo paratum“ (Pichler, S. 100). Doch der genauere Spielplatz brauchte offenbar bei diesem ziemlich statischen Drama, an dem nur etwa ein Dutzend Darsteller teilnahmen, nicht festgelegt zu werden.

---

[114] Karl Plenzat, S. 174. Plenzat stützt sich nicht nur auf den sprachlichen Stand, sondern auch auf Hinweise im Text.

[115] Adolph Pichler, *Über das Drama des Mittelalters in Tirol.* Innsbruck: Wagner: 1850, S. 97—111.

Außer dem Altar wurde keinerlei Szenerie benötigt. Wenn ausdrücklich der ernste Charakter des Spieles betont wird:

> Incipit Ludus honestus de purificatione beatae virginis, et primo exit praecursor non larva nec equina barba indutus, sed honestis vestimentis, nec vesicas in manu gestans, sed sceptrum vel baculum depictum. Honeste incedens loquendo dicat (Pichler, S. 99).

bekommt man den Verdacht, daß das ausdrückliche Verbot einer Maske, eines Bartes aus Pferdehaaren, einer Schweinsblase darauf hindeutet, daß mit derartigen Requisiten gelegentlich allerlei Unfug angestellt wurde.

Der sogenannte *Wolfenbüttler Sündenfall* muß ebenfalls als Marienspiel gedeutet werden, wenn auch der Gehalt dies erst bei näherer Einsicht deutlich werden läßt[116]. Das Stück beginnt mit der Schöpfung. Der Sturz Luzifers, die Erschaffung Adams und Evas, die Austreibung aus dem Paradies, die Erschlagung Abels, die Sündflut, Abrahams Opfer, die Erscheinung von Moses folgen noch mehr oder weniger der biblischen historischen Reihenfolge. Mehrfach hören wir von einer „reynen maget", deren Kind die Erlösung bringt. Mehrfach tönt die verzweiflungsvolle Stimme Adams und der Erzväter aus der Vorhölle. Nun ruft David in charmantem Anachronismus die aus dem Prophetenspiel bekannten Figuren zusammen, darunter auch die verschiedenen Sibyllen, die die Erlösung voraussagen, aber auch immer wieder von der „reynen maget" sprechen. Dazwischen werden das Salomonische Urteil und die Königin von Saba abgehandelt. Schließlich werden von dieser Prophetenkonferenz nacheinander Ysayas, Jeremias und David abgesandt, daß sie zu dem Creator „ypstigen in de hoge", ihn um Gnade zu bitten, doch umsonst. Eine kurze Szene zeigt Joachim und Anna tief beschämt wegen ihrer Unfruchtbarkeit aus dem Tempel gehen. Wiederum fleht David zu Gott. Justitia und Misericordia, Gottes Töchter, halten ein langes Streitgespräch (solche allegorischen Figuren sind in deutschen vorreformatorischen Dramen sehr selten). Schließlich wird Gabriel zu Anna

---

[116] Der beste Text: Friedrich Krage, *Arnold Immessen der Sündenfall* (Germanische Bibliothek 8) Heidelberg: Carl Winter: 1913. Ferner auch Wilhelm Hohnbaum, *Untersuchungen zum Wolfenbüttler Sündenfall* (Diss. Marburg, 1911) Marburg: Roßteutscher: 1912 und Wolfgang F. Michael, *Die Geistlichen Prozessionsspiele in Deutschland* (Hesperia 22) Baltimore: Johns Hopkins Press: 1947, S. 25/26.

und Joachim geschickt, um die Geburt Mariae anzukündigen. Das Ganze endet und gipfelt in Mariae Darbringung im Tempel, zu der die guten Propheten von Anna freundlichst eingeladen werden. Mit dem „Sancta maria virgo, succurre miseris", klingt das Drama aus.

Da gesagt wird

> Wur vmme wy in dusser eyninge
> Sint gesammet vp dussen plane. (v. 64/65)

muß man wohl an eine Aufführung im Freien denken. Der Himmel, aus dem der Creator „descendit" (nach v. 1304) und in den er wieder „ascendit" (nach v. 1324), muß ein erhöhter Ort, vielleicht wie beim Luzerner Passionsspiel der Balkon eines Hauses, gewesen sein. Die Hölle dagegen wird nicht besonders bezeichnet. Es heißt nur: „Hic ducitur Adam a diabulis ad infernum" (nach v. 1699).

Zu Anfang des Textes erscheint in einem Akrostichon der Name Arnoldus Immessen. Man hat daraus ganz allgemein geschlossen, daß dieser Mann der Autor des Dramas gewesen sein müsse. Mir scheint diese Folgerung durchaus nicht zwingend. Es könnte sich auch um eine Widmung handeln; und jener Johannes Bocken, der sich am Schluß des Textes als Schreiber nennt, könnte ebenso gut auch Autor gewesen sein.

Ein besonders reiches Rankenwerk von Legendengut sproßte um Tod, Begräbnis und Himmelfahrt Mariae. Zahlreiche Epen haben dieses Thema behandelt. Im Drama wurde der Stoff nur selten genutzt. Wir haben oben erwähnt, daß eine Szene aus dem *Benediktbeurer Emmausspiel* als Fragment eines *Mariae-Himmelfahrt-Spiel* ausgelegt wurde (S. 39). Verse aus dem *Hohenlied Salomonis,* die auch in anderen Mariae-Himmelfahrt-Spielen wieder erscheinen, führten zu dieser Annahme. In der Volkssprache sind zwei solche Dramen erhalten. Ein alemannisches Stück noch aus dem 13. oder jedenfalls frühen 14. Jahrhundert ist freilich nur so verstümmelt überliefert, daß man sich kein klares Bild davon machen kann[117]. Ecclesia und Synagoga stehen hier nicht wie sonst feindlich einander gegenüber, sie erscheinen beide als Töchter des Herrn. Lateinischer und deutscher Text wechselt; das Deutsche ist gewöhnlich eine Art Übersetzung des Lateinischen, so daß der Herausgeber

---

[117] Rudolf Heym, „Bruchstück eines geistlichen Schauspiels von Marien Himmelfahrt" *Zeitschrift für deutsches Altertum* LII (1910) 1—56.

des Textes annahm, dieser müsse auf ein älteres lateinisches Spiel zurückgehen.

Das *Innsbrucker Mariae-Himmelfahrt-Spiel*, 1391 niedergeschrieben, kaum ein Jahrhundert jünger, ist für das doch einfache Thema außerordentlich umfangreich angelegt[118]. Nach der Legende waren alle Apostel beim Tode von Maria anwesend. Dieser Grundgedanke durchzieht das ganze Stück. Die Apostel entscheiden sich zu Anfang des Stückes in die Welt zu gehen, um Missionsarbeit zu leisten. Sozusagen mit verteilten Rollen tragen sie das Glaubensbekenntnis vor. In einem anderen Spiel derselben Handschrift, dem *Innsbrukker Fronleichnamsspiel*, legen die Apostel ebenfalls das Glaubensbekenntnis ab (Mone, S. 145—164). Obwohl natürlich der Gehalt derselbe bleibt, ist die Formulierung völlig anders. Darf man hier an künstlerische Absicht denken oder ist es ganz einfach Zufall? Bevor die Apostel fortziehen, nehmen sie alle von Maria Abschied. Dann wird ihre missionarische Tätigkeit in Einzelszenen dargelegt. Maria durchläuft sozusagen den Stationsweg von Christi Leben: wo er die Taufe empfing, in der Wüste fastete, gekreuzigt wurde, begraben wurde und schließlich in den Himmel auffuhr, immer mit einer Fürbitte für die sündigen Menschen. Schließlich erfleht sie die Wiedervereinigung mit Gott. Der Engel Gabriel verkündigt ihr, daß sie am dritten Tag von der Erde scheiden werde. Sie bittet, daß sie vor ihrem Tode noch einmal mit den zwölf Aposteln vereinigt werde. Nun werden diese durch Engel von überall her zusammengerufen. Umgeben mit einer Schar von Engeln geleitet Christus die Seele Mariae in den Himmel oder besser: er trägt sie in den Himmel („dominica persona vadit ad coelum cum angelis suis bajulans animam matris suae"). Darf man hier annehmen, daß die Pieta, oder jedenfalls die Madonnaszene umgekehrt wurde: Maria im Schoße oder in den Armen des Herrn[119]? Nun wird der Leichnam Mariae von den Aposteln zu Grabe getragen. Eine Schar von Juden sucht die Handlung zu stören, sie werden aber mit Blindheit ge-

[118] Text: Franz Joseph Mone, *Altteutsche Schauspiele* (Bibliothek der gesammten deutschen National-Literatur 21) Quedlinburg und Leipzig: Gottfried Basse: 1841. Ferner: Franz Ebbecke, *Untersuchungen zur Innsbrucker Himmelfahrt Mariae* (Diss. Marburg 1924) Marburg: Friedrich: 1929 und Anton Dörrer, „Mariahimmelfahrtspiel, Neustifter (Innsbrucker)" *Verfasserlexikon* V, S. 650/651.

[119] An einem der Südportale des Freiburger Münsters findet sich eine Darstellung von Mariae Himmelfahrt, wo dieses Motiv tatsächlich genutzt ist.

schlagen, beziehungsweise die Hand des Princeps Judaeorum bleibt fest an der Totenbahre. Erst nachdem sie sich zum Christentum bekehrt haben, werden sie wieder befreit. Christus zieht dann zum Grab, erweckt Maria und geleitet sie zum Himmel. Da zwar die wiedererweckte Maria spricht, nicht aber die Seele der Maria, nutzte man für die Seele wahrscheinlich eine Puppe. Das Stück endet mit einem sonderbaren Kampf zwischen Heiden und Juden. Dabei scheinen die Juden die Oberhand zu behalten[120]. Mit Ausnahme der letzten Teile bleibt auch dieses Stück also wesentlich ein Mariendrama.

11. Christi Himmelfahrt

Eine große Anzahl der nichtzyklischen Spiele waren also lose oder auch eng mit der Figur der Gottesmutter verbunden. Unter diesen formten einzig die Marienklagen eine feste, zusammenhängende Tradition. Die Mariae Himmelfahrtspiele finden nun eine gewisse Parallele in den Christi-Himmelfahrtspielen, von denen allerdings nur zwei Texte in der Volkssprache erhalten sind. Wir sprachen oben schon von einem lateinischen liturgischen Christi-Himmelfahrt-Spiel aus Moosburg im unteren Isartal. Auch die Spiele in der Volkssprache stammen aus oberdeutschem Sprachgebiet. Dieser Brauch scheint also mindestens in der dramatischen Form auf Süddeutschland begrenzt. Im Gegensatz zu dem Moosburger liturgischen Drama, bei dem nur ein Kruzifix hochgezogen wurde, wenn auch ein verborgener Spieler die Worte Christi sprach, lassen die anspruchsvolleren späteren deutschen Stücke auch den Darsteller Christi selbst in den Himmel auffahren. Der eine Text aus dem 15. Jahrhundert aus St. Gallen ist freilich nur fragmentarisch erhalten[121]. Es ist nicht klar, wie die Auffahrt hier dargestellt wurde. Nachdem Christus gerade noch die Jünger angeredet hat, spricht auf einmal ein Engel:

> Waz stant ir hie an dir varte
> und sehent zů himel also harte
> ir man von Galylea,

---

[120] Wie Hans Eggers, *Verfasserlexikon* V, S. 651—653 sagen kann, „den meisten Raum nimmt dann die Zerstörung Jerusalems durch Titus ein", verstehe ich nicht. Jedenfalls ist seine Behauptung: „Die Marienhandlung stellt darin nur eine Episode dar" völlig unsinnig.

[121] Text: F. J. Mone, *Schauspiele des Mittelalters*, Karlsruhe: C. Macklot: 1846, I, S. 251—264.

die Jhesu sint her gevolget na?
als ir in hant gesehen frôche
uf farn zů himelriche,
also kumt er zů gerichte
die seligen und die wichte. (Mone, S. 263/264, v. 238—245)

Inzwischen müßte also Christus aufgefahren sein, oder war er einfach fortgegangen und die Worte des Engels drückten aus, was man der technischen Schwierigkeiten halber nicht darstellte? Allerdings geht Christus vorher ausdrücklich „ad locum acsensionis".

Die Sprache des *St. Galler Spiels*: weder Diphthongierung noch Monophthongierung, ein Reim wie „gaiste-fleische" (v. 55/56), eine Form wie „gesihn" (Participium von sein, v. 197) lassen die südwestdeutsche Heimat erkennen.

Das andere Spiel stammt aus dem an Dramen so reichen Tirol, vielmehr wir sollten vielleicht sagen, die anderen Spiele, denn es handelt sich um mehrere Texte, die aber untereinander so eng verwandt sind, daß wir doch wohl von einem Spiel sprechen können. Nur einer dieser Texte ist veröffentlicht und auch dieser nur in Auszügen[122]. Dafür liefern die städtischen Bücher in Bozen vieles und besonders interessantes Detail über die Aufführung[123].

Das Stück wird eingeleitet durch eine kurze Apostelszene. Eigentümlich ist hier eine Blindenheilungsszene eingeschaltet. Das Lob Mariae, die Verleihung der Schlüsselgewalt an Petrus, Anreden an andere Apostel folgen. Die Macht von Mariae Fürbitte wird an einem Sünder dargelegt. Während Christus und die Jünger ein letztes Mahl einnehmen, spielt man auf der anderen Bühnenseite eine krasse Judensatire. Musikinstrumente und Gesang Christi begleiten die eigentliche Auffahrt. Die Juden bekehren sich zum Christentum. Maria segnet die scheidenden Apostel. Ganz zum Schluß wird der Teufel herabgeschickt „mittitur diabolus deorsum" und offenbar verbrannt „Ibi incenditur diabolus". Hier am Ende wird also genau der Volksbrauch dargestellt, der in Moosburg so ausdrücklich verboten war.

---

[122] Adolph Pichler, *Über das Drama des Mittelalters in Tirol*, Innsbruck: Wagner: 1840, S. 51—63.

[123] J. E. Wackernell, *Altdeutsche Passionsspiele aus Tirol* (Quellen und Forschungen zur Geschichte, Litteratur und Sprache Österreichs und seiner Kronländer 1) S. XLVII—XLIX.

Der erste Beleg für dieses Spiel in Bozen stammt aus dem Jahr 1481, wo schon von „zwen gurtt", „ander strick" und einem „zug" die Rede ist (Wackernell, S. XLVII/XLVIII). 1494 braucht man „geriem dem Teufel, dar inn er herab gefarn ist" und „sprewsl körb, dar inn der Salvator unnd die enngl auff sein gefarn, unnd die sayler grün angestrichen" (ebenda). 1495 wird „ain newes Rad zu dem spil der auffart gemacht, auch 3 spreuslkörb, sessel, dar inn der salvator und die engel sein auff gefarn". 1496 wird „dem Satler umb pezzerung des geriems der Engel und des Tewfels" eine Summe gegeben und dieselbe Summe auch „den zimerleutten auff das gewelb".

Durch diese Einträge erhalten wir also ein ziemlich klares Bild von der Aufführung. Nicht ein Kruzifix, nicht eine leblose Engelsfigur wie in Moosburg schwebten herauf und herab, sondern Christus und die Engel wurden in Spreusselkörben (großen Körben, die zum Strohsammeln benutzt werden) heraufgezogen, und zwar offenbar über einen Flaschenzug („zug", „rad"). Dagegen ist bei dem Teufel immer nur von „geriem" die Rede, ebenso auch bei einem Engel. Bei der Austreibung am Schluß war danach die Apparatur einfacher. Der Teufel, der dann angezündet wurde, war ja sowieso nur eine Puppe. Vor Jahren glaubte ich, daß als der Himmel das Dach des Tempels im Passionsspiel, also eine zwischen zwei Säulen verankerte Oberbühne, genutzt wurde; dann dachte ich auch an eine Orgelempore[124]. Bei nochmaliger Einsicht scheint mir der Ausdruck „auff das gewelb" unzweideutig auf die Öffnung in der Kirchendecke hinzuweisen. Freilich ist die Öffnung in der Decke der Pfarrkirche nicht am Scheitelpunkt des Gewölbes, der Schlußstein ist also nicht ausgespart, sondern merkwürdigerweise ist das vierte Gewölbefeld nahe der Rippe durchbrochen. Die Öffnung hier mißt etwa 60 cm im Durchmesser, bietet also genügend Raum, die Darsteller hindurchzuziehen. Die Decke der Bozener Pfarrkirche wurde während des Krieges zerstört; doch bemühte man sich Dach und Decke vollständig nach den alten

[124] Wolfgang F. Michael, „The Staging of the Bozen Passion Play" *Germanic Review* XXV (1950) S. 192/193 und Wolfgang F. Michael, *Frühformen der deutschen Bühne* S. 40/41. Auch dieses Mal hat mich Kanonikus Anton Maurer in liebenswürdigster Weise bei architektonischen Einzelheiten beraten, wie auch bei den volkstümlichen Gebräuchen. Ich möchte ihm hier noch einmal für seine Hilfe danken.

Plänen wiederaufzubauen; auch die Öffnung ist also genau beibehalten. Öffnungen in der Decke sind übrigens in Tirol fast die Regel; sie haben hier den populären Namen „Heilig-Geist-Loch". Die Öffnungen wurden nämlich häufig zu Pfingsten gebraucht; eine Taube als Heiliger Geist wurde herabgelassen. In vielen Kirchen hat sich dieser Brauch noch bis heute erhalten.

Das *Bozener Himmelfahrtsspiel* ist in gewisser Weise Teil des siebentägigen Passionszyklus, wenigstens rechnet der Regisseur Vigil Raber es dazu; aber während die anderen Spiele dieses Zyklus in anderthalb Wochen und sicher auf derselben Bühne heruntergespielt wurden, mußte man gewiß an dem mehrere Wochen späteren Himmelfahrtstage eine neu errichtete, weit bescheidenere Bühne benutzen. Wenn auch der Regisseur jedenfalls 1514 in Bozen derselbe Raber war, neben dem Zyklus steht dieses Spiel doch ganz vereinzelt da.

12. Das Kreuzerfindungsspiel, St. Georgsspiel

Die Spiele, die wir bisher behandelt haben, sind durch die Anknüpfung an den christlichen Kalender, durch den biblischen Stoff mit der Kirche verbunden, mögen sie auch aus dem Kircheninneren herausgetreten sein, mögen auch bürgerliche Darsteller, ja bürgerliche Regisseure die Geistlichkeit, selbst die vagantische in den Hintergrund gedrängt haben, Freilich, Heiligendarstellungen wie die von Katharina oder Dorothea, Legenden wie die von Jutta und Theophilus lassen sich kaum in den Stammbaum der Tradition einfügen, dessen Wurzeln mit dem Quem-Queritis in den Urgrund des Gottesdienstes, in die Liturgie hinabreichen. Doch bleibt der Grundton auch dieser Werke ein rein religiöser. Bei vielen Osterspielen hat gewiß vagantische Lebensfreude mit den Mercatorszenen, den Maria-Magdalena-Szenen, den Teufelszenen weite Teile in einen lustigen Jocus gewandelt, doch der ursprüngliche religiöse Kern dahinter blieb immer noch sichtbar. Wir kommen nun zu Stoffen, deren Verarbeitung bei der Fülle der weltlichen Elemente manchmal zweifeln läßt, ob hier noch von geistlichem Drama geredet werden kann.

Eine große Masse von Legendenmaterial formte sich im Mittelalter um die Geschichte vom Kreuz Christi. Holz vom Baum der Versuchung wird genutzt beim Salomonischen Tempelbau, und dieses selbe Holz dient als Kreuz Christi. Die Reliquienverehrung hat hier lebendige, phantasievolle, ja phantastische Formen angenommen. Helena, hier die Mutter Konstantins, findet das von den Juden vergrabene Kreuz, dem nun noch weitere Schicksale beschieden sind. Ein zweitägiges Drama aus einer Augsburger Handschrift behandelt diesen Stoff[125]. Konstantins Sieg durch das Zeichen des Kreuzes bildet den Auftakt. Helena zieht nun nach Jerusalem und zwingt die Juden zu offenbaren, wo das Kreuz sei. Der einzige Jude, der es weiß, Judas mit Namen, will zunächst seine Kenntnis nicht preisgeben, schließlich gesteht er, das Kreuz sei unter dem Tempel zusammen mit den Kreuzen der Schächer. Das echte Kreuz offenbart sich durch die Erweckung eines Toten. Judas bekehrt sich nun nicht nur, sondern er wird auch gleich ein frommer Bischof mit dem Namen Quiriacus. Das Kreuz selbst wird geteilt, einen Teil nimmt Helena mit, der andere bleibt zurück. Schließlich werden auch noch die Kreuznägel gefunden.

Bei der Aufführung am nächsten Tag erobert der Heidenfürst Costras, angestachelt von den Teufeln, Jerusalem, nimmt das Kreuzholz mit sich und setzt sich als Gott ein. Seinen Sohn läßt er in Jerusalem zurück. Der christliche Kaiser Heracalius besiegt zuerst diesen Sohn und schlägt ihm den Kopf ab. Dann zieht Heracalius weiter zu Costras selbst, und auch dieser wird ohne viel Gegenwehr enthauptet. Darauf wird ein zweiter Sohn von Costras schnell Christ. Das Stück endet damit, daß die Teufel in die Hölle zurückgetrieben werden. Schon diese kurze Übersicht zeigt, wie phantastische Abenteuer, so christlich sie auch gefärbt sein mögen, einen christlichen Geist nicht aufkommen lassen. Wenn Gott und Engel mehrfach in die Handlung eingreifen, so wirkt Gott durchaus als Theatergott, als Deus ex machina. Die Geschwindigkeit, mit der hier Köpfe abgeschlagen werden, kann selbst dem spätmittelalterlichen Menschen kaum sehr ernst erschienen sein. Übrigens war dies rein technisch schwer zu bewältigen und gewiß eine Art mechanisches Bravourstück, daher die Wiederholung. Auch sonst war die Bühnenapparatur recht kompliziert. Himmel und Hölle, die Stadt Jerusalem mit Mauern und eine Anzahl weitere Stationen (dieser Ausdruck wird gebraucht) waren auf weitem Spielfeld verteilt.

---

[125] Text: Adelbert von Keller, *Fastnachtspiele aus dem fünfzehnten Jahrhundert Nachlese* (Bibliothek des litterarischen Vereins in Stuttgart 46) Stuttgart: Litterarischer Verein: 1858, S. 54—129.

Ähnlich phantastisch ist auch ein *St. Georg-Spiel* ebenfalls aus Augsburg und wohl auch aus dem späteren 15. Jahrhundert[126]. Nachdem die Bevölkerung einer Stadt erst ihr ganzes Vieh einem Drachen geopfert hat, müssen die Kinder und Frauen ihm vorgeworfen werden. Schließlich muß der König auch seine Tochter hingeben. Aber nun greift auf Gottes Befehl Georg ein, besiegt natürlich den Drachen, und darauf läßt sich das ganze Volk taufen. Auch dies rollt mit bilderbuchartiger Naivität ab. Auch hier wurde eine komplizierte Simultanbühne benötigt. Die Stadtmauer wird gezeigt wie auch das Innere der Stadt. Es fällt schwer, sich das vorzustellen. Die Hinweise in den Reden darauf, wo man sich gerade befindet, lassen an gesprochene Szenerie denken. Übrigens wurde das Thema mehrfach in größeren zyklischen Dramen behandelt, so im *Freiburger Fronleichnamsspiel* und im *Bozener Fronleichnamsspiel,* wo es im Barock zu einem besonderen Spektakel wurde.

13. Der Antichrist

Ein anderes Thema, das in der Behandlung des Spätmittelalters eher als Unterhaltung, denn als Ausdruck religiöser Ergriffenheit erscheint, ist das Thema des Antichrists. Mehrere Nachrichten von

[126] Text: Adelbert von Keller, *Fastnachtspiele aus dem fünfzehnten Jahrhundert Nachlese* (Bibliothek des litterarischen Vereins in Stuttgart 46) Stuttgart: Litterarischer Verein: 1858, S. 130—182. Ferner: Benedikt Greiff, „Ein Spiel von St. Georg 1473" *Germania* I (1856) 165—191. Greiff, der das Stück zum ersten Mal herausgegeben hat, baut ein hübsches Kartenhaus von der Geschichte dieses Spiels. In derselben Handschrift ist der Anfang des Türkenfastnachspiels wiedergegeben. Das mißversteht Greiff und meint, der türkische Kaiser wäre tatsächlich in Augsburg gewesen und zwar bei dem Reichstag von 1473. Damals sei dann auch das Georgspiel aufgeführt worden. Diese naive Phantasterei wird 50 Jahre später von Max Stork kritiklos übernommen: Max Stork, „Sant Jörg am Oberrhein" *Schau ins Land* XXXII (1905) 1—36. Die während der Hitlerzeit geschriebene Dissertation von Rainer Kindinger ist ebenso naiv in der Ableitung von vorchristlichem Kult: Rainer Kindinger, *Der Drachenkampf im deutschen Volksspiel* Diss. Wien. 1939. Über eine Aufführung eines St. Jürgenspiels in Dortmund siehe Gottfried Kinkel, „Theaterspiele in Dortmund" *Monatsschrift für die Geschichte Westdeutschlands* VII (1881) 301—324 und Arthur Mämpel, *Das Dortmunder Theater* Dortmund: Selbstverlag: 1935/36.

Aufführungen von Antichristspielen haben sich erhalten, so aus dem spielfrohen Frankfurt, aus Chur, aus Xanten und besonders ausführlich aus Dortmund, allerdings erst aus dem Jahre 1513[127]. Von allen diesen Spielen ist kein Text überliefert. Der einzige vorhandene Text hat die Gestalt eines *Nürnberger Fastnachtspiels* aus dem 15. Jahrhundert; die Forschung hat aber nachzuweisen gesucht, daß dieser Text auf ein *Züricher Spiel* aus der Mitte des 14. Jahrhunderts zurückgehe[128]. Wenn der Vater des Kaisers als König von Böhmen erscheint, so könnte damit nur Karl IV. gemeint sein. Der Bischof Gugelweit entspräche dem Finanzminister Karls, Dietrich von Kugelweit, Bischof von Sarepta. Historische, nicht etwa sprachliche Einzelheiten wiesen auf Zürich als Entstehungsort. Diese ganze Beweisführung mag zweifelhaft erscheinen. Hätten die guten Nürnberger nicht den Stoff auch ohne dramatisches Vorbild als Fastnachtsspiel bearbeiten können? Das *Dortmunder Antichristspiel* wurde ebenfalls am „vastavent" aufgeführt. Die historischen Anspielungen sind aber doch zu eingehend, als daß man sie einfach beiseite schieben kann.

Das Spiel beginnt mit der Warnung der Propheten Enoch und Elÿas, die sofort vom Entkrist hingerichtet werden. Dann gewinnt der Entkrist den Kaiser dadurch, daß er dessen toten Vater zu ihm sprechen läßt. Darauf werden ein Bischof und ein Abt vom Entkrist überzeugt. Ein Bilgram, der sich heftig gegen den Entkrist äußert, wird von diesem getötet, dann aber gleich wieder ins Leben

---

[127] Für Frankfurt siehe R. Froning, *Das Drama des Mittelalters* (Deutsche National-Litteratur hrsg. Joseph Kürschner 14) Stuttgart: Union Deutsche Verlagsgesellschaft: o. D. II, S. 536. Für Chur: Carl Reuschel, *Die deutschen Weltgerichtsspiele* (Teutonia 4) Leipzig: Eduard Avenarius: 1906. Für Xanten: Wilhelm Creizenach, *Geschichte des neueren Dramas* Halle: Max Niemeyer: 1911, I, S. 237. Für Dortmund: Gottfried Kinkel, „Theaterspiele in Dortmund" *Monatsschrift für die Geschichte Westdeutschlands* VII (1881) 301—324 und Arthur Mämpel, *Das Dortmunder Theater* Dortmund: Selbstverlag: 1935/36.

[128] Der Text von Friederike Christ-Kutter, *Frühe Schweizerspiele* (Altdeutsche Übungstexte 19) Bern: Francke: 1963, S. 30—61 ersetzt die ältere Ausgabe von Adelbert von Keller, *Fastnachtspiele aus dem fünfzehnten Jahrhundert* (Bibliothek des litterarischen Vereins in Stuttgart 29) Stuttgart: Litterarischer Verein: 1853, II, S. 593—608. Zugleich gibt die Ausgabe von Christ-Kutter eine verläßliche Besprechung der textlichen Verhältnisse und weitere Literaturangabe.

gerufen; und nun bekehrt er sich zum Entkrist. Nachdem noch der Froß den Entkrist gelobt hat, schließt das Stück mit der üblichen fastnachtlichen Entschuldigung des Ausschreiers. Freilich würden selbst unsere Kollegen aus dem 19. Jahrhundert kaum behaupten können, daß die Spieler „dem schÿmpff heten zu vil gethan".

Welch ein Gang der Entwicklung von dem grandiosen *Antichrist des Tegernseer* Dichters zu diesem harmlosen Popanz, der kaum gut genug erscheint, die Kinder zu schrecken. Gewiß mag das ursprüngliche *Züricher Drama* weit mehr Gewicht gehabt haben. Es müßte doch wohl mit dem Sturz des Antichrist geendet haben. Aber die leichte Satire auf Kaiser und Bischof, die Teil des *Züricher Dramas* gewesen sein muß, zeigt, wie sich der bitterernste Stoff zur unterhaltsamen Parodie gewandelt hatte, wie geeignet die Behandlung geworden war, dem Fastnachtspiel als Vorbild zu dienen.

14. Das jüngste Gericht

Noch bleibt ein weiterer Einzelstoff, der freilich ebenfalls in größere zyklische Spiele aufgenommen wurde: das Jüngste Gericht. Dieses Thema erscheint schon lange in epischer Behandlung, bevor es endlich am Ausgang des Mittelalters dramatische Form annimmt[129]. Und selbst dann mag man zweifeln, ob die in dialogische Form umgesetzte Behandlung wirklich für eine Bühnenaufführung gemeint war. Mehrere Texte sind erhalten, die aber eng untereinander verwandt sind. Mone hat eine Handschrift aus dem Kloster Rheinau (bei Schaffhausen) herausgegeben[130]. Eine andere aus Donaueschingen stimmt fast völlig mit diesem Text überein, ebenso Texte aus Kopenhagen und Chur[131]. Der undramatische Charakter ergibt sich aus den Schlußzeilen in Rheinau: „Ich Hans Trechsel han das bůch geschriben. bittent got fůr mich" (Mone, S. 304) und in Kopenhagen: „Explicit ultimum judicium per me Johannen

[129] Siehe hierzu: L. L. Hammerich, „Gericht, Jüngstes" *Verfasserlexikon* II S. 30—32.

[130] F. J. Mone, *Schauspiele des Mittelalters.* Karlsruhe: C. Macklot: 1846, S. 265—337.

[131] Für Donaueschingen siehe Johannes Bolte, „Kleine Beiträge zur Geschichte des Dramas" *Zeitschrift für deutsches Altertum* XXXII (1888), S. 1. Für Kopenhagen: H. Jellinghaus, „Das Spiel vom Jüngsten Gerichte" *Zeitschrift für deutsche Philologie* XXIII (1891), S. 426—436.

schudin de grůningen" (Jellinghaus, S. 436). Nur ein Münchner Dokument aus dem Jahre 1510, ebenfalls mit den anderen Behandlungen sehr eng verwandt, ist nachweislich wirklich aufgeführt worden, denn schon der Titel lautet: „Spil von dem Gericht zu München gehalten worden in dem jar alls man zelt nach Christi gepurd fünfzehen hundert und im zehenden jare[132]". Freilich gibt auch dieses Dokument enttäuschend wenig Hinweise über die Aufführung. Am Rande nachgetragene Zeilen beziehen sich auf den Inhalt, nicht auf die Darstellung. Die Bühnenanweisungen geben nur an, daß die Seelen aus den Gräbern kommen oder daß die Teufel die Sünder in die Hölle fortschleppen. Trotzdem läßt das dauernde Eingreifen der Proclamatoren mit Hinweisen auf das, was das Publikum gesehen hat oder sehen wird, an der Bühnendarstellung keinen Zweifel entstehen. Ich vermute, daß man bei der Aufführung stark stilisierte, mehr rezitierte als eigentlich darstellte. In den großen Zyklen scheint dieses Thema weit dramatischer behandelt. Zeigt das Münchner Dokument, wie unter dem Einfluß der Zyklen ein ursprünglich epischer Text zuletzt, freilich erst im 16. Jahrhundert dramatische, ja bühnengemäße Form annimmt, wenn auch das Dramatische, Bühnengemäße in bescheidenen Grenzen bleibt? Ist es ein weiteres Zeugnis dafür, daß viele dieser späten Einzelspiele im episch Rezitativen stecken bleiben? Die große Bewegung des mittelalterlichen Dramas braucht das weite Feld des gesamten christlichen Heilsgeschehens, insbesondere aber die erschütternde Folge in der Passion Christi.

15. Die Fronleichnamsspiele

Wie kommt es dazu, daß sich das mittelalterliche Drama zum umfassenden Zyklus entwickelte? Die Antwort scheint klar genug. Wie sich die Visitatio von den einfachen Anfängen in der *Regularis Concordia* weitet zu den umfassenderen Feiern und wie sie schließlich zum Osterspiel in lateinischer Sprache, in der Volkssprache wird, um dann später auch die Leiden Christi, die Passion in sich aufzunehmen, warum sollte nicht auch das gesamte Leben Jesu und schließlich als Vorbild, als Exempel, als „Figur" die gesamte

[132] Der Text ist in Auszügen wiedergegeben in August Hartmann, *Volksschauspiele in Bayern und Österreich-Ungarn gesammelt.* Leipzig: Breitkopf und Härtel: 1880, S. 411—422.

religiöse Weltgeschichte von der Schöpfung über den Sündenfall und die Propheten des Alten Testaments mit aufgenommen werden? Warum sollte der stoffliche Expansionsdrang nicht auch über Christi Himmelfahrt hinausgreifen, das Leben der Heiligen mit einschließen und schließlich in der Eschatologie, im Jüngsten Gericht seinen Abschluß finden?

Dazu sind einige Überlegungen anzustellen. Tatsächlich ist ein so umfassender Zyklus von der Schöpfung bis zum Jüngsten Gericht in Deutschland weit seltener als etwa in England. Vielmehr begnügt man sich häufig mit den Geschehnissen des Neuen Testaments. Die Heiligen und Märtyrer, das Jüngste Gericht werden selten in die Passionsspiele einbezogen. Selbst die Figuren und Szenen des Alten Testaments bleiben ohne Eigenbedeutung, ergeben im besten Falle einen blassen Rahmen, von dem sich das Leiden Christi um so kräftiger abhebt. Nur in einigen wenigen deutschen Spielen rollt wie in den englischen Zyklen das ganze Weltgeschehen an uns vorüber, allerdings nicht in breiter Fülle, sondern in gleicher knapper Kürze sind alle Szenen behandelt, auch die des Neuen Testaments, besonders auch die Kreuzigung Christi. Die wenigen Spiele, von denen wir sprechen, sind die deutschen Fronleichnamsspiele, wie ja auch die englischen zyklischen Spiele Fronleichnamsspiele sind.

Wie kommt es dann also, daß die Passionsspiele entweder überhaupt nicht oder nur in unwesentlicher Weise über das Leben Jesu hinausgreifen, dieses aber in aller Fülle behandeln, daß dagegen die Fronleichnamsspiele die gesamte Weltgeschichte hereinziehen, diese aber nur in knappen, oft ganz unverbundenen Szenen vor dem Beschauer abrollen. Wir müssen Ursprung und Entstehung von Fest und Spiel zu umreißen suchen.

Das Kirchenjahr bedeutet ein Wiedererleben der historischen religiösen Ereignisse: Christi Geburt an Weihnachten, die Anbetung der Weisen am 6. Januar, der Einzug Christi in Jerusalem am Palmsonntag, die Kreuzigung am Karfreitag, die Auferstehung am Ostersonntag und so fort bis zu Christi Himmelfahrt. Durch dieses Wiedererleben angeregt entstand aus dem Hallelujah-Jubel am Ostertag die dramatische Form. So wird dann an jedem Feiertage das religiöse Geschehen des Tages im Drama verlebendigt. Wenn das Osterspiel schließlich zum Passionsspiel anwächst, so bleibt doch im Kern des Dramas, in der Auferstehungsszene, die Beziehung zum Ostersonntag gewahrt. Als dann das Spiel sich auf mehrere

Tage weitet, so setzt man in Bozen zum Beispiel in geschickter Weise auf jeden Feiertag das entsprechende Geschehen an: auf den Palmsonntag den Einzug in Jersusalem und alle vorausgehenden Ereignisse, auf den Donnerstag das Abendmahl, auf den Freitag die Passion, auf den Samstag eine Klage am Grabe, auf den Sonntag die Auferstehung, auf den Montag den Gang nach Emmaus. So hat jeder Stoff seinen Tag gefunden oder vielmehr jeder Tag seinen Stoff. Was aber ist der Stoff des Fronleichnamstages?

Der Fronleichnamstag als einziger Tag des Kalenders feiert nicht ein Heilsgeschehen oder einen Heiligen oder Märtyrer, sondern ein Dogma: das Dogma der Transsubstantiation, der wirklichen Verwandlung von Brot und Wein, der wirklichen leiblichen Gegenwart Christi im Sakrament[133]. Der Fronleichnamstag wurde zuerst in den südlichen Niederlanden, dem heutigen Belgien gefeiert. 1264 wurde er vom Papst offiziell anerkannt, aber erst 1312 wurde das Fest auf dem Konzil von Vienne allgemein bestätigt. Verständlicher Weise finden sich in Deutschland die ersten Belege für Fronleichnam in der Kölner Diözese, zum Teil schon aus dem 13. Jahrhundert, aber auch im übrigen deutschen Sprachgebiet scheint das Fest ziemlich allgemein schon im frühen 14. Jahrhundert gefeiert worden zu sein[134]. Die Verehrung der Eucharistie, also des im verwandelten Brote gegenwärtigen Leibes Christi, ist der eigentliche Zweck des Festes. Dieses Sakrament konnte aber am besten in einer Prozession gezeigt werden. Kirchliche Prozessionen, zum Teil sogar eucharistische, gab es schon vor der Einführung des Fronleichnamsfestes als Bitt- oder Flurprozessionen, die dem Segnen der Felder dienten, wobei übrigens gelegentlich Drachen mitgeführt wurden[135]. Wie nun konnte aus diesem Fest oder selbst aus dieser Prozession ein Drama entstehen, wie konnte man ein Dogma dramatisieren?

---

[133] Die besten Behandlungen des Fronleichnamstages für unseren Zweck: Alois Mitterwieser, *Geschichte der Fronleichnamsprozession in Bayern*, München: Knorr & Hirth: 1930; Peter Browe, *Die Verehrung der Eucharistie im Mittelalter* München: Hueber: 1933 und Gerhardt Matern, *Zur Vorgeschichte und Geschichte der Fronleichnamsfeier besonders in Spanien* (Spanische Forschungen der Görresgesellschaft II, 10) Münster: Aschendroff: 1962.

[134] Matern gibt eine vorzügliche Übersicht für Deutschland auf S. 92—104.

[135] Siehe hierzu Matern, S. 39—89; Figuren aus dem Alten Testament, Drachen S. 77—79.

a) Innsbruck

Der älteste erhaltene Text eines Fronleichnamsspiels ist das sogenannte *Innsbrucker Fronleichnamsspiel,* 1391 niedergeschrieben, also noch zu einer Zeit als die Feier neu war[136]. Es ist nicht nur das älteste, erhaltene Fronleichnamsspiel, es ist der einzige Text aus dieser frühen Zeit. Aus diesen und anderen Gründen ist es von eminenter Bedeutung.

Das Spiel beginnt mit dem Dank von Adam und Eva dafür, daß Christus nun endlich gekommen sei, und mit dem Gesang des „advenisti desiderabilis". Das könnte also aus einer Höllenfahrtszene übernommen sein. Nun sprechen paarweise 12 Propheten und die 12 Apostel, wobei die Apostel jeweils einen Satz des Glaubensbekenntnisses vortragen, die Propheten natürlich ihre Voraussage Christi wiederholen. Dann folgen noch Johannes der Täufer und die drei Könige, alle mit Hinweisen auf Christus, und schließlich der Papst, der nun noch ausdrücklich bestätigt:

> Alles daz in der alten ee ist geschen,
> alz ich an der schrift habe gesehen,
> daz ist anders nicht me
> den eyn vorspil (in) der nuwen ee,
> daz waz nicht wen eyn glychnůz.
> dicz ist der warheit eyn beczugniz.
>
> (Mone, S. 162, v. 677—682)

Dann beschließt er das Stück:

> nu^e fallet alle uff uwir kny^e
> dy^e got gesammet hat allhy^e,
> hebit uf uwir hende
> und bit en um eyn gut ende,
> daz wir nymmer můßen ersterben,
> wir mußen gotes hulde erwerben,
> daz uns sin heylger lychnam werde gegeben
> czu^e eynem geleyte in daz ewige leben,
> daz uns daz allen muße geschen,
> dar um so^e sprecht amen. (Mone, S. 163, v. 747—756)

---

[136] Text: Franz Joseph Mone, *Altteutsche Schauspiele* (Bibliothek der gesammten deutschen National-Literatur 21) Quedlinburg und Leipzig: Gottfried Basse: 1841, S. 145—164. Ferner siehe: Wolfgang F. Michael, *Die geistlichen Prozessionsspiele in Deutschland* (Hesperia 22) Baltimore: Johns Hopkins: 1947, S. 30—33, dort auch weitere Literatur.

Das Spiel ist genannt worden ,,a procession of prophets, apostles, und Magi"[137]. In der Tat, nicht nur dem Stoff nach erscheint das Innsbrucker Stück eine Übernahme aus dem Prophetenspiel, auch in der Form ist die Verbindung deutlich zu erkennen. Die Personen ziehen rasch vorüber, stehen nicht in handlungsmäßigem Zusammenhang miteinander, ja nicht einmal in dialogischem Austausch. Vielmehr jeder legt nur sein Zeugnis für Christus ab und macht dem nächsten Platz. Es ist aber doch etwas Neues hinzugekommen: das kleine Werk ist deutlich eingebettet in eine theophorische Prozession. Schon der eben zitierte Schluß mit der Aufforderung an die zuschauende Gemeinde zum Gebet zeigt den gottesdienstlichen Charakter. Immer wieder wird auf die Gegenwart des Sakraments hingewiesen, von Andreas:

ich sehe en dort mit mynen augen,
alleyne daz ist gar toube (l. tougen),
vorborgen in eynes brotes schin,
doch sult ir dez sicher sin,
da ist werlich fleysch und blut. (Mone, v. 143—147)

oder Thomas:

ich sehe werlich aldort,
der hymmel und erden umfangen hat, (Mone, v. 278/279)

oder Caspar:

ich sehe en dort in dez pristers henden, (Mone, v. 591)

Aber der gottesdienstliche Charakter kommt noch deutlicher heraus in Adams Versen:

ich sehe en dort mit mynen auͦgen,
wir schullen balde czu^{e} em gan,
und en innclichen enphan (Mone, v. 32—34)

Mit anderen Worten, nach Beendigung des kurzen Spieles folgte die Kommunion.

Was Fronleichnam bot, war also nicht eine dramatische Fabel, sondern das Verlangen nach Zeugen für die wirkliche Gegenwart Christi. Das Prophetenspiel hatte eine solche Zeugenberufung längst entwickelt; hier konnte man, hier mußte man anknüpfen[138].

[137] Hardin Craig, ,,The Origin of the Old Testament Plays" *Modern Philology* X (1912/13) S. 480.

[138] Ich habe diese Zusammenhänge zuerst dargelegt in *Die geistlichen Prozessionsspiele in Deutschland* (Hesperia 22) Baltimore: Johns Hopkins: 1947.

Hier war auch schon der prozessionale Charakter gegeben, der sich nun in wirkungsvollster Weise der theophorischen Grundidee anpassen konnte. Wie sich aus diesem Kern die Zyklen entwickeln konnten, werden wir an weiteren Beispielen verfolgen können.

b) Künzelsau

Mit dem *Innsbrucker Fronleichnamsspiel* steht das *Künzelsauer Fronleichnamsspiel* in engstem Zusammenhang[139]. Wir besitzen dieses Spiel in einer Handschrift, die 1479 datiert ist. Der Grundstock der Handschrift wurde von zwei Schreibern niedergeschrieben; daneben findet sich teils als Randbemerkungen oder auch auf angehefteten oder losen Blättern eine Masse ferneren Materials, das diesen Grundstock ändern, ergänzen, erweitern sollte. Der ständige Wechsel, das ständige Wachstum des Textes steht so klar und eindeutig vor uns. Eine lange Tradition setzt diese Änderungen voraus. Diese Tradition ergibt sich auch aus einer Reihe von Belegen aus den Jahren 1475—1522, die neuerdings in den Büchern der Stadt aufgefunden wurden[140].

Der Grundstock des Spiels hat nahezu das gesamte *Innsbrucker Fronleichnamsspiel* in sich aufgenommen, dazu auch einige Teile aus dem *Innsbrucker Osterspiel* derselben Handschrift, und zwar in fast völlig unveränderter Form. Weniges ist weggefallen oder ge-

---

[139] Text und sprachliche Behandlung: Dona B. Reeves, *The Künzelsau Corpus Christi Play:* A Diplomatic Edition and Critical Interpretation (Diss. University of Texas, 1963). Diese Ausgabe ersetzt die ältere Ausgabe: Albert Schumann, *Das Künzelsauer Fronleichnamsspiel* Öhringen: Hohenlohe: 1925. Vorzügliche Behandlung der komplizierten Textverhältnisse: Teiel Mansholt, *Das Künzelsauer Fronleichnamsspiel* (Diss. Marburg, 1892) Marburg: C. L. Pfeil: 1892. Dazu: Wolfgang F. Michael, *Die geistlichen Prozessiosnspiele in Deutschland* (Hesperia 22) Baltimore: Johns Hopkins Press: 1947, S. 33—42. Ferner jetzt auch Peter Liebenow, *Das Künzelsauer Fronleichnamsspiel* (Ausgaben deutscher Literatur des XV. bis XVIII. Jahrhunderts: Reihe Drama 2) Berlin: Walter de Gruyter: 1969. Liebenow rühmt sich, daß er die Abkürzungen alle aufgelöst und Interpunktion eingesetzt habe.

[140] Siehe hierzu: Peter K. Liebenow, ,,Zu zwei Rechnungsbelegen aus Künzelsau" *Kleine Schriften der Gesellschaft für Theatergeschichte* XXI (1966), S. 11—13, und Peter K. Liebenow, ,,Das Künzelsauer Fronleichnamsspiel" *Archiv für das Studium der neueren Sprachen und Literaturen* CXX (1968), S. 44—47.

kürzt; gelegentlich mußten aus Dialektgründen Änderungen eintreten: etwa der Reim „geschoff—uff" konnte nicht beibehalten werden[141]. Mehrfach sind die Hinweise auf das Sakrament in Künzelsau gestrichen, doch das Gesamtspiel beginnt mit den Zeilen:

Rector processionis
vertat se ad sacramentum
et dicat

Da ferner zweimal der Hinweis auf das Sakrament stehengeblieben ist:

Vnd bittent vnsern hern jesum crist
Der do gegen wertig ist
(Reeves, S. 161, v. 1059/1060)

und:

Das ist an alles lawgen
Ich sy jn dortt mit meinen awgen
(Reeves, S. 152/153, v. 873/874)

so ist auch für *Künzelsau* der theophorische Charakter der Prozession gesichert.

Über diesen Szenenblock greift das *Künzelsauer Spiel* einerseits zurück bis zur Ausstoßung Lucifers und geht andererseits weiter bis zum Jüngsten Gericht. Dazwischen stehen Bilder, so sollte man es wohl nennen, aus dem Alten Testament, aus dem Leben Jesu und aus Heiligen- und Märtyrergeschichten. Und hier zeigt Künselsau auch mit anderen Traditionen Übereinstimmungen — freilich weder in demselben Umfang wie mit Innsbruck noch in derselben Intensität— nämlich mit verschiedenen Spielen der Frankfurter Gruppe, besonders mit Alsfeld und Heidelberg, ferner weniger deutlich mit Eger und endlich auch mit eschatologischen Spielen wie dem *Zehnjungfrauenspiel* und dem *Juttaspiel.* Diese Übereinstimmungen lassen sich zum Teil auch in den späteren Erweiterungen verfolgen.

In einer Analyse des Grundstocks Szene auf Szene habe ich nachzuweisen versucht, daß die sämtlichen anderen Traditionen erst spät auf Künzelsau eingewirkt haben können[142]. Ihr Einfluß be-

---

[141] Mone, v. 245/246. Hier zeigt Innsbruck Monophthongierung, aber nicht Diphthongierung. In Künzelsau dagegen überwiegt Diphthongierung, Monophthongierung ist selten.

[142] Wolfgang F. Michael, *Die Geistlichen Prozessionsspiele in Deutschland* (Hesperia 22) Baltimore: Johns Hopkins Press: 1947, S. 33—42.

trifft nur Einzelszenen, die dann auch meist im Charakter von dem Rest des Spieles abstechen. Aus dem Grundstock läßt sich also noch eine ältere Form des Gesamtwerks ableiten, wenn man nämlich alle Szenen ausscheidet, bei denen die Abhängigkeit von anderen Traditionen den Charakter späterer Erweiterungen verrät, so kommt man zu einem Urspiel, wahrscheinlich etwa aus dem früheren 14. Jahrhundert, weitgehend ähnlich dem *Innsbrucker Spiel* nicht nur im Wortlaut des Textes, sondern vor allem in dem bildhaft epischen Charakter, wo die Einzelauftritte, wie in einer Perlenkette aneinandergereiht, völlige Einheiten für sich darstellen und nur zusammengehalten werden durch das Band erzählend erläuternder Worte des Rector Processionis. In mehreren Szenen überragen diese erläuternden Reden des Rector Processionis den Dialog an Umfang und Bedeutung. Besonders bezeichnend erscheint es, daß die Szene der Kreuzigung, der Mittelpunkt aller Passionsspiele, in Künzelsau, wie übrigens auch in anderen Fronleichnamsspielen, fehlt. Dieses statuierte Urspiel zeigt also die Fortentwicklung von Innsbruck zu Künzelsau. Weitere Gestalten aus dem Alten Testament, aber daneben nun auch Märtyrer und Heilige werden als Zeugen herangezogen; andere Szenen dienen als vergängliches Gleichnis oder, wie das Spätmittelalter sagen würde, als Figur für das christliche Heilsgeschehen, oder in diesem Falle besonders für das Dogma der Transsubstantiation. Hierin bietet Künzelsau also nichts wesentlich Neues, es erweitert nur die Szenenfolge von Innsbruck, sogar die Rolle des Papstes am Schluß des Spieles ist beibehalten. Dagegen erfüllt die Rolle des Rector Processionis oder, wie er dann erst vom zweiten Schreiber genannt wird, des Rector Ludi eine völlig neue Funktion. Diese Rahmenfigur hält einerseits erklärend, erläuternd, ergänzend, dogmatisch belehrend das Ganze zusammen, andererseits empfindet man schon fast störend das Überhandnehmen des episch Erzählenden, man empfindet die Gefahr, daß das Epische das Dramatische völlig verdrängen werde. In der Tat, wir werden noch sehen, daß diese Gefahr später zur Wirklichkeit wurde.

Die Erweiterungen, die dieses hypothetische Urspiel zu dem nun vorliegenden Grundstock führten, mehr noch aber die Erweiterungen, die über diesen Grundstock hinausleiten zur endgültig vorliegenden Fassung, ergeben ein völlig anderes Bild. Zum Beispiel enthält ein Sonderblatt ein sehr ausführliches Weihnachtsspiel von allein 253 Zeilen. Kein Wunder, daß Mansholt (S. 12—15) angenommen hat, daß dieses Stück überhaupt nicht als Zugabe zum Fronleichnamsspiel gedacht war, daß es als Sonderdrama anzusehen sei. Jedoch wäre dann die Rolle des Rector Processionis in diesem Text kaum zu erklären. Oder die Szene von Johannes dem Täufer zeigt bedeutende Übereinstimmungen mit dem *Heidelberger* und dem *Alsfelder Passionsspiel*. Diese Szene behandelt das Thema in einer Art Eigenhandlung, sie erscheint nicht wie in den Passionsspielen als Teil des Gesamtrahmens der Passion Christi, noch weniger paßt sie hinein in die lockere Kette der Zeugen für die Heilswahrheit. Vielmehr entwickelt hier der Spieltrieb einen sonderbaren Zwitter. Zwar kann die Szene nicht in sich selbst Genüge finden, doch auch in das Gesamtwerk fügt sie sich nicht. Und solche sonderbaren Auswüchse ragen besonders deutlich und häufig hervor aus dem dritten Teil des *Künzelsauer Spieles*; sie zeigen immer wieder die Tendenz zu größeren Handlungsgegebenheiten, die Tendenz fort vom eigentlichen Fronleichnamsprozessionsspiel.

Die prozessionale Aufführungsform dieses Spieles ergibt sich, wenn auch nur andeutungsweise, aus der Form und den Bühnenanweisungen. Wir erwähnten schon den Hinweis zu Anfang auf den theophorischen Charakter. Dazu kommt die Teilung des Grundstocks in drei Stationen. Eindeutig heißt es nach v. 702 (S. 42) „In Secunda Staccione angeli cantant Silete ut supra“ oder nach v. 885 (S. 97) dieser zweiten Station lesen wir „Et dant benedictionem ut supra“; und die dritte Station wird eingeleitet „Est tertia stacione Angeli cantant Silete ut supra“. Und schließlich endet das ganze Werk mit dem „Et dant Benediccionem“ (S. 256, nach v. 2830). Außerdem heißt der leitende und verbindende Charakter, wahrscheinlich auch der Regierer des Ganzen, Rector Processionis, freilich nennt die spätere Hand ihn mehr und mehr Rector Ludi. Das mag den Wechsel im Charakter des Spieles andeuten, von den ursprünglichen flüchtigen Bildern zu Einzelspielen mit einer gewissen Handlung und Konzentration.

Wo die drei Stationen zu denken waren, wie auf jeder Station Spielplatz und Publikum oder Gemeinde einander gegenüber standen, ob und in welcher Form Podien genutzt wurden, auf diese Fragen findet man im Text keine Antwort. Im ausgehenden Mittelalter war die Zahl der Stationen bei der Fronleichnamsprozession durchaus noch nicht einheitlich. Erst später setzte sich die Vierzahl durch, sei es als Reminiszenz an die Flurprozession mit ihrem Segen in vier Himmelsrichtungen, sei es ganz einfach, weil man an jeder

Station aus einem der vier Evangelien vorlas. Die Dreizahl der Stationen spricht also in keiner Weise gegen den theophorischen Charakter der Veranstaltung.

c) Bozen

Innsbruck—Künzelsau zeigt uns, wenn auch durch einen leichten Schleier der Ungewißheit, den Gang der Entwicklung vom frühen Spiel zu den Fronleichnamszyklen; die Möglichkeiten der Weiterentwicklung erkennen wir am deutlichsten an den Spielen von Bozen und Freiburg. Die textliche Überlieferung in Freiburg und Bozen setzt erst enttäuschend spät ein[143]. In Freiburg wurde der erste Gesamttext 1576 niedergeschrieben, der älteste erhaltene Gesamttext in Bozen stammt gar aus dem Jahre 1590. Und doch begannen die Aufführungen in Freiburg mindestens im Jahre 1515, in Bozen stammen die ersten sicheren Belege aus dem Jahre 1471, wahrscheinlich reicht die Tradition dort aber noch weiter zurück. Aus den Texten läßt sich also nur ein verschwommenes Bild von der Entstehung und Frühform gewinnen. Das *Freiburger Spiel* wurde vermutlich 1515 aus Bozen übernommen. Starke textliche Übereinstimmungen, Ähnlichkeit oder Gleichheit im Aufbau, in der Szenenfolge, in der Szenenauswahl lassen über die Abhängigkeit Freiburgs von Bozen keinen Zweifel aufkommen. So muß man also versuchen, aus beiden Spielen zusammen die Frühform dieser Tradition abzuleiten, zumal, wie Dörrer erwiesen hat, im 16. Jahrhundert die Bozner Tradition einige Jahrzehnte lang völlig verkümmerte, und als sie dann etwa um die Mitte des Jahrhunderts

---

[143] Text für Freiburg: Ernst Eduard Martin, *Freiburger Passionsspiele des XVI. Jahrhunderts* (Zeitschrift der Gesellschaft für Beförderung der Geschichts-, Altertums- und Volkskunde, III) Freiburg: Gesellschaft . . .: 1872. Siehe auch: Wolfgang F. Michael, *Die Anfänge des Theaters zu Freiburg im Breisgau* Freiburg i. B.: Waibel: 1934 und Wolfgang F. Michael, *Die Geistlichen Prozessionsspiele in Deutschland* (Hesperia 22) Baltimore: Johns Hopkins Press: 1947, S. 52—59, so wie Anton Dörrer, ,,Fronleichnamsspiel, Freiburger" *Verfasserlexikon* I, S. 732—768. Für Bozen Texte: Anton Dörrer, *Bozner Bürgerspiele* (Bibliothek des Literarischen Vereins in Stuttgart 291) Leipzig: Hiersemann: 1941 und Anton Dörrer, *Tiroler Umgangsspiele* (Schlern-Schriften 160) Innsbruck: Wagner: 1957. Zur Interpretation: Anton Dörrer, ,,Fronleichnamsspiel, Bozner" *Verfasserlexikon* I, S. 698—730. In diesen Werken auch noch weitere Literatur.

wiederbelebt wurde, starken Änderungen im Text und Aufbau unterzogen wurde[144].

Da die Handschrift des *Innsbrucker Fronleichnamsspiels* in Neustift bei Brixen nur etwa 40 km von Bozen aufbewahrt wurde, so erwartet man natürlich, daß auch beim *Bozener Fronleichnamsspiel* das sogenannte Innsbrucker Dokument als Vorbild gedient habe. Doch weder im Wortlaut noch selbst in Struktur und Szenenauswahl lassen sich irgendwelche Zusammenhänge der beiden Traditionen erkennen. Man muß also das *Innsbrucker Fronleichnamsspiel* als Vorbild ausschalten. Dagegen finden sich starke textliche Übereinstimmungen zwischen dem *Bozener Passionsspiel* und *Fronleichnamsspiel,* und übrigens zeigt das *Freiburger Fronleichnamsspiel* textliche Zusammenhänge mit dem *Bozener Passionsspiel,* bei denen der *Bozener Fronleichnamsspieltext* von 1590 nicht als Bindeglied erscheint. Entweder muß also der ältere *Bozener Fronleichnamsspieltext* dem *Passionsspiel* noch näher gestanden haben oder das *Freiburger Spiel* hat hier direkt ohne Vermittlung des *Bozener Fronleichnamsspiels* aus dem *Passionsspiel* geschöpft[145]. Das *Fronleichnamsspiel* hat aber den *Passionsspieltext* in sehr charakteristischer Weise umgearbeitet. Nicht nur daß auch hier die Kreuzigung fehlt, sondern die Abschnitte aus dem Leben Jesu sind genau wie in der frühen Fassung in Künzelsau in kurze, vielfach epische erzählende Szenen aufgelöst.

Neben diese Szenen treten Ereignisse oder vielmehr Bilder aus dem Alten Testament und aus der Welt der Heiligen- und Märtyrerlegenden. Alles überragt die Behandlung Georgs und des Drachen. Wir haben vorher schon erwähnt, daß dieser Stoff gelegentlich auch in Einzelspielen behandelt wurde. Er erscheint ferner nicht nur in Bozen und Freiburg, er ist für die Fronleichnamsprozession auch aus Frankreich und Spanien überliefert und wurde schon vor der Einführung des Fronleichnamsfestes vielfach in Prozessionen mitgeführt[146]. Lebte in dem Drachen irgendein vor-

---

[144] Siehe hierzu: Anton Dörrer, *Tiroler Umgangsspiele* (Schlern-Schriften 160) Innsbruck: Wagner: 1957, S. 107 und anderswo.

[145] Textliche Zusammenhänge zwischen dem Bozener Fronleichnamsspiel und dem Freiburger Fronleichnamsspiel habe ich genau aufgeführt in meiner Besprechung des Dörrerschen Buches *Anzeiger für deutsches Altertum* LXXI (1958/1959), S. 82, Anm. 1.

[146] Siehe hierzu: Gerhard Matern, *Zur Vorgeschichte und Geschichte der Fron-*

christlicher Kult weiter, oder verkörpert er als Schlange den Sündenfall? Bedeutet die Überwindung des Drachens die Erlösung durch Christus? Wir wagen uns nicht in dieses gefährliche Feld der Spekulation. In Bozen trennt sich das Drachenspiel oder vielmehr das Drachenstechen im Barock völlig von Fronleichnamsprozession und Spiel und wird zu einer gesonderten Schaustellung am Nachmittag. Diese Szene mag älter sein als das *Fronleichnamsspiel*, daß sie dieses generierte, scheint nicht glaubhaft.

Die übrigen Heiligenszenen und die Szenen aus dem Alten Testament zeigen vielfach einen ähnlichen Charakter wie in Künzelsau, nämlich sie weisen darauf hin, sie präfigurieren das eigentliche Heilsgeschehen.

Der Bozener Text von 1590 überrascht durch sonderbare Unterteilung des Ganzen. Zunächst wird ein „Register wie der Gantz Vmbgang der Statt Botzen gehalten unnd angestelt werden solt" gegeben, das heißt, die genaue, übrigens durchaus nicht immer chronologische Reihenfolge der verschiedenen Figuren. Dann folgt der gesprochene Text. Aber bei mehreren Szenen fehlt der Text, und es heißt: „Reymen auff der Pin" oder auch: „Reymen nicht". Der Text der meisten dieser Szenen, darunter auch einiger, bei denen es hieß „Reymen nicht", wird am Schluß nachgetragen unter der Rubrik: „Jetzt fahen an die Acta vnd Reymen so auff der Pin geschehen wie volgt".

In zweifacher Weise wurde also aufgeführt: auf der Bühne, die, wie sich aus anderen Zeugnissen ergibt, auf dem Musterplatz bei der Pfarrkirche aufgebaut war, und in der Prozession selbst. Die komplizierteren, anspruchsvolleren Szenen wie auch besonders das Drachenstechen erforderten die größeren Möglichkeiten der Bühne. Man kann also annehmen, daß ursprünglich alles in der Prozession dargestellt wurde, daß die Trennung verursacht wurde durch die stärkere Entwicklung einzelner besonderer Auftritte. In einer Ordnung von 1543 wird nur der Text der Bühnenauftritte gegeben. Das sind aber damals nur zwei, nämlich die Anbetung der Könige und das Drachenstechen; während 1590 bereits weitere Auftritte: Propheten, Anbetung der Hirten hinzugekommen sind. Also die Entwicklung von den raschen Einzelbildern hinweg zu festen Spielen, wie wir sie in Künzelsau verfolgen konnten, wie wir

---

leichnamsfeier besonders in Spanien (Spanische Forschungen der Görresgesellschaft II, 10) Münster: Aschendorff: 1962, S. 78/79.

sie besonders deutlich noch in Freiburg im Breisgau nachweisen werden, darf man auch für Bozen annehmen. Das will heißen, auch in Bozen begann die Darstellung als präfigurative Erfassung der Heilswahrheit; Figuren aus dem Alten Testament, Heilige, Märtyrer verbanden sich mit Bildern aus dem Leben Jesu zu einer Demonstration für das Dogma der Transsubstantiation. Kurz, wenn auch Innsbruck selbst nicht zu der Entstehung des *Bozener Fronleichnamsspiels* beitrug, die Urform hatte auch hier wesentlich denselben Charakter.

d) Freiburg

Der Text des *Freiburger Fronleichnamsspiels* ist überliefert in zwei Gesamthandschriften mit den Daten 1599 und 1606[147]. Doch wurde, wie sich aus den Ratsprotokollen ergibt, die Niederschrift der älteren Handschrift schon 1576 begonnen (siehe Michael). Zudem zeigt auch diese Handschrift ganz ähnlich wie die von Künzelsau so viele verschiedene Schreiber am Werke, die umsetzten, kürzten, ergänzten, neue Szenen einfügten, andere zusammenfaßten, daß man auch hier eine lange Zeit des Wechsels und Werdens voraussetzen muß. Die ersten Hinweise auf das Spiel geben zwei Prozessionsordnungen; die eine kürzere ist undatiert, die andere nennt sich „Die ordnung des vmbgangs vff vnsers herren fronlichnamstag jm XV und XVI jar"[148]. Es wäre möglich, daß die erste undatierte Ordnung für das Jahr 1515 gilt und die zweite

---

[147] Text: Ernst Eduard Martin, *Freiburger Passionsspiele des XVI. Jahrhunderts* (Zeitschrift der Gesellschaft für Beförderung der Geschichts-, Altertums- und Volkskunde, III.) Freiburg i. B.: Gesellschaft . . .: 1872. Dort ausführliche Beschreibung der Handschrift. Zur Ergänzung siehe auch: Wolfgang F. Michael, *Die Anfänge des Theaters zu Freiburg im Breisgau* (Zeitschrift des Freiburger Geschichtsvereins 45) Freiburg: Joseph Waibel: 1934.

[148] Die ältere undatierte Ordnung ist abgedruckt, wenn auch in sehr ungenauer Form, in Oskar Sengpiel, *Die Bedeutung der Prozessionen für das geistliche Spiel des Mittelalters in Deutschland* (Germanistische Abhandlungen 66) Breslau: M. &. H. Marcus: 1932, S. 22. Das Datum bezieht sich natürlich nicht auf diese Ordnung, wie Sengpiel fälschlich annimmt. Die zweite Ordnung ist wiedergegeben, in Neil C. Brooks, „Processional Drama und Dramatic Procession in Germany in the Late Middle Ages" *Journal of English and Germanic Philology* XXXII (1933) S. 141—171, die Ordnung ist S. 149—150.

nur 1516. Die beiden Ordnungen stehen nämlich eng zusammen in demselben Münsteranniversar. Die ältere undatierte findet sich auch in einem städtischen Buch, den Ratsbesatzungen. Von dort hat der Schreiber des Münsteranniversars sie kopiert. Beide Ordnungen enthalten nur Gruppen, die auch in der Bozener Ordnung von 1543 enthalten waren. Da die Wahrscheinlichkeit dafür spricht, daß Bozen nur einmal auf Freiburg wirkte, so darf man wohl annehmen, daß beide Ordnungen aus der Zeit stammen, in der das *Freiburger Spiel* sich erst kristallisierte. Viel früher kann das Spiel überhaupt nicht entstanden sein. Aus dem Jahre 1498 ist eine Beschreibung der Fronleichnamsprozession überliefert[149]. In diesem Jahre wurde der Reichstag in Freiburg abgehalten. Wäre das Spiel damals in Freiburg Tradition gewesen, hätte man es doch sicher bei dieser Gelegenheit vorgeführt. Die Beschreibung erwähnt das Spiel nicht.

Wie in Bozen entwickelt sich in Freiburg eine eigentümliche Zweiteilung der Darstellungen. Die große Masse der Gruppen wurde auf drei Stationen in der Prozession gezeigt[150]. Die Szene der Kreuzigung, in Bozen nicht vorhanden, und auch in Freiburg erst später hinzugekommen, wurde auf der letzten Station auf dem Münsterplatz gespielt. Es ist verständlich genug, warum man diese Kernszene in Künzelsau, in Bozen und zunächst auch in Freiburg überging: im Rahmen der raschen Bilderfolge der Prozessionsspiele ließ sich der technisch komplizierte Vorgang der Kreuzigung nicht bewältigen. Auch in Freiburg scheint man zuerst keine Kreuzigungsszene vorgesehen zu haben; in der Ordnung II heißt es einfach: „Goltschmid vnd Moller das creutz vfgericht mit ir zůgehordt". Im Jahr 1526 wird die Summe für die Maler und Goldschmiede, die diese Szene betreuten, auf einmal bedeutend erhöht (Michael, *Die Anfänge*, S. 76). 1534 lesen wir in den Ausgabebüchern von dem „spil des lebendigen crütz spils", 1542 von „denen die bey dem spil am kilchhof (Münsterplatz) an unsers hergotstag sind gsin", 1544 und 1546 von „denen, die unsers hergotz liden gespilt by dem crütz durch bonaventura am rein". Mehrfach ist nun von dem „spil am kilchhoff" die Rede. Diese ein wenig mysteriösen

[149] Heinrich Schreiber, *Urkundenbuch der Stadt Freiburg von den frühesten Zeiten bis auf jetzige Zeiten.* Freiburg: Herder: 1829, II, 2, S. 631.

[150] Dies ergibt sich aus der Beschwerde-Schrift des Pfarrherrn, der sich darüber beklagt, er müsse „das hittlin im spil underhalten uff 3 tisch". Siehe hierzu Michael, *Die Anfänge* . . ., S. 29.

Einträge in den Ausgabebüchern werden deutlich gemacht durch eine Stelle in den Ratsprotokollen; 1542 heißt es:

> ist erkant, daß jars uff unsers herrgotstag den umbgang mit dem spil wie von alterher zuhalten, an den lebendigen herrgot am creuz, den sol man zu dreyen jarn ein mal halten mit dem spil.
> ist weiter erkant, diß jars den lebendigen herrgot auch haben will.

Mit anderen Worten, es gab damals schon und offenbar seit etwa 1526 zwei Vorführungsformen der Kreuzigung: ein einfacheres Umgangsspiel, in dem statt der Kreuzigung nur ein Kruzifix gezeigt wurde, und ein Sonderspiel auf der letzten Station, auf dem Münsterplatz: eine wirkliche Kreuzigung. Dieses letztere kompliziertere Spiel sollte nur alle drei Jahre aufgeführt werden. (Nach den späteren Belegen in den Ratsprotokollen scheint es freilich doch regelmäßig dargestellt worden zu sein.) An den Einträgen in den städtischen Büchern können wir das langsame Anwachsen der Kreuzigungsszene verfolgen. 1561 wird das Spiel Passion genannt. 1578 ist in den Ratsprotokollen zuerst von einer „prüge", also einer Bühne die Rede. 1599, beim Abschluß der älteren Handschrift A hat das Passionsspiel schon so an Umfang gewonnen, daß die Umgangsspiele daneben völlig verblassen. Trotzdem hat man noch 1599 eine Szene im Umgangsspiel, die der eigentlichen Passion, wenn auch in außerordentlich verkürzter Form völlig entspricht, nur keinen Christusdarsteller enthält. Sie wurde noch immer von Station zu Station aufgeführt, obwohl längst die aus ihr entsprossene Passion dieses kleine Bild recht armselig erscheinen ließ. In der Handschrift von 1606 fiel nicht nur die Kreuzigung in der Prozession weg, die Szenen vom Abendmahl bis zur Auferstehung wurden in das Passionsspiel aufgesogen, das übrigens jetzt in Akte eingeteilt erscheint. Die Prozessionsspiele, obwohl noch immer vorhanden, haben daneben jegliche Bedeutung verloren. In Freiburg läßt sich also die Entwicklung vom Prozessionsspiel zum Spiel auf fester Bühne, von der lockeren Bilderreihe zur Einfassung in einen scharf abgrenzenden Rahmen besonders deutlich beobachten. Jedoch es gab auch andere Fronleichnamsspiele, die diesem Prozeß nicht unterworfen waren.

e) Biberach, Ingolstadt

Neil C. Brooks hat uns mit einer Ordnung aus Biberach aus dem späten 15. Jahrhundert bekannt gemacht[151]. In Biberach gingen die „Figuren“ in der Fronleichnamsprozession mit. Am Schluß „übten“ die Figuren mit „Hüpschen sprüchen“ auf einer „Rüsste“ (Bühne) auf dem Marktplatz ein Spiel, das von der Schöpfung bis zum Jüngsten Gericht reichte. Freilich überragen die Figuren aus dem Leben Jesu alles andere. Auch die Kreuzigung wurde dargestellt, wie ein Hinweis auf „die Siben wortt“ erkennen läßt. Dennoch gibt das Ganze in der raschen Aufeinanderfolge der Szenen den Eindruck bildhafter Flüchtigkeit; die größeren Möglichkeiten der festen Bühne scheinen nicht genutzt.

Neil C. Brooks hat uns noch ein anderes Spiel vermittelt, das ebenfalls nur in einer Ordnung erhalten ist, ein *Ingolstädter Fronleichnamsspiel*[152]. Brooks weist eindeutig nach, daß dieses Stück nahezu seinen gesamten Gehalt aus einer *Biblia Pauperum* übernahm, und zwar aus einer bestimmten Ausgabe dieser *Biblia*, die Albrecht Pfister in Bamberg etwa zwischen 1462 und 1464 drucken ließ. In unhistorischer Folge werden präfigurativ Szenen aus dem Alten Testament vorgeführt, dann folgen Szenen aus dem Neuen Testament begleitet von Prophezeihungen der Propheten; oder man sollte besser sagen, die Prophetensprüche werden begleitet von der entsprechenden Handlung aus dem Neuen Testament. So könnte man erklären, wie zu dem ursprünglichen Charakter der Fronleichnamsspiele, wie er in Innsbruck überliefert ist, dem Charakter des Zeugnis Ablegens, die Handlung hinzutritt. Das bezeugte Ereignis wird ausgespielt. Es ist nicht ganz klar, wie die Ingolstädter Ordnung dargestellt wurde. Brooks meint: „The figures of this and similar early processions were doubtless for the most part without spoken words“ (S. 1). Das ist kaum denkbar. Gesprochener (oder gesungener) lateinischer Text wird nur in freilich verstümmelten Incipits wiedergegeben. Es handelt sich also bei diesem Ordnungsbuch um eine Art Dirigierrolle. Weiterer lateinischer Text und

---

[151] Neil C. Brooks, „Processional Drama and Dramatic Procession in Germany in the Late Middle Ages“ *Journal of English and Germanic Philology* XXXII (1933) S. 141—171. Das Biberacher Spiel S. 146/147.

[152] Neil C. Brooks, „An Ingolstadt Corpus Christi Procession and the *Biblia Pauperum*“ *Journal of English and Germanic Philology* XXXV (1936) S. 1—16.

wahrscheinlich auch deutscher Text wird vorhanden gewesen sein; man hatte ihn nur nicht niedergeschrieben.

f) Zerbst und lebende Bilder

Allerdings gibt es auch Fronleichnamsdarstellungen ohne jeglichen Dialog. Aus Zerbst sind aus dem frühen 16. Jahrhundert Dokumente erhalten, die eine eigentümliche Sonderform demonstrieren[153]. Eine große Anzahl von Figuren zog in der Fronleichnamsprozession mit. Auf der ersten Station wurden diese Figuren dargestellt. Aber statt dramatischer Dialoge oder wenigstens eines gewissen Redeaustauschs und dazwischen eingestreuter Monologe sind hier die Figuren zu lebenden Bildern verstummt, zu denen eine Art Rector Processionis einen erklärenden Text vortrug. Wie rasch diese Bilder vor dem Publikum vorüberzogen, kann man daraus sehen, daß oft von Figur zu Figur Reimbrechung erfolgt, ja einige Figuren werden nur mit einer Zeile erläutert. Keiner Figur ist mehr als ein Halbdutzend Reimpaare zugewiesen. Der ganze Text besteht nur aus 199 Reimpaaren. Er konnte also ziemlich rasch heruntergepoltert werden. Natürlich war auch die *Zerbster Prozession* theophorisch. Ausdrücklich wird hingewiesen:

Unnd seyn heiliges bluet, das do floes,
Das tregt der prister in seyne hant.
Dancken wir Iesu, dem rechten heylant. (v. 286—288)

Die Zerbster Darstellungen zeigen nun in der Auswahl der Figuren eine erstaunlich weitgehende Übereinstimmung mit Künzelsau und nur mit diesem[154]. So darf man aus diesem Zusammenhang vielleicht die Entstehung der merkwürdigen Form ableiten. War schon in Künzelsau der begleitende Text des Rector Processionis

[153] Text und Behandlung: Willm Reupke, *Das Zerbster Prozessionsspiel 1507* (Quellen zur deutschen Volkskunde 4) Berlin und Leipzig: Walter de Gruyter: 1930.

[154] Siehe hierzu: Wolfgang F. Michael, *Die geistlichen Prozessionsspiele in Deutschland* (Hesperia 22) Baltimore: Johns Hopkins Press: 1947, S. 63/64. Ferner auch: Teiel Mansholt, *Das Künzelsauer Fronleichnamsspiel* Diss. Marburg, Marburg: C. L. Pfeil: 1892, S. 79 und Oskar Sengpiel, *Die Bedeutung der Prozessionen für das geistliche Spiel des Mittelalters in Deutschland* (Germanistische Abhandlungen 66) Breslau: M. &. H Marcus: 1932, S. 115. Mansholt und Sengpiel glauben freilich an eine Abhängigkeit Künzelsaus von Zerbst; das ist schon historisch nicht möglich.

in einigen Szenen dominierend, so mag schließlich der Dialog oder Monolog der Einzeldarsteller gänzlich verstummt sein, so daß einzig der begleitend erläuternde Text übrig geblieben war, der der Pantomime oder eher lebenden Bildern als erklärender Hintergrund diente. Das lag ganz im Geschmack der Zeit, der Zeit der prunkhaften Aufzüge, wie sie in Deutschland nach italienischem und niederländischem Vorbild populär wurden.

Solche Fronleichnamsprunkzüge, sei es auch nur mit bescheidenem Prunk, gab es auch in Deutschland. Das bedeutendste Beispiel hierfür war ein jährlich in München abgehaltener Festzug[155]. Und dieser Festzug diente als Vorbild für andere Umgänge aus derselben Gegend, wie sie zum Beispiel aus Wasserburg und Innsbruck überliefert sind[156]. Mit den dramatischen Prozessionen haben diese Prunkdarbietungen Ähnlichkeit nur in der Stoffwahl. Auch hier erscheinen Propheten und Heilige neben Szenen aus dem Neuen Testament. Das erweckt den Verdacht, daß diese Bilderreihen Fronleichnamsdramen zum Vorbild hatten, vielleicht selbst einst dem gesprochenen Dialog ihre Entstehung verdankten. Wie sonst erklärt man die Propheten und Heiligen, die nur als sprechende Zeugen für die Heilswahrheit Bedeutung und Sinn bekamen und nun verstummt den Bilderbüchern einer Weltchronik höchstens noch Vielfalt und Farbe verliehen. Übrigens vertreten München und Wasserburg auch Zerbst gegenüber eine andere Form. Selbst der begleitende Text fehlt. Ein langatmiges Epos des Meistersinger Daniel Holzmann über die Münchener Darstellung aus dem späten 16. Jahrhundert war nur zur Lektüre gemeint, nicht zur Verwendung bei der Aufführung[157]. Die Münchener Darstellungen boten also im späteren 16. Jahrhundert wirklich nur lebende Bilder. Fronleichnamsdarstellungen in München sind aber schon im

---

155 Siehe hierzu: August Hartmann, *Volksschauspiele in Bayern und Österreich-Ungarn* Leipzig: Breitkopf und Härtel: 1880, S. 428. Ferner: Otto Hartig, „Münchner Künstler und Kunstsachen II 1520—1559" *Münchner Jahrbuch der bildenden Kunst* n. F. VII (1930) 338—376. Endlich Neil C. Brooks, „An Ingolstadt Corpus Christi Processions . . ." S. 3, Anm. 4.

156 Siehe hierzu: Michael, *Die geistlichen* . . ., S. 66.

157 Carl von Prantl, „Über Daniel Holzmanns Fronleichnamsspiel vom Jahre 1574" *Sitzungsbericht der philosophisch-philologischen und historischen Klasse der königlich-bayrischen Akademie der Wissenschaften zu München*, III, (1873) 843—888.

15. Jahrhundert belegt; welche Form sie damals hatten, läßt sich nicht mehr erkennen.

g) Eger

Alle diese Fronleichnamsdarstellungen, ganz gleich wie dramatisch sie waren, waren verknüpft mit der Fronleichnamsprozession, sie erläutern, sie ergänzen sie. Es gibt aber aus deutschem Sprachgebiet ein Fronleichnamsspiel, das keinerlei Beziehung zu einer Prozession zeigt, das *Fronleichnamsspiel aus Eger*. Der Text, etwa 1460 niedergeschrieben, im frühen 19. Jahrhundert im Egerer Archiv wiederentdeckt, wurde von dem Entdecker dem Germanischen Museum in Nürnberg „geschenkt"[158]. Nicht nur die Sprache, auch gewisse Namen in dem Spiel, die mit Namen in Eger übereinstimmen, erweisen die Egerer Herkunft. Die Archive in Eger enthalten Hinweise auf ein „Spil an gotsleichnamstag" von 1443 an (Gradl, Nr. 49). Diese Hinweise wiederholen sich in außerordentlicher Fülle etwa alle zwei bis drei Jahre bis zum Jahre 1517, also genau bis zur Reformation. Daneben wird ab 1500 auch ein Passionsspiel erwähnt, es heißt aber dann „Passio: Spiel gehalten zu Pfingsten" (Gradl, Nr. 46). Da aber Pfingsten und Fronleichnam nicht sehr weit auseinanderliegen, da gerade für 1500 auch ein Eintrag für die, „die in dem Spyll warn zu goczleichnams tag," erhalten ist, so muß es sich doch wohl um dasselbe Spiel handeln. Es ist kaum vorstellbar, daß in so enger Zeitfolge zwei offensichtlich große Spiele abgehalten wurden. Die städtischen Bücher erwähnen nun: Adam und Eva, den Stern (mehrfach), Sent Johann, die drei Könige (mehrfach), die proffeten und schließlich die Appostell und

[158] Siehe hierzu: Karl Siegl, „Das Egerer Fronleichnamsspiel" *Unser Egerland* XXXV (1931) 33—39. Der Text des Spieles in mustergültiger Ausgabe: Gustav Milchsack, *Egerer Fronleichnamsspiel* (Bibliothek des litterarischen Vereins in Stuttgart 156) Tübingen: Litterarischer Verein: 1881. Auszüge aus den Archiven: Heinrich Gradl, „Fronleichnamsspiele. Deutsche Volksaufführungen. Beiträge aus dem Egerlande zur Geschichte des Spiels und Theaters Nr. 49" *Mitteilungen des Vereins für Geschichte der Deutschen in Böhmen* XXXIII (1895) 229—234. Zur Sprache siehe: Anton Klitzner, *Vokalismus der Reime im Egerer Fronleichnamsspiel* Diss. Wien 1920, HS. und Wilhelmina (Iggers) Abeles, *Studies in the Vocabulary of the Egerer Fronleichnamsspiel, with Special Reference to the Egerlaender Dialect.* Thesis, Chicago 1943. Ferner siehe auch: Anton Dörrer, „Passionsspiel, Egerer" *Verfasserlexikon* III, S. 738—741.

pffroffethen (sic.). Das sind also alles Gestalten, die den Gehalt der meisten Fronleichnamsspiele wohl charakterisieren. Betrachtet man nun aber den Text, so erhält man einen völlig anderen Eindruck. Gewiß, die erwähnten Gestalten erscheinen alle auch im Text, aber sie sind der Gesamtmasse recht sehr untergeordnet. Das *Egerer Spiel* ist ein außerordentlich umfangreiches festes Bühnendrama. Auf drei Tage verteilt, umfaßt es die Ereignisse von der Schöpfung bis zu Christi Erscheinung vor dem ungläubigen Thoma. Der erste Tag enthält Szenen aus dem Alten Testament wie Schöpfung, Sturz Lucifers, Adam und Eva, Kain und Abel, Sündflut, Abraham, das goldene Kalb, David und Goliath, Salomos Urteil und schließlich ganz kurz Prophezeiungen von Isaias, Ieremias, Abacuk, Ezechiel. Dann wird ausführlich die Geburt Mariae und die Weihnachtsgeschichte behandelt; mit Jesu im Tempel schließt der erste Tag. Der zweite Tag behandelt die Ereignisse von der Berufung der Jünger bis zur Verurteilung Christi, wobei die Leidensszenen besonders eingehend vorgeführt werden. Der dritte Tag bringt die Kreuzigung mit genauem Detail und dann das eigentliche Osterspiel. Ganz im Gegensatz zu den prozessionalen Spielen betonte man in Eger die Ausschnitte mit Handlungsgehalt. Die Lektüre des Textes zeigt mehr noch als die bloße Aufzählung der Auftritte, daß an die Stelle bildhafter Flüchtigkeit feste zusammenhängende Handlung getreten ist mindestens für den zweiten und dritten Tag, aber auch die zweite Hälfte des ersten. Über die Aufführungsform zwar läßt sich wenig ermitteln. Eine außerordentlich umfangreiche Simultanbühne wurde benötigt. Ob ein Podium benutzt wurde, läßt sich nicht klar erkennen; der Ausdruck „palacium", der in anderen, besonders norddeutschen Spielen Bühnenpodium bedeutet, steht hier für die Mansion des Herodes, während Pilatus ein „pretorium" bewohnt. Auch andere Mansionen sind besonders am zweiten Tag über die Spielfläche verteilt: ein sepulcrum für Lazarus zum Beispiel und natürlich der Tempel.

Die Zuschauer saßen, ob auf Bänken oder auf dem Boden bleibt ungewiß. Aber an jedem Tag fordert der Precursor das Publikum auf „Sezt euch nider und schweiget still" (Milchsack, S. 1, v. 25, ähnlich v. 2844 und 5722). Nahezu 3000 Zeilen pro Tag kann selbst die enthusiastischste Zuhörerschaft kaum durchgestanden sein. Wenn aber die Zuschauer saßen, so muß ein Bühnenpodium oder eine Zuschauertribühne vorhanden gewesen sein, sonst wäre jede Sicht unmöglich geworden.

Wir führten das aus, um den völlig anderen, den statischen Charakter dieses Spiels zu betonen. Soweit man sehen kann, bestehen keine klaren Beziehungen zu irgendeinem der anderen Fronleichnamsspiele. Noch auch lassen sich deutliche Zusammenhänge mit anderen Passionsspielen erkennen. Wackernell zwar zeigte Übereinstimmungen mit der *Tiroler Passion*, aber inzwischen wurde nachgewiesen, daß beide Traditionen aus einer gemeinsamen undramatischen Quelle schöpften, nämlich aus einem Passionstraktat[159]. Dagegen hat das *Egerer Spiel* die gesamte *Prager Marienklage*, und zwar ziemlich genau, in sich aufgenommen[160].

In gewisser Weise also bleibt das *Egerer Spiel* ein Rätsel. Fronleichnamsspiel ist es nur insoweit, als es zum Fronleichnamstag aufgeführt wurde. Es zeigt nicht wie alle anderen Spiele irgendwelche inneren Beziehungen zur Fronleichnamsfeier. Übereinstimmungen mit anderen Dramen außer mit der *Prager Marienklage* bleiben so oberflächlich — zum Beispiel auch mit denen des Frankfurter Kreises — daß auch diese zur Entstehungsfrage keinen Aufschluß bieten. Es ist nicht wahrscheinlich, daß hier ein Passionsspiel einfach auf eine günstigere Jahreszeit verlegt wurde; warum sonst schon im frühen 15. Jahrhundert die Hinweise auf den Fronleichnamstag. Aber auch für die Entwicklung vom Fronleichnamsspiel zum Passionsspiel wie etwa in Freiburg fehlen alle Anzeichen, es sei denn diese Entwicklung wäre schon sehr früh eingetreten. Kurz das *Egerer Spiel* scheint in seiner Form ungeklärt.

16. Die Passionsspiele

a) Das Wiener Passionsspiel

Unter allen Dramen des Mittelalters erregt die Gattung der Passionsspiele einzigartiges Interesse wegen der Problematik ihrer Entstehung, wegen der Fülle der Überlieferung, durch die weite Zeitspanne der Tradition, durch die überragende Ausdehnung der

[159] J. E. Wackernell, *Altdeutsche Passionsspiele aus Tirol* (Quellen und Forschungen zur Geschichte, Litteratur und Sprache Österreichs 1) Graz: Styria: 1897. Dagegen: K. Ruh, „Studien über Heinrich von St. Gallen und den ‚Extendit manum'-Passionstraktat" *Zeitschrift für schweizerische Kirchengeschichte* XLVII (1953) 210—230, 241—271.

[160] Siehe hierzu: Gierach, „Fronleichnamsspiel, Egerer" *Verfasserlexikon* I S. 730—732.

Texte und schließlich auf Grund des außerordentlichen Nachhalls im Leben des spätmittelalterlichen Stadtgefüges, der spätmittelalterlichen Gesellschaft.

Bei der Behandlung der lateinischen Passionsspiele besprachen wir verschiedene Entstehungstheorien, und wir deduzierten, daß die Entwicklung von der Visitatio zum lateinischen oder auch direkt zum deutschen Osterspiel verlaufen sein müsse und von dort zum deutschen Passionsspiel, daß die beiden lateinischen Passionsspiele auf deutschem Boden, die von Benediktbeuren, wesentlich ohne Nachwirkung geblieben seien. Wir müssen nun doch eine Ausnahme heranziehen: das sogenannte *Wiener Passionsspiel.* Die Handschrift, in Wien aufbewahrt, aber mitteldeutscher Herkunft, ist ein Fragment aus dem Anfang des 14. Jahrhunderts, also aus noch recht früher Zeit[161]. Das Drama beginnt mit dem Sturz Lucifers. Unmittelbar nach dem folgenden Sündenfall werden Adam und Eva in die Hölle geschleppt; und gleich hört man die Bekenntnisse anderer sündiger Seelen, wie bei den Spielen von Christi Höllenfahrt. Ein zweites Bruchstück enthält eine Maria-Magdalena-Szene, die geschickt verknüpft ist mit Christi Gastmahl im Haus Symon. Das letzte Bruchstück gibt nur den Anfang des Abendmahls. Weite Teile besonders in der Maria-Magdalena-Szene bestehen aus lateinischen Gesängen. Hier insbesondere zeigen sich, allerdings nur im lateinischen Text, die starken Übereinstimmungen mit Benediktbeuren und zwar nicht nur im Wortlaut, sondern vor allem auch in der Musik[162]. Dabei wird freilich dieselbe Weise im *Wiener Spiel* mehrfach benutzt.

Die Form der Übereinstimmung läßt doch wieder Zweifel aufkommen an der Bedeutung des *Benediktbeurer Passionsspiels* als Vorbild. Was Wien aus Benediktbeuren übernimmt, ist wesentlich Vagantengut. Das „Mundi delectatio" erklingt und dann auf Deutsch andere lebensfreudige Lieder, die auch in späteren Spielen wieder gesungen werden. In der fragmentarischen Form kann man aus dem *Wiener Dokument* keine festen Schlüsse ziehen.

---

[161] Text: R. Froning, *Das Drama des Mittelalters* I (Deutsche National-Litteratur 14) Stuttgart: Union Deutsche Verlagsgesellschaft: o. D., S. 302—324. Dazu: Alfred Orel, „Die Weisen im Wiener Passionsspiel aus dem 13. Jahrhundert" *Mitteilungen des Vereins für Geschichte der Stadt Wien* VI (1926) 72—97, Anh. 1/3.

[162] Siehe hierzu die Ausführungen von Orel.

Ein anderes Fragment aus der Mitte des 13. Jahrhunderts, also noch früher, aus dem Kloster Himmelgarten bei Nordhausen im Harz ist so verstümmelt, daß man kein sehr klares Bild davon erhält[163]. Die Palmbaumlegende auf der Flucht nach Ägypten, eine Herodesszene, Berufung der Jünger und die Bergpredigt werden kurz angedeutet. Mir scheint bei dem Bruchstück nicht einmal der dramatische Charakter gesichert.

b) Gundelfingers Grablegung

Ein anderes, jedoch weit umfangreicheres und in seinem Charakter wesentlich erfaßbareres Bruchstück ist aus Luzern überliefert, die sogenannte *Grablegung des Mathias Gundelfinger*. Die Marienklagen wurden bei dieser Grablegung zum Zentrum des Ganzen. So könnte man scheinbar dieses Stück heranziehen, um die Herkunft des Passionsspiels aus der Klage zu demonstrieren, zumal aus Luzern Nachrichten von einem Osterspiel aus dem 15. Jahrhundert vorliegen und aus dem 16. Jahrhundert der Text und eine Fülle von Material zu einem der grandiosesten Passionsspieldarstellungen. Schon Renward Brandstetter, ein unermüdlicher Historiograph des *Luzerner Spieles*, sah in der Grablegung die Frühform der Luzerner Tradition. Kein Wunder, daß auch modernere Historiographen sich Brandstetters Ansicht anschlossen. Erst M. Blakemore Evans, der die Wiederverlebendigung der Luzerner Tradition sozusagen zu seiner Lebensaufgabe machte, erwies die Irrigkeit dieser Auffassung[164]. Ein Gundelfinger ist in Luzern nicht nachweisbar. Die *Grablegung* wurde 1494 abgefaßt; gerade in diesem Jahre wurde in Luzern nachweislich nicht gespielt. Zwischen der *Grablegung* und dem *Luzerner Spiel* bestehen keinerlei Übereinstimmungen. Der Umfang des *Luzerner Spieles* muß im späten 15. Jahrhundert schon erheblich größer gewesen sein als der der Grablegung, wie man aus dem sogenannten *Donaueschinger Passionsspiel*, einem frühen Sprößling aus dem *Luzerner Spiel*, deduzieren kann. Endlich und letztlich, die Sprache der *Grablegung* ist definitiv nicht die von Luzern, ja sie hat schwäbischen Einschlag. Durch einen Zufallsfund und sorgfältige Archivarbeit wurde das Dunkel um *Gundelfingers*

---

[163] Eduard Sievers, „Himmelgartner Bruchstücke" *Zeitschrift für deutsche Philologie* XXI (1889) 384—404.

[164] M. Blakemore Evans, „Gundelfingers Grablegung and the Lucerne Passion Play" *Germanic Review* IV (1929) 225—236.

Grablegung erhellt. Zwar, wie die Handschrift nach Luzern kam, bleibt auch heute ein Rätsel. Adolf Reinle hat den gesamten Hintergrund des Dokuments geklärt und zugleich eine mustergültige Ausgabe veranstaltet, leider in einer wenig zugänglichen Zeitschrift[165]. Mathias Gundelfinger, offenbar aus einer Bastardlinie eines Konstanzer Adelsgeschlechts, war Domherr in dem kleinen Rheinstädtchen Zurzach, das ein wenig östlich der Aaremündung auf der südlichen, der Schweizer Seite des Rheines gelegen ist. Die Namen der anderen Darsteller des Stückes sind ebenfalls in Zurzach nachweisbar. Dort wurde also das Osterspiel — Gundelfinger nennt es *Ludus de resurrectione Christi* — 1494 von Gundelfinger abgefaßt, wahrscheinlich auch unter Gundelfingers Regie dargestellt und zwar an zwei Tagen, am Karfreitag die Klage der Marien und die Grablegung, am Sonntag das eigentliche Osterspiel. Dieses zweite Spiel ging verloren. Aus dem Personenverzeichnis, das nicht nur eine Reihe von Teufeln, sondern auch Adam, Eva, Abraham, Jacob, Isaac und David erwähnt, ersieht man, daß die Höllenfahrt Teil des Spieles gewesen sein muß.

Das *Gundelfingersche Spiel* scheint, soweit ich sehe, von früheren Dramen völlig unabhängig geblieben. Angebliche Übereinstimmungen mit *Alsfeld* sind einzig der gemeinsamen Stoffquelle zuzuweisen. Die *Grablegung* wirkte auch kaum weiter. Nur der Zürcher Protestant Jakob Rueff schrieb sie teilweise für sein *Passionsspiel* aus. Die *Grablegung* stellt also nicht eine Stufe in einer langjährigen Tradition dar, sie war die einmalige Schöpfung Gundelfingers und sie wurde auch wohl nur einmal aufgeführt. Die Klage der Frauen, in geschickter Weise verbunden mit der Kreuzabnahme, ist im Wortlaut originell und geschmackvoll; ausdrücklich wird der Leichnam Christi der klagenden Maria in den Schoß gelegt. Die Pietaszene wird also, darauf hat auch Reinle hingewiesen, bildhaft dramatisiert. Die Wächterszenen, sonst gewöhnlich eine Quelle derben Humors, bleiben wesentlich ernst. Sprachlich zeigt der Text die Unsicherheit des Konstanzers auf nordschweizerischem Boden. Gundelfinger reimt einerseits „gleich — mich“ (v. 75/76), andererseits „schin — stein“ (v. 143/144), oder auch „sin — rain“ (v. 541/542) oder auch wieder „gebott — solt“ (v. 127/128) und dann be-

[165] Adolf Reinle, „Mathias Gundelfingers Zurzacher Osterspiel von 1494 ‚Luzerner Grablegung‘“ *Innerschweizerisches Jahrbuch für Heimatkunde* XIII/XIV (1949/50) S. 65—96.

nutzt er den amüsanten Reim „gerautten — Pilatum" (v. 415/416). Wenn Gundelfingers Werk auch nicht durch die Macht der Tradition weite Kreise zog, es wirkt auf uns heutige durchaus als eindrucksvolles Dokument.

c) Maastricht und Kreuzenstein

Bevor wir die drei großen Passionszyklen betrachten, müssen wir noch zwei weitere Passionsspielfragmente behandeln, die in engem Zusammenhang miteinander stehen, aber von der sonstigen Tradition wesentlich unabhängig geblieben sind, die Bruchstücke aus Maastricht und Kreuzenstein. Das erste Bruchstück, aus einem Kloster in Maastricht überliefert, glaubte der Herausgeber ins spätere 14. Jahrhundert verweisen zu müssen[166]. Braune behauptete sehr summarisch und ohne Begründung, es gehöre nach Köln[167]. Diese Auffassung unterstützte Behaghel in seinen „Beiträgen zur deutschen Syntax"[168]. Kasper Dörr bestimmt auf Grund sorgfältiger dialektgeographischer Studien, zum Teil an Hand des Marburger Sprachatlas, Aachen als Heimat des *Kreuzensteiner Dokuments*, das er um 1350 ansetzt und von dem *Maastrichter Werk* aus Maastricht — nach ihm frühes 14. Jahrhundert — abhängig sein läßt[169]. Zudem sieht er indirekte Beziehungen zur *Erlösung* und der *Frankfurter Dirigierrolle* oder jedenfalls dem hessischen Dramenkreis. Diese letzteren Zusammenhänge scheinen mir doch recht locker und ungewiß. Mag sein, daß hier die *Erlösung* als Brücke gedient hat. Dagegen erweisen sich die Übereinstimmungen der beiden Spiele untereinander als überraschend stark, zum Teil auch im Wortlaut. In der Maria-Magdalenen-Szene wird in beiden Spielen ein charmantes Minnelied:

> Alle creaturen vrouwent sich der liur zijt (Maastricht, v. 796, Kreuzenstein, v. 311)

gesungen[170]. Dazu drückt das übermütige Mädchen auch sonst ihre

---

[166] Julius Zacher „Mittelniederländisches Osterspiel" *Zeitschrift für deutsches Alterthum* II (1842) S. 302—350.

[167] *Zeitschrift für deutsche Philologie* IV (1873) S. 251.

[168] *Germania, Vierteljahrsschrift für deutsche Alterthumskunde* XXIV (1879) S. 29.

[169] Kaspar Dörr, *Die Kreuzensteiner Dramenbruchstücke* (Germanistische Abhandlungen 50) Breslau: M. &. H. Marcus: 1919.

[170] Ich folge hier ganz der Ausgabe Dörrs, der diesen Gesang und andere dazugehörige Zeilen in dem *Kreuzensteiner Spiel* Maria Magdalena zuweist.

Lebenslust in beiden Spielen sehr weitgehend in denselben Worten aus. Das mag man als allgemeines Vagantengut noch beiseite schieben, doch finden sich auch in anderen Szenen zum Beispiel bei der Berufung der Jünger sehr weitgehende Gleichheiten. Das ist umso bemerkenswerter, als vielfach die Textlücken in den beiden Spielen andere Szenen betreffen. Wenn wir also für beide Dokumente den gesamten Wortlaut besäßen, so würden gewiß die Zusammenhänge noch weit deutlicher herauskommen.

Das *Maastrichter Dokument* übertrifft das *Kreuzensteiner* sehr erheblich an Umfang. Es beginnt mit dem Höllensturz Lucifers. Nach der Schöpfung Adams und der Vertreibung aus dem Paradies folgt ein eigentümliches Gespräch zwischen Gott, Barmherzigkeit und Wahrheit über die Erlösung des Menschen. In einem langen Selbstgespräch beruft sich Gott auf die Figuren des Alten Testaments. Dann werden von der Ecclesia Balam, Ysaias, Virgilis, also Gestalten aus den Prophetenspielen, als Zeugen aufgerufen. Mit der Verkündigung Mariae beginnt eine umfassende Weihnachtsgruppe: die Hirten, die Könige, Herodes, die Flucht nach Ägypten, der Kindermord. Die eigentliche Geschichte Jesus' setzt ein mit Jesus im Tempel und umschließt Versuchung, Berufung der Jünger, Gastmahl zu Kana, dann ein ausführliches Maria-Magdalenen-Spiel, Gastmahl des Symon, Lazarus, Einzug in Jerusalem, Vertreibung der Krämer aus dem Tempel, zweites Gastmahl bei Symon, Beratung der Juden und Judas' Verrat, eine lange Ölbergszene. Vor der Gefangennahme Christi bricht die Handschrift ab. Selbst in dieser fragmentarischen Form umfaßt das Werk 1500 Verse. Das ursprüngliche Spiel muß also einen recht beträchtlichen Umfang gehabt haben.

Das *Kreuzensteiner Dokument* bleibt in seiner sehr verstümmelten Form viel kürzer. Es beginnt erst mit Christi Darstellung im Tempel. Auf der Rückkehr aus Ägypten wird die Palmbaumlegende genutzt. Die nächsten größeren Bruchstücke behandeln die Berufung der Jünger und die Hochzeit zu Kana. Kurze Szenenreste beziehen sich auf den Tanz vor Herodes und etwas ausführlicher auf die Magdalenen-Szene, die offenbar recht umfangreich gewesen sein muß.

Es ist sehr bedauerlich, daß diese beiden Traditionen nur so trümmerhaft auf uns gekommen sind. So ist es unmöglich zum Bei-

Der erste Herausgeber: J. Strobl, *Aus der Kreuzensteiner Bibliothek* Wien: Adolf Holzhausen: 1907 hatte diesen ganzen Auftritt der Tochter des Herodes zuerkannt.

spiel, den stofflich so umfangreichen Charakter von Maastricht zu erklären. Auch die Zusammenhänge mit der *Erlösung* bleiben dunkel. Ist wirklich Maastricht, wie Dörr meint, schon Anfang des 14. Jahrhunderts niedergeschrieben? Die *Erlösung* stammt ja frühestens aus dieser Zeit[171]. Das Verhältnis der *Erlösung* zum Drama ist überhaupt grundlegend. Das werden wir auch sehen, wenn wir nun zu der ältesten der drei großen Passionsspieltraditionen übergehen, derjenigen, die in Frankfurt ihr Zentrum und wohl auch ihren Ausgang hatte.

d) Der Frankfurter Kreis

Die Passionsspiel-Tradition, die aus dem westlichen Mitteldeutschland überliefert ist, zeichnet sich vor allen anderen deutschen Traditionen aus durch eine besonders große Zeitspanne der Überlieferung. Bis ins 13. Jahrhundert können wir diese Tradition verfolgen, und erst die Reformation setzt ihr ein Ende. Ein Vierteljahrtausend lang wird also hier gespielt. Auch an Zahl der Texte und Spielorte ist diese Tradition eine der reichsten. Einzig die Tiroler Gruppe übertrifft sie hierin. Aus Frankfurt, dem Zentrum und wahrscheinlich dem Ausgangspunkt, sind zwei Texte überliefert. Weitere Texte oder Bruchstücke wurden gefunden in Alsfeld, Friedberg, Fritzlar, Heidelberg (dieser Text stammt vielleicht aus Mainz). Ein Text, der in St. Gallen aufbewahrt wird, gehört in den Wormser oder Mainzer Raum. Dazu kommen Nachrichten von Aufführungen aus der Mitte des 15. Jahrhunderts aus Marburg. Schließlich liegt ein Textbruchstück vor aus einer Prophetenszene, die wegen ihres engen Zusammenhangs mit der *Erlösung* wohl auch zu diesem Kreis gerechnet werden darf.

Der zentrale Text, um den alle anderen Texte sich gruppieren, ist die sogenannte *Frankfurter Dirigierrolle*[172]. Bis vor kurzem meinte man, dieses Dokument stamme aus der zweiten Hälfte des 14. Jahrhunderts. Froning, Archivar in Frankfurt, glaubte, die *Dirigierrolle* sei niedergeschrieben in der Hand des Baldemar von Peterweil, eines verdienten Kanonikus am Bartholomäusstift, der

---

[171] Siehe hierzu: Friedrich Maurer, *Die Erlösung* (Deutsche Literatur in Entwicklungsreihen, Reihe geistliche Dichtung des Mittelalters 6) Leipzig: Philipp Reclam: 1934, S. 7.

[172] R. Froning, *Das Drama des Mittelalters* II (Deutsche National-Litteratur 14) Stuttgart: Union Deutsche Verlagsgesellschaft: o. D., S. 1—374.

von 1350 an in Frankfurt nachweisbar ist. Da man sich so an einen schönen Namen halten konnte, so ernannte man Baldemar auch sofort zum Verfasser der *Dirigierrolle* und damit natürlich zum Anreger der gesamten westmitteldeutschen Tradition. Archivdirektor Dr. Andernacht, ein Spezialist in der Baldemar-Forschung, hat nun aber eindeutig nachgewiesen, daß die *Dirigierrolle* nicht in der Hand von Baldemar geschrieben ist, ja daß wir sie erheblich früher ansetzen müssen, sie gehört nämlich ins frühe 14. Jahrhundert[173]. Die Schrift zeigt nämlich Züge ähnlich denen anderer Frankfurter Handschriften aus dem frühen 14. Jahrhundert. Das ist von eminenter Bedeutung nicht nur für die *Dirigierrolle* und die Frankfurter Tradition selbst; nicht nur wird die gesamte Dramentradition aus diesem westmitteldeutschen Gebiet dadurch in ein neues Licht gestellt, selbst die Bedeutung eines epischen Werkes wie der *Erlösung* erhält dadurch eine neue Perspektive. Soviel ist sicher, die *Dirigierrolle* wird jetzt umsomehr zum Kernstück der ganzen westmitteldeutschen dramatischen Entwicklung. Das Verhältnis der *Erlösung*, das Verhältnis des sogenannten *St. Galler Passionsspiels* zu dieser Tradition, das Verhältnis der eben behandelten *Spiele von Maastricht* und *Kreuzenstein* zur *Erlösung* und vielleicht auch zum westmitteldeutschen Drama, die Stellung des sogenannten *Stadeschen Weihnachtsspiels*, das alles muß neu untersucht und mit dem neuen Datum in Einklang gebracht werden. In diesem Rahmen können wir eine solche Aufgabe nicht lösen. Wir müssen uns begnügen, ein wenig provisorisch die komplizierten Verhältnisse darzustellen, und oft statt eine Antwort zu geben, mit neuen Fragen enden.

Die *Dirigierrolle* ist in ihrer Form etwas, was wir heute Regiebuch nennen würden; als „ordo sive registrum“ wird sie bezeichnet. Sie gibt, wenn auch nicht sehr ausführlich, die gesamten Bühnenanweisungen und dann jeweils die Anfangsworte jedes Darstellers, oder, wenn der Darsteller lateinisch zu singen hat, erscheint die erste lateinische Zeile und dann die erste deutsche. Ganz gleich also, ob der Spieler eine umfangreiche Rede vortragen sollte oder nur einige wenige Sätze, nur die erste Zeile oder nur zwei, drei Worte sind niedergeschrieben. So läßt sich zwar die genaue

---

[173] Siehe hierzu: Wolfgang F. Michael, *Frühformen der deutschen Bühne* (Schriften der Gesellschaft für Theatergeschichte 62) Berlin: Gesellschaft für Theatergeschichte: 1963, S. 27/28.

Aufführungsform rekonstruieren, und das ist tatäschlich in überzeugender Weise geschehen, aber der Umfang des Spieles bleibt ungewiß[174]. Freilich läßt sich der Text zum Teil aus den anderen Spielen rekonstruieren, die weitgehende Übereinstimmungen mit den Anfangszeilen der *Dirigierrolle* aufweisen. Aber natürlich bleibt auch hier vieles zweifelhaft.

Die *Dirigierrolle* läßt aber auch die weiter zurückliegende Entwicklung der Frankfurter Tradition deutlich erkennen. Die Aufführungen wurden, das geht aus dem Text klar hervor, im Freien veranstaltet, und zwar, wie Petersen nachgewiesen hat, auf dem Platz vor dem Römer, dem sogenannten Samstagberg. 1315 begann eine langwierige Bauperiode der Bartholomäuskirche; damals also wurden vermutlich die Aufführungen ins Freie verlegt. Petersen hat überzeugend dargelegt, daß vorher schon Darstellungen eines Osterspiels in der Kirche stattfanden, denn das Osterspiel der *Dirigierrolle* zeigt einen recht archaischen Charakter im Gegensatz zu der Passion, die eben angegliedert wurde, so wie im Freien der weitere Raum eine Ausdehnung nicht nur im örtlichen, sondern auch im zeitlichen Umfang ermöglichte. Die *Dirigierrolle* gibt zwar schon ein zweitägiges Spiel wieder, aber diese Zweiteilung ist noch ganz neu und noch provisorisch; denn es wird gesagt:

> Et notandum, quod optime congruit, ne populus nimiam moram faciendo gravetur, et ut resurrectio domini gloriosius celebretur, ut ulterior ordo ludi in diem alterum conservetur; quod si apud rectores deliberatum fuerit, Augustinus coram populo proclamet dicens sine rigmo, ut in die crastino revertatur. (Froning II, S. 363)

So können wir aus der Gestalt der *Dirigierrolle* die folgende Entwicklung deduzieren: vor 1315, vermutlich bis ins 13. Jahrhundert zurückreichend, ein Osterspiel in der Kirche; 1315 Verlegung dieses Osterspiels ins Freie; rasche Entwicklung, die dann zur Zeit der Niederschrift der *Dirigierrolle*, sagen wir etwa 1330, die Aufteilung auf zwei Tage erfordert; weitere Aufführungen und weitere Umgestaltungen ergeben sich aus mehrfachen Änderungen in der *Dirigierrolle*[175].

Der Text der *Dirigierrolle* wie auch der der sämtlichen anderen Spiele des Frankfurter Kreises zeigt nun weitgehende Überein-

[174] Zur Rekonstruktion der Bühnenform siehe Julius Petersen, „Aufführungen und Bühnenplan des älteren Frankfurter Passionsspieles" *Zeitschrift für deutsches Altertum* LIX (1921/22), S. 83—126.

[175] Siehe hierzu Michael, *Frühformen* . . . und Petersen.

stimmungen mit dem Epos die *Erlösung*, das ebenfalls dem frühen 14. Jahrhundert und derselben westmitteldeutschen Landschaft zugehört[176]. Neil C. Brooks und unabhängig von ihm R. M. S. Heffner haben, wie mir scheint, eindeutig nachgewiesen, daß die Übereinstimmungen zwischen der *Erlösung* und den anderen westmitteldeutschen Spielen sämtlich auf die *Dirigierrolle* zurückgeführt werden können, daß keine direkte eigene Beziehung dieser Spiele zu der *Erlösung* besteht[177].

Natürlich ist es immer schwer bei einem Text, der nur aus Incipits besteht, definitive Schlüsse auf Zusammenhänge zu ziehen. Der Gang der Entwicklung könnte aber etwa so verlaufen sein. Nachdem das Osterspiel ins Freie verlegt worden war, wurde der Drang es weiter auszubauen, Szenen aus der Passion einzufügen, befriedigt, indem man das in dieser Gegend wohlbekannte Epos heranzog und den Text in dramatische Form umgoß, dazu gewiß auch die eigene Phantasie walten ließ, besonders aber in der Struktur und Anordnung des Ganzen den dramatischen Notwendigkeiten wie auch anderen eigenen Ideen folgte. So ließe es sich auch erklären, daß, wie Petersen S. 101 meint:

> das spiel ist also nicht, wie beim ersten tage, auf dem text der Erlösung aufgebaut, sondern nur gelegentlich durch entlehnungen aus der epischen dichtung aufgeputzt. das bedeutet chronologisch, daß der text des zweiten tages in seinem grundstock bereits vorhanden war, ehe der des ersten tages zusammengestellt wurde.

oder, können wir hinzufügen, ehe die *Erlösung* überhaupt existierte, oder jedenfalls ehe man von ihr Kenntnis hatte. So diente sie eben nur ein wenig zur Erneuerung des älteren Teiles[178].

---

[176] Text der *Erlösung* und gute Einführung: Friedrich Maurer, *Die Erlösung* (Deutsche Literatur Reihe geistliche Dichtung des Mittelalters 6) Leipzig: Philipp Reclam: 1934.

[177] Neil C. Brooks, *On the Frankfurt Group of Passion Plays*. Diss. Harvard, 1898. Ms., R. M. S. Heffner, „Borrowings from the *Erlösung* in a ‚Missing' Frankfurt Play" *Journal of English and Germanic Philology* XXV (1926) 474—497. Die Arbeit von Carl Schmidt, *Studien zur Textkritik der Erlösung* Diss. Marburg, 1910. Marburg: Koch: 1911, sucht nachzuweisen, daß die *Erlösung* auch noch direkt auf die späteren Spiele gewirkt habe. Bei dem unvollständigen Charakter der *Dirigierrolle* läßt sich das natürlich kaum sicher nachweisen. Aber selbst falls er recht haben sollte, würde das keinen wesentlichen Unterschied machen.

[178] Übrigens hält Petersen, S. 101 unmittelbare Dramatisierung der *Erlösung* für am wenigsten wahrscheinlich, aber er begründet diese Ansicht nicht.

Nun ist zweitens zu fragen: Was ist die Stellung des sogenannten St. *Galler Passionsspiels* in dieser Entwicklung? Auch dieses Spiel wurde im frühen 14. Jahrhundert niedergeschrieben, auch dieses Spiel stammt aus derselben westmitteldeutschen Gegend. Die späteren Spiele: *Frankfurt* II, *Heidelberg, Alsfeld* (und mit ihm zusammen auch *Friedberg*) weisen starke Übereinstimmungen mit *St. Gallen* auf. Gehen diese Übereinstimmungen schon auf die *Dirigierrolle* zurück? Wolter sucht das nachzuweisen, wenn auch nur für einen Teil dieser Übereinstimmungen; Stopp folgt ihm summarisch, während Petersen (S. 89 Anm.) es meines Erachtens klar widerlegt[179]. Die Frage: beeinflußte *St. Gallen* die *Dirigierrolle* oder die *Dirigierrolle St. Gallen*, kann dann also so beantwortet werden: Beide existierten unabhängig voneinander ohne gegenseitige Einwirkung, beide haben für das spätere westmitteldeutsche Drama als Quelle gedient.

Wir wollen nun nicht im einzelnen der weiten Verzweigung des Frankfurter Stammbaums nachspüren und mit unübersichtlichem Detail ermüden, wir wollen lieber kurz zusammenfassen, in welcher Weise die einzelnen Dokumente jedes in seiner Art denselben Stoff, denselben Text umarbeiteten, zu neuer Wirkung brachten.

Die Anordnung der *Dirigierrolle* bleibt im wesentlichen ziemlich traditionell. Das ganze Drama ist einbezogen in einen, man möchte sagen, missionarischen Rahmen. Augustinus beginnt das Spiel mit einer Predigt — der Ausdruck sermo wird gebraucht — und indem er verschiedene Propheten zu Zeugen aufruft. Jedem Propheten antwortet aber ein ungläubiger Jude. Der aus dem Prophetenspiel übernommene missionarische Stoff, der schon im *Benediktbeurer Weihnachtsspiel* durch die Opposition der Juden an dramatischer oder mindestens dialektischer Lebendigkeit gewonnen hatte, wird also auch hier zur Begründung für das gesamte Drama. Ganz am Schluß, am Ende des zweiten Tages wird der stoffliche Rahmen

[179] Emil Wolter, *Das St. Galler Spiel vom Leben Jesu* (Germanistische Abhandlungen 41) Breslau: M. & H. Marcus: 1912, S. 139—140. Hugo Stopp, *Untersuchungen zum St. Galler Passionsspiel* Diss. Saarbrücken, o. O.: o. V.: 1959, S. 117, Anm. 7. Wir benutzen im folgenden nur die Ausgabe von Wolter. Die spätere Ausgabe von Eduard Hartl, *Das Benediktbeurer Passionsspiel, Das St. Galler Passionsspiel,* (Altdeutsche Textbibliothek 41) Halle: Max Niemeyer: 1952 ist wesentlich eine Verschlimmbesserung. Die wilden Emendationen, die Hartl vornimmt, machen den Text völlig unbrauchbar.

wieder aufgegriffen. Acht oder zehn Juden — so vage drückt sich der Text aus — kommen zu Augustinus, um sich taufen zu lassen. Krone und Mantel entfallen der gedemütigten Synagoga. Mit dem aus dem Osterspiel übernommenen „Christ ist entstanden" (sic.) beschließt Augustinus das Gesamtwerk.

Das eigentliche Drama beginnt mit der Taufe Christi und der Gefangensetzung Johannes des Täufers. Nach der Versuchung, nach der Berufung der Jünger folgen eine ganze Anzahl von Heilungsszenen unterbrochen nur durch den Besuch der Jünger des Johannes bei Jesus und später durch den Tanz von Herodes Tochter und der Hinrichtung des Johannes. Maria Magdalena, deren Weltleben, wie es scheint, verhältnismäßig kurz behandelt ist, wird durch Christi Predigt bekehrt. Weitere Heilungsszenen gipfeln in der Erweckung des Lazarus, die die Gegenaktion der Juden einleitet. Doch zunächst folgt der Einzug in Jerusalem und das Gastmahl in Symons Haus, bei dem Maria Magdalena noch einmal verziehen wird. In der Incipit-Form wirkt das Abendmahl fast wie eine Wiederholung des Gastmahls. Die Ölbergszenen werden geschickt aufgeteilt durch eine Szene zwischen Judas und den Juden. An die Gefangennahme schließen sich recht abrupt die verschiedenen Gerichtsszenen, die, soweit sich das aus den Incipits ersehen läßt, unverhältnismäßig kurz gehalten sind. Pilatus und Herodes begegnen sich; das ist ein ungewöhnlicher Zug. Auch die eigentliche Kreuzigung erscheint recht flüchtig. Der Mutter Gottes ist nur ein Incipit gegeben, und von den sieben Worten Christi fehlt das „mich dürstet". Unmittelbar nach dem Tod durchsticht Longinus Christi Körper. Wiederum bleiben die Marienklagen erstaunlich kurz; nur zwei Incipits sind vorgesehen. (Im späteren Frankfurter Spiel füllen die Klagen der Frauen und die Antworten des Johannes Seiten über Seiten.) Joseph erhält die Erlaubnis, Christ zu begraben, und mit dem Begräbnis und der Grabwache durch die Soldaten endet der erste Tag.

Wie Petersen ganz richtig hervorhob, bleibt das Osterspiel noch weit stärker in der Tradition. Die Incipit-Zahl des ersten Tages beträgt 250, die des zweiten 175. Nicht daß die Reden des zweiten Tages länger zu denken sind, noch auch daß die Aufführung kürzere Zeit in Anspruch nahm, sondern ein weit größerer Teil der Zeilen war auf lateinisch, wurde gesungen.

Das Spiel steht voll und ganz in der Tradition des frühen Osterspiels — wir wiederholen nur, was Petersen bereits hervorgehoben hatte — Höllenfahrt, der Bericht der Soldaten, die Visitatio mit einer kurzen, aber vermutlich konservativ gehaltenen Krämerszene, die Erscheinung vor Maria Magdalena, das *Victimae Paschali*, der Wettlauf der Apostel, die Erscheinung vor den Jüngern, der Gang nach Emmaus, die nochmalige Erscheinung vor allen Jüngern, die Himmelfahrt, das bewegt sich alles in Incipits, die nicht in den späteren Spielen wiederklingen, einzig mit *Alsfeld* bestehen einige wenige Zusammenhänge, sondern die vielfach fast Zeile für Zeile aus älteren Osterspielen übernommen sind. Freilich, die Himmelfahrt kann hier im Freien nicht mit der technischen Finesse durchgeführt werden wie in *Moosburg* oder selbst in *Bozen*, vielmehr steigt Christus und mit ihm die aus der Vorhölle Befreiten in recht nüchterner Weise auf einer Treppe in den Sitz empor:

> usque veniant ad gradus, ubi debent ascendere. Sit autem thronus, ubi Maiestas sedeat, excellens et altus satis et tante latitudinis, ut animas comode possit capere, habens etiam gradus, quibus comode talis altitudo scandatur.
>
> Hic ascendens dominica persona cantabit: (Froning II, S. 371)

Im *St. Galler Spiel* fehlen zwar, wie wir sagten, wörtliche Übereinstimmungen mit der *Dirigierrolle*, aber der Aufbau ist ähnlich. Zwar der amüsante Rahmen, durch den die Passion zum Spiel im Spiel wird, bleibt ungenutzt, vielmehr erscheint Augustinus als Dirigierer, als eine Art Rector Processionis, er spricht nicht nur den Prolog, er greift immer wieder erklärend, belehrend in den Gang ein. Das eigentliche Spiel beginnt mit der Hochzeit zu Kana, die in der *Dirigierrolle* fehlt. Dann folgt auch hier die Taufe Jesu und die Versuchung. Aber nun ist vor der Berufung eine Maria-Magdalenen-Szene eingeschoben, oder vielmehr mehrere Maria-Magdalenen-Szenen werden unterbrochen erst durch die Berufung von Petrus und Andreas, dann durch die Szene mit der Ehebrecherin. Nun aber bekehrt sich Maria Magdalena, um dann beim Gastmahl Symons als reuige Sünderin zu erscheinen. Die Blindenheilung ruft die ganze Verbitterung der Juden hervor, die durch die Erweckung des Lazarus nur noch verstärkt wird. Einzug in Jerusalem, Abendmahl, Ölberg, Gefangennahme, die Verhandlungen vor Juden, Herodes und Pilatus folgen in der gewöhnlichne Weise, nur daß die Frau des Pilatus sich für Jesus einsetzt. Dieses Motiv erscheint mehrfach in der geistlichen Literatur. Die Frau des Pilatus handelt auf Einflüsterung des Teufels, der Christi Opfertod fürchtet. Auch in *St. Gallen* bleiben die Marienklagen erstaunlich kurz. Das eigentliche Osterspiel beschränkt sich auf 80 Zeilen, auf die Höllenfahrt und die Visitatio, und bleibt überwiegend deutsch. Weder die derbe Komik der Krämerszene noch selbst der Wettlauf der Apostel oder der Gang nach Emmaus unterbrechen den raschen Lauf. Nach der knappen Bühnenanweisung „Jhesus vadat ad Paradysum" heißt es gleich „Et sic finiatur ludus praenotatus" (Wolter, S. 235). Wenn also wirklich, wie der Herausgeber Wolter meint und übrigens auch Petersen, dieses Drama in der Kirche aufgeführt wurde, so bleibt hier die technische Möglichkeit des Kirchengewölbes ungenutzt. Wo die *Dirigierrolle* Christus durch die Fülle der Heilungen zu charakterisieren schien, wird in *St. Gallen* die eine Blindenheilung und ihre Rückwirkung lang ausgedehnt. Im übrigen erscheint der *St. Galler Text* mit nur 1347 Zeilen überhaupt erstaunlich knapp. Er erreicht nicht einmal den Umfang des fragmentarischen *Maastrichter Spiels*. Die einzigen anderen vollständigen westmitteldeutschen Spiele *Heidelberg* und *Alsfeld* haben mehr als viermal, beziehungsweise sechsmal den Umfang von *St. Gallen*. Selbst das späte *Frankfurter Spiel*, von dem nur die Hälfte erhalten ist, hat über dreimal soviel Zeilen wie *St. Gallen*.

Nicht nur in textlichen Übereinstimmungen, auch im Aufbau steht das spätere *Frankfurter Spiel* der *Dirigierrolle* am nächsten[180]. Freilich hat es auch eigene Züge und Elemente, die aus *St. Gallen* übernommen wurden. Der textliche Umfang hat sich etwa verdoppelt; mindestens benötigt das spätere Spiel genau zwei Tage für den Stoff, der in der *Dirigierrolle* an einem Tag behandelt wurde. Der Text für das Osterspiel ist nicht erhalten.

Auch das späte *Frankfurter Spiel* beginnt mit dem missionarischen Rahmen: Augustinus und die Propheten, die vergeblich versuchen die Juden zu überzeugen und schließlich das Drama zu Hilfe nehmen. Jedoch greift der Augustinus des späten *Frankfurter Spieles*, ganz wie der in *St. Gallen*, immer wieder in die Handlung ein. Hierin sieht Zimmermann einen Einfluß prozessionaler Technik auf das Drama. Er behauptet geradezu:

> Diese Angaben zeigen deutlich, wie sehr die Darstellung des Leidens Christi zum Prozessionsspiele hinneigte, ja für Frankfurt kann man zwei Arten des Dramas scheiden: die Vorstellung auf dem Römerberge auf

---

[180] Text des Spieles: R. Froning, *Das Drama des Mittelalters* II (Deutsche National-Litteratur 14) Stuttgart: Union Deutsche Verlagsgesellschaft: o. D., S. 374—534.

einem festen Bühnengerüst und die Gruppendarstellung im Verlaufe der Maria-Magdalenen-Prozession, als eine Serie dramatischer Bilder.

Dem zweifachen Charakter der Aufführung mußte sich jeweils die Textgestaltung anpassen. Das Bühnenspiel ermöglichte eine einheitliche Ausgestaltung der Passion. Die Einzeldarstellung zerriß den dramatischen Aufbau der Gesamthandlung und beließ höchstens die Geschlossenheit der Szenen, wie wir sie in Friedberg finden.

Und wieder:

Die Dirigierrolle entwickelt die Handlung nach den Berichten der Bibel, stellt Augustin als Proklamator an die Spitze seines Dramas und hält sich von einer Häufung der Wundertaten Jesu fern. Im späten Frankfurter Spiel leitet Augustin jede Szene ein und erläutert die Vorgänge auf der Bühne, wie der Proklamator im Künzelsauer Spiel. Ohne innerlichen Zusammenhang ist Szene an Szene gereiht, einzelne Abschnitte sind auseinandergerissen, wie die Maria-Magdalenen-Szenen, kurz die Einwirkung des Prozessionsspieles ist unverkennbar (181).

Ich halte das für völlig unbegründet. Man vergleiche nur einmal das späte *Frankfurter Spiel* mit wirklichen Prozessionsspielen, und man sieht den gewaltigen Unterschied.

Wie in der *Dirigierrolle* werden auch im späten *Frankfurter Spiel* die Heilungsszenen sehr ausführlich behandelt. Das späte *Frankfurter Spiel* unterscheidet sich im übrigen von der *Dirigierrolle* durch die Masse des Details, durch größeren Realismus, durch geschicktere Nützung der Bühnentechnik. Ein Beispiel zeigt sich etwa in den Maria-Magdalenen-Szenen. In der *Dirigierrolle* bildeten sie noch wesentlich eine Einheit, im späteren *Frankfurter Spiel* sind sie aufgeteilt und verleihen so dem ernsten Grundton eine liebenswürdig heitere Untermalung. Wie wir schon erwähnten, werden nun auch die Klagen zu einem bedeutsamen Element in der Kreuzigungsszene. Aufbau und Gehalt stammt sehr weitgehend aus anderen Klagen. Die Mutter Gottes, zu Anfang noch nicht bei dem Kreuz, wird erst nachher von Johannes und den anderen Frauen zum Kreuze geführt. Mit wenigen Unterbrechungen füllen die Klagen die letzten 500 Zeilen des Dramas oder etwa ein Neuntel des Gesamttextes. Übrigens wird auch hier wie im *Zurzacher Spiel* Christi Körper Maria in den Schoß gelegt. Auch hier also endet das Drama in der Pietaszene.

---

[181] E. Zimmermann, „Das *Alsfelder Passionsspiel* und die Wetterauer Spielgruppe" *Archiv für hessische Geschichte und Altertumskunde* n. F. VI (1909), S. 1—206.

Einen in vieler Beziehung anderen Charakter zeigt das *Alsfelder Spiel*[182]. Der missionarische Rahmen des Prophetenspiels, ja Augustinus selbst sind verschwunden. Man könnte höchstens den Regens mit einer dogmatischen Ansprache am Anfang als letzten Rest der Augustinus-Figur interpretieren. Das Passionsspiel beginnt mit einer Beratungsszene der Teufel. Dann folgt ein besonders ausführliches Johannesdrama, das damit endet, daß Herodias und ihre Tochter in die Hölle geschleppt werden. Fast die Hälfte dieses ersten Tages ist vorüber, bevor die eigentliche Jesus Handlung mit der Versuchung und der Berufung der Apostel beginnt. Durch einen Expositionsmonolog führt sich dann in eigentümlicher Weise Herodes, allerdings auch Pilatus ein. Stand dieser Monolog des Herodes ursprünglich an anderer Stelle? Oder ist das ganze Johannesdrama in Alsfeld erst später hinzugekommen? Das Maria-Magdalenen-Spiel ist hier wieder wie in der *Dirigierrolle* eine ununterbrochene Einheit. Doch ist auch diese Szene außerordentlich stark erweitert insbesondere durch Motive und Texte, die auch im älteren Osterspiel vermutlich als unabhängiges Vagantengut zu finden sind. Gegen diese großen Handlungsblöcke verblassen in Alsfeld die Heilungsszenen. Freilich führt auch hier die Erweckung des Lazarus zur Gegenaktion der Juden. Mit dem Gastmahl des Symon schließt der erste Tag. Der zweite Tag mit dem Abendmahl, der Gefangennahme Jesu, den Verhandlungen vor den Juden, vor Herodes und Pilatus enthält wenig neue Elemente. In sonderbarer Weise wird eine Szene von Gottvater und Engeln mitten in die Verhandlungen eingeschoben. Noch auffälliger scheint eine lange Diskussion zwischen Ecclesia und Synagoga von fast 800 Zeilen am Schluß des zweiten Tages. Der dritte Tag beginnt mit der Ausführung. Auch *Alsfeld* hat sehr ausführliche Marienklagen, die weitgehend aus der *Trierer Klage* übernommen sind. Die Krämerszene mit Rubinus und Ypocras erinnert an den Überschwall der älteren Osterspiele. Doch bleibt der Humor in *Alsfeld* gemessen. Es fehlen alle sexuellen Derbheiten. Das Alsfelder Osterspiel wie das der *Dirigierrolle* klingt stark an lateinische oder lateinisch-deutsche Osterspiele an. Mit Christi Himmelfahrt, wobei offenbar der Darsteller eine Leiter (scala) emporstieg, endet *Alsfeld*.

---

[182] Text: R. Froning, *Das Drama des Mittelalters* II and III (Deutsche National-Litteratur 14) Stuttgart: Union Deutsche Verlagsgesellschaft: o. D., S. 547—864.

Mit *Alsfeld* verwandt, vielmehr die direkte Quelle für *Alsfeld* ist ein *Friedberger Text*, der aber nur als Dirigierrolle erhalten ist, vielmehr von Zimmermann in gewagter, geistvoller Hypothese wieder rekonstruiert wurde. Das Maria-Magdalenen-Spiel scheint eine besonders überragende Stellung zu haben. Soweit man diesen doch ein wenig unsicheren Text überhaupt auslegen kann, steht dieses Spiel, wie zu erwarten, als Brücke zwischen der Frankfurter und der Alsfelder Tradition.

Ein Bruchstück aus Fritzlar erweckt Interesse, weil es der *Dirigierrolle* besonders nahesteht[183]. Es könnte daher als Ergänzung dieses grundlegenden Textes dienen.

Belege aus Marburg erweisen, daß dort bis in die Mitte des 15. Jahrhunderts eine Passionsspieltradition existierte; die Annahme dagegen, daß dort gegen Ende des Jahrhunderts bis ins 16. Jahrhundert hinein ein Prozessionsspiel aufgeführt worden sei, beruht auf einem Mißverständnis der Einträge in den städtischen Büchern[184].

Von eigentümlicher Bedeutung ist auch ein kurzes Fragment eines angeblichen *Weihnachtsspiels*, das uns nur in spätem Nachdruck erhalten ist[185]. Augustin ruft in zehn Zeilen Virgil als Zeugen für die Heilswahrheit auf; der Text von Virgils Prophezeihung (48 Zeilen) und ein Hinweis auf „Sibyllarum carmina" wird gegeben. Diese Zeilen aber stimmen so genau mit entsprechenden Zeilen der *Erlösung* überein, daß Maurer dieses Spiel als eine frühe Dramatisierung der *Erlösung* in das 14. Jahrhundert setzte. Wenn auch weder Virgil, noch die Sibyllen in einem der anderen westmitteldeutschen Dramen erscheinen, so bleibt doch ein Zusammenhang dieses Bruchstücks mit den anderen Texten recht glaubhaft.

Wir schließen unsere Betrachtung der westmitteldeutschen Spiele mit dem sogenannten *Heidelberger Passionsspiel*, das vermutlich in Mainz aufgeführt wurde. Wenigstens kam Beutler in einer Unter-

---

[183] Siehe hierzu: Karl Brethauer, „Bruchstücke eines hessischen Passionsspiels" *Zeitschrift für deutsches Altertum* LXVIII (1931) 17—31.

[184] Siehe hierzu Zimmermann, ferner Wolfgang F. Michael, „Gab es ein Marburger Prozessionsspiel?" *Archiv für das Studium der neueren Sprachen und Literaturen* CXIV (1963) 394—396.

[185] Siehe hierzu: Friedrich Maurer, *Die Erlösung* (Deutsche Literatur Reihe geistliche Dichtung des Mittelalters 6) Leipzig: Philipp Reclam: 1934, S. 317.

suchung zu diesem Schluß[186]. Tatsächlich sind Passionsspielaufführungen in Mainz für die Jahre 1498 und 1510 belegt[187]. Herrmann vermutet, daß die Aufführungen 1510 aufhörten. Wenn das richtig ist und wenn der *Heidelberger Text* wirklich für die Mainzer Aufführung benutzt wurde, dann wurde der Text nicht für die Darstellung geschrieben, sondern eher als Erbauungsbuch hinterher, denn die Handschrift trägt das Datum 1514.

Im Aufbau unterscheidet sich das *Heidelberger Spiel* teilweise sehr entschieden von allen anderen westmitteldeutschen Stücken[188]. Auch hier fehlt der missionarische Rahmen der *Dirigierrolle*; kein Augustinus greift erklärend, belehrend in die Handlung ein. Statt dessen werden von Vers 1343 an fortlaufend für jedes Ereignis des Neuen Testaments präfigurativ Szenen aus dem Alten Testament eingeführt. So dient die Geschichte der Susanne als Präfiguration für Jesus und die Ehebrecherin, der Verkauf Josephs nach Ägypten für den Verrat des Judas, die Überwältigung Simsons für die Gefangennahme Christi und so fort. Das Drama endet mit Grablegung und Grabbewachung; es fehlt also das Osterspiel; oder sollte die Handschrift unvollständig sein? Durch diese Präfiguration wirkt das Werk recht abgerissen bildhaft, was in der Handschrift noch durch Überschriften für die einzelnen Szenen unterstrichen wird. Präfiguration, bildhafte Einzelszenen, das erinnert an die Fronleichnamsprozessionsspiele; doch die Bühnenanweisung läßt keinen Zweifel an der festen Simultanbühne aufkommen:

> Zcum erstenn werdenn die personn des spiels herlichenn vnnd erlichenn in einer procession vff das gerüste gefürtt vnnd itzlicher an seinen sesse gesetzt. (Milchsack, S. 1)

Ein merkwürdiger Zug des *Heidelberger Spiels* besteht darin, daß die Juden eine Gesandtschaft nach Rom schicken und den Kaiser

---

[186] Siehe: Ernst Beutler, *Forschungen und Texte zur frühhumanistischen Komödie* (Mitteilungen aus der Hamburger Staats- und Universitäts-Bibliothek 2) Hamburg: Staats- und Universitäts-Bibliothek: 1927, S. 122—125.

[187] Fritz Herrmann, „Miscellanea Moguntina" *Beiträge zur hessischen Kirchengeschichte* III (1903) 325—336 und Fritz Herrmann, „Nochmals Passionsspiele in Mainz" *Archiv für hessische Geschichte und Altertumskunde* n. F. XIII (1922) 381—383.

[188] Text: Gustav Milchsack, *Heidelberger Passionsspiel* (Bibliothek des litterarischen Vereins in Stuttgart 150) Tübingen: Litterarischer Verein: 1880.

um einen besonderen Landpfleger bitten, weil sie mit Herodes unzufrieden sind. Der Kaiser schickt dann Pilatus.

Trotz aller dieser Eigentümlichkeiten steht auch das *Heidelberger Spiel* ganz im Banne der *Dirigierrolle,* von der es weite Textteile übernommen hat.

Überblickt man den Stammbaum dieser westmitteldeutschen Spiele, wenn man ihn so nennen kann, so lassen zwar die starken textlichen Übereinstimmungen keinen Zweifel an der Gemeinsamkeit dieser Spiele aufkommen. Vielleicht könnte man wegen gewisser stofflicher, wenn nicht gar textlicher Zusammenhänge insbesondere mit St. Gallen auch die Maastricht-Kreuzenstein Gruppe noch hinzunehmen. Dennoch kann man in keiner Weise von *einem* westmitteldeutschen Passionsspiel sprechen. Jedes Dokument hat sein eigenes Gesicht. Es wäre unmöglich und auch müßig, diese Eigentümlichkeiten auf lokale Gebräuche, lokale Tradition zurückzuführen. Für die Sonderentwicklung des Maria-Magdalenen-Stoffes, des Stoffes von Johannes dem Täufer, ließen sich vielleicht noch Gründe in lokaler religiöser Verehrung finden, wenn man lange genug sucht. Aber was würde das erklären?

Charakteristisch für alle diese Spiele bleibt es, daß die derbe Komik, die in den Osterspielen so hervorsticht, völlig zurückgetreten ist. Gewiß, die Lebenslust der Maria Magdalena durchtönt insbesondere das *Alsfelder Spiel.* Hier könnte man an vagantischen Einfluß denken. Rubinus aber wird keine Gelegenheit gegeben, seine derben Possen zu treiben. Auch sonst bleibt die Komik in Grenzen. Hier erkennt man, wie die feste bürgerliche Tradition die unbehauste Vagantendichtung in solide, sei es auch etwas nüchterne Bahnen lenkt.

e) Tirol

Überragte die westmitteldeutsche Passionsspieltradition alle anderen durch ihr Alter, kann man in der Vielfalt ihrer Texte die Möglichkeiten studieren, wie dasselbe Urspiel in seiner Weiterentwicklung bald diese, bald jene Form annahm, sei es unter dem Einfluß lokaler Gegebenheiten, sei es einzig auf Grund der unberechenbaren Laune eines eigenwilligen Dirigierers, sei es unter dem Druck eines ehrgeizigen Mitspielers, so scheint die Tiroler Spielfreudigkeit die aller anderen deutschsprachigen Landschaften bei weitem übertroffen zu haben. Fast keine größere Ortschaft ohne Passionsspiel. Das trifft ganz besonders für Südtirol zu, wo Orte wie

Bozen und Brixen, Sterzing und Meran eine führende Stellung einnehmen, ja wo der Spieleifer über die heutige Sprachgrenze hinübergreift und man vereinzelte deutsche Aufführungen selbst in Cavalese und Trient veranstaltet zu haben scheint[189]. Doch auch nördlich des Brenners wirkte eine lebendige Tradition. Dort überragen besonders Hall, aber daneben auch Schwaz die anderen Orte, während aus der damals noch neuen Hauptstadt Innsbruck weder Texte noch Nachrichten überliefert sind.

Auch hier ist natürlich nur ein Bruchteil der einst vorhandenen Texte auf uns gekommen. Dennoch stehen wir vor einem verwirrenden Reichtum. Mußte man in Westmitteldeutschland gelegentlich die Lücke in Texten durch geschickte, hypothetische Rekonstruktion überbrücken, so erschwert in Tirol die Fülle die Erkenntnis der genaueren Beziehungen. War dieser Text für jenen Vorbild oder umgekehrt? Hat hier Text X oder Y kontaminierend eingewirkt? Oft wird man solche Fragen überhaupt nicht beantworten können.

In eigentümlicher Weise ist diese Tiroler Tradition einheitlich geblieben. Gewiß, die Texte von hier oder dort zeigen Variationen in dieser oder jener Szene, vielleicht wird gar eine neue Szene, ein besonderes Spiel hinzugefügt, aber der Stamm des Ganzen bleibt wesentlich unberührt. Man kann sehr wohl — und das ist immer wieder geschehen — von *DER* Tiroler Passion sprechen und dabei die gesamten Texte miteinbeziehen[190].

So konnte der verdienstvolle Herausgeber der Tiroler Texte, J. E. Wackernell, seine Edition in der Weise veranstalten, daß er für jedes Spiel einen charakteristischen Text zu Grunde legte und die anderen Texte als Varianten, ja als Lesart diesem Grundtext beifügte; nur gelegentlich mußte er größere abweichende Abschnitte vorlegen[191]. Ein solches Unterfangen wäre natürlich für die westmitteldeutsche Tradition völlig unmöglich.

---

[189] Siehe Anton Dörrer, *Verfasserlexikon* III, S. 795.

[190] Mir ist wohl bewußt, daß im 15. und 16. Jahrhundert das Wort Passion Maskulinum war. J. E. Wackernell, *Altdeutsche Passionsspiele aus Tirol* (Quellen und Forschungen zur Geschichte, Litteratur und Sprache 1) Graz: Styria: 1897 und ihm folgend Anton Dörrer, *Verfasserlexikon* III, S. 742—835, aber auch viele andere Schriften sprechen daher von dem Passion. Ich ziehe es vor, dem modernen Sprachgebrauch zu folgen.

[191] Der eben genannte Text von Wackernell ist grundlegend. Zugleich bietet die Einleitung eine umfassende Übersicht für die Beurteilung der Spiele.

Die Anfänge der Tiroler Tradition bleiben in einem Nebel der Ungewißheit. Die Texte stammen alle erst aus der zweiten Hälfte des 15. Jahrhunderts oder gar erst aus dem 16. Jahrhundert. Doch haben wir archivalische Belege schon aus früherer Zeit. Der erste solche Beleg kommt aus Hall bei Innsbruck. Für das Jahr 1430 hat das Raitbuch Einträge, die auf ein „gerüst zuem Spil" hinweisen. Und ein Eintrag erwähnt ein „gerüst zum osterspil". Die nächsten Raitbücher fehlen, erst im Jahr 1451 ist wieder von der „pün zu dem Spil" die Rede und 1456 wird das Spiel noch einmal erwähnt. Erst 1471 findet sich ein weiterer Eintrag im Raitbuch:

> In der wochen Ruperti in der Vasten haben zymmerleut an den zügen gepessert und abprochen und Steckhen gemacht zu Schragen, auch ain kreutz gemacht zum osterspil[192].

Also seit 1430 mindestens besteht in Nordtirol eine Aufführungstradition. Auch wenn die Aufführung 1471 noch Osterspiel genannt wird, muß sie damals schon die Passion umfaßt haben, denn Kreuze werden benötigt. So hat Wackernell (S. 160) geschlossen, daß auch 1430 schon ein Passionsspiel vorgelegen habe, daß der Ausdruck Osterspiel bedeutungslos sei. Dieser Schluß scheint mir unberechtigt. Hätte wirklich von allem Anfang an ein Passionsspiel existiert, dann wäre es kaum Osterspiel genannt worden. Gewiß

Eine Einzelausgabe H. M. Schmidt-Wartenberg, *Ein Tiroler Passionsspiel des Mittelalters* (Publications of the Modern Language Association of America 5) New York: Modern Language Association: 1890. Der hier abgedruckte Text befindet sich noch heute in der Bibliothek der Cornell University. Gewöhnlich unbeachtet blieb eine ältere Schrift von Wackernell, *Die ältesten Passionsspiele in Tirol* (Wiener Beiträge zur deutschen und englischen Philologie 2) Wien: Wilhelm Braumüller: 1887. Hier sind viele wichtige Tatsachen gegeben, die in der Einleitung der Ausgabe Wackernells nicht wiederholt werden. Eine Fülle weiteren Materials wurde durch die unermüdliche Forschungstätigkeit von Anton Dörrer zu Tage gefördert. (Besonders in den Artikeln im *Verfasserlexikon*; dort ist auch weitere Literatur gegeben.) Seine genauen und umfassenden Kenntnisse der Tiroler Tradition, verbunden mit einem lebendigen, intuitiven Mitgefühl für diese Landschaft machen seine Arbeiten besonders wertvoll. Freilich liegt auch heute noch vieles ungenützt in Archiven und Bibliotheken. Hier bedarf es mehr der sichtenden Auswahl, des intuitiven Erfassens des Wichtigen und Charakteristischen als eines nach Vollständigkeit strebenden Sammelfleißes, der uns wie das Thema erschöpfen würde.

[192] Alle diese Einträge in J. E. Wackernell, *Die ältesten Passionsspiele in Tirol,* S. 157—161.

hatte man 1471 noch immer den alten Ausdruck beibehalten, obwohl das Spiel inzwischen der österlichen Begrenzung längst entwachsen war. Aber der Ausdruck Osterspiel ist nur verständlich, wenn die Aufführung wirklich zuerst auf das Ostergeschehen begrenzt war. Dann hätten wir also hier dieselbe Entwicklung wie in Frankfurt.

Dazu kommt noch eine andere Erwägung. Wackernell hat schon auf die starken Übereinstimmungen in der Osterszene mit dem *Innsbrucker Osterspiel* hingewiesen[193]. Diese Übereinstimmungen gehen in der Tat so weit, daß man das ursprüngliche *Tiroler Spiel* sich wohl aus *Innsbruck* entstanden denken kann. Allerdings verschwindet der derbe Humor des *Innsbrucker Spiels* fast völlig. Auch hier also wie bei den westmitteldeutschen Spielen läßt die feste bürgerliche Tradition wenig Raum für vagantischen Überschwang.

Eine Reihe von Fragen bleiben ungeklärt. Wie kam das sogenannte *Innsbrucker Spiel* zusammen mit den anderen Spielen dieser Sammlung aus seiner schmalkaldischen Heimat nach Neustift bei Brixen, von wo es dann erst in neuerer Zeit nach Innsbruck gebracht wurde? Wenn das sogenannte *Innsbrucker Spiel* von Anfang an in Neustift aufbewahrt wurde, wie konnte es dann vorbildlich wirken auf die ersten Tiroler Aufführungen, die doch vermutlich in größeren Zentren zu denken sind? Oder fanden diese ersten Aufführungen im engen Rahmen von Neustift statt, drangen sie erst von dort in eine städtische Gemeinschaft wie Brixen oder Sterzing? Aber würde dann nicht die Handschrift wenigstens ihren rein

---

[193] So *Die ältesten Passionsspiele*, S. 166/67 und auch mehrfach in *Altdeutsche Passionsspiele in Tirol*. Er glaubt freilich auch, daß die *Frankfurter Dirigierrolle* eingewirkt habe. Ich kann dem nicht beistimmen. Bei den von Wackernell angeführten textlichen Gleichheiten handelt es sich um Stellen, die aus der Bibel oder anderer geistlicher Literatur übernommen sind, oder aber um stereotype Reime, die nichts besagen. So verdienstvoll Wackernells Ausgabe im ganzen auch ist, seine Vergleichungen sehen gelegentlich aus wie Abhängigkeitsjägerei. Wir wiesen schon daraufhin, daß die Übereinstimmungen zwischen Eger und Tirol auf gemeinsamer Benutzung eines Traktates begründet ist. Siehe K. Ruh, ,,Studien". In manchen Fällen, wie zum Beispiel bei der Beziehung *Tirol-Freiburg* und eben auch bei der *Innsbruck-Tirol* scheinen dagegen Wackernells Darlegungen begründet. Die Beziehungen *Innsbruck-Tirol* werden auch besonders betont von Anton Dörrer, ,,Die Ursprünge der Tiroler geistlichen Spiele" *Das neue Reich* XIV (1931/32) 929—931.

mitteldeutschen Charakter verloren haben, würden dann nicht Emendationen dialektischer Art vorgenommen worden sein? Wann und wo fanden diese ersten Aufführungen statt? Wenn tatsächlich *Innsbruck* vorbildlich wirkte, so muß man, wie Wackernell das tut, die Entstehung in den Zeitraum zwischen 1391 (Niederschrift von *Innsbruck*) und 1430 (erster Beleg aus Hall) ansetzen. Das klingt überzeugend. Spielte man dann also zuerst in Hall oder war das südliche Sterzing (viel näher bei Neustift) der Geburtsort der Tiroler Passion? Der erste Beleg aus Sterzing kommt aus dem Jahre 1455 (Wackernell *Beiträge*, S. 156). Da aber die ältesten Raitbücher verloren sind, so wäre es sehr wohl möglich, wie auch Wackernell vermutet, daß auch die Sterzinger Aufführungen weiter zurückreichen. Neben Sterzing und Hall käme auch noch Bozen als Entstehungsort in Frage. In der reichen Weinstadt entwickelte sich besonders um die Wende des Jahrhunderts eine eifrige dramatische Tätigkeit. In Bozen reichen die Belege aber nur bis 1476 zurück (Wackernell, *Altdeutsche Passionsspiele XLI*). Auch hier wäre aber eine ältere Tradition durchaus denkbar. Auch hier sind nämlich die älteren Bücher verloren.

Bleibt also Ort und Zeit für die Entstehung der *Tiroler Passion* im ungewissen, so häufen sich für das spätere 15. Jahrhundert die Nachrichten und Texte. Und hier findet sich auch die Erklärung für die erstaunliche Übereinstimmung der verschiedenen Versionen. Man reist nicht nur von Bozen nach Sterzing, um Texte einzusehen und zu kopieren; nein, man überquert den Brenner, um auch in Hall sich einzudecken. Das sind immerhin Entfernungen von weit über 100 km (siehe hierzu Wackernell, *Altdeutsche Passionsspiele*). So werden die Texte einander angeglichen. Hier wird ein neues Spiel eingefügt, hier eine Szene ergänzt. Dabei überrascht es, daß die bühnentechnischen Gegebenheiten auf die Gesamtstruktur keinen sehr wesentlichen Einfluß ausgeübt haben. In Hall scheint man von Anfang an im Freien gespielt zu haben, in Bozen und Sterzing bis noch im 16. Jahrhundert im Kircheninneren; aber nur wenige Einzelheiten verraten diese Unterschiede. Das Hin- und Herreisen, um Texte zu kopieren, ist nur ein Ausdruck des erstaunlichen Sammelfleißes und der so liebenswerten und für diese Zeit außergewöhnlichen Hochachtung für die Texte. Zeigt sich hier mitten in dem so mittelalterlich anmutenden Volksdrama ein Einschlag humanistischen Geistes? In der Tat beginnt dieser Sammelfleiß erst am Ausgang des Jahrhunderts, ja erst im 16. Jahrhundert; und er bleibt sehr weitgehend auf zwei Männer begrenzt, die noch dazu in enger Zusammenarbeit nebeneinander standen, und der jüngere bewahrte und erweiterte mit liebevoller Sorgfalt nach dem Tode des älteren Freundes dessen mühevoll gesammelten Schatz. Wir sprechen von Benedikt Debs aus dem fernen bayrischen Ingolstadt, der seine Tätigkeit als Lateinlehrer in der reichen Weinstadt Bozen gefunden hatte, und von Vigil Raber, dem Maler aus Sterzing, der aber bald in Bozen, bald in Hall und selbst in Trient tätig war und schließlich sein Handwerk vorzüglich in seiner Heimatstadt ausübte; man muß hier von Handwerk im allerweitesten Sinne sprechen, denn wie auch die Größten seiner Zeit konnte er heute eine Wand anstreichen und morgen ein feines Altarbild ausmalen[194].

Debs kam etwa im letzten Drittel des 15. Jahrhunderts nach Bozen und scheint in seiner neuen Heimat große Popularität, großes Ansehen genossen zu haben. Vor allem galt er auch als „ain sunder liebhaber der Spill“ (*Verfasserlexikon* I, S. 406), wie sich Raber ausdrückt. 1495 und 1514 spielte er den Salvator, also den Hauptcharakter. Aber er muß vor allem als Anreger und Organisator entscheidend eingewirkt haben. Es ist sicher kein Zufall, daß zur Zeit seines Wirkens die Vorführungen in Bozen eine außerordentliche Blüte erlebten, bis sie schließlich 1514 mit einer grandiosen siebentägigen Darstellung ihren einzigartigen Höhepunkt erreichten. Eine Weiterentwicklung war wohl kaum mehr möglich. Im folgenden Jahr starb Debs, wahrscheinlich noch in voller Wirkungskraft. Raber zog einige Jahre später nach Sterzing. Wir hören nichts mehr von Bozener Passionsaufführungen. Auch die *Fronleichnamsspiele* geraten auf Jahrzehnte in Vergessenheit. Machten sich die religiösen Kämpfe bemerkbar? Standen wirtschaftliche oder politische Schwierigkeiten den Darstellungen hindernd im Wege? Oder bedeutete der Tod des einen Debs einen so unersetzlichen Verlust für die Bozener Spieltradition?

Vigil Raber, der jüngere Freund und Verehrer von Debs, scheint ein vielseitigerer und beweglicherer Mann gewesen zu sein. Im letzten Viertel des Jahrhunderts in Sterzing geboren, hat er seine Ausbildung vermutlich in seiner Heimat erhalten. Von 1510 bis 1522 war er in Bozen tätig; und auch er hat in jedem Sinne bei der großartigen Aufführung von 1514 eine entscheidende Rolle gespielt.

---

[194] Siehe hierzu: *Verfasserlexikon* I, S. 405—408 und III, S. 951—992. Hier auch weitere Literatur.

Er stellte den Judas dar (*Verfasserlexikon* III, S. 970), also neben dem Salvator wohl den wichtigsten Charakter. Auf seine Anregung hin wurde offenbar das Spiel des Palmsonntags in Bozen eingeführt:

> Dits spil hab ich, Vigili Raber, zu Stertzingen abgeschriben in der vastn vnd solichs zu Botzen dem rat furtragen, das es da selbs mit sambt dem gantzen passion gehallten worden. (*Verfasserlexikon* III, S. 969)

Er zeichnete auch einen Bühnenplan dieses Spiels und gab uns so eine der wichtigsten Quellen für die Rekonstruktion mittelalterlicher Bühnen[195]. Hörten in Bozen die Spiele nach dem Tode von Debs auf, so gehen sie in Sterzing weiter bis in die zweite Hälfte des 16. Jahrhunderts. War der Grund hierfür, daß Raber eben nun in Sterzing lebte, wo er 1550 starb? Aber seine Tätigkeit blieb nicht auf Bozen und Sterzing begrenzt. Überall scheint er gewesen zu sein, selbst in Trient und Cavalese, wo 1514 und 1518 ein deutscher *Ludus de ascensione domini* aufgeführt wurde.

Der Impuls für das Sammeln und Bewahren der Texte, im Grunde ein unmittelalterlicher, ein recht humanistischer, ja moderner Impuls, der hier bei Debs und Raber zuerst auftaucht, den wir später, freilich nie in so starker Weise auch bei Renward Cysat finden werden, dieser Impuls erlosch nicht mit Rabers Tod. Der Stadtrat von Sterzing kaufte von Rabers Witwe den ganzen reichen Schatz seiner Sammlung, der freilich vielfach schon von Debs zusammengestellt worden war. So ist diese reiche Sammlung auf uns gekommen. Wackernells und Dörrers verdienstvolle Arbeiten haben wesentlich diese unerschöpfliche Quelle genutzt.

Die *Tiroler Passion*, so wie sie ursprünglich vorlag, gibt einen weit gedrungeneren, kompakteren Eindruck als etwa die westmitteldeutschen Passionen. Sozusagen in medias res beginnt die Handlung — man ist versucht, von Handlung zu reden — mit der Beratung der Juden, dem Planen gegen Jesus[196]. In geschickter Weise ist die simultane Technik genutzt. Während der Dialog der Juden verhallt, bereiten die Jünger Christi das Abendmahl. Fußwaschung und Abendmahl werden ausführlich dargestellt bis zu

---

[195] Siehe hierzu: Wolfgang F. Michael, *Frühformen der deutschen Bühne* (Schriften der Gesellschaft für Theatergeschichte 62) Berlin: Gesellschaft für Theatergeschichte: 1963, S. 37—44.

[196] Der gesamte Text in der schon erwähnten Ausgabe von Wackernell *Altdeutsche Passionsspiele*.

dem Verrat des Judas. Wiederum wechselt der Handlungsort, mit Judas wandert der Blick des Beschauers hin und her zu den Juden und dann wieder zurück zu Christus und den Jüngern. Ölberg, Gefangennahme und Verhandlungen vor Annas und Cayphas beschließen diesen ersten Aufführungstag, der naturgemäß auf den Gründonnerstag angesetzt war. Die eigentliche Passion am Freitag beginnt mit den ausführlichen Verhandlungen vor Pilatus und Herodes. Bei der Ausführung nutzt man die sonst im deutschen Drama seltene Veronica-Episode. Bei der Kreuzigung nehmen die Marienklagen zwar einen etwas größeren Raum ein, aber in keiner Weise dominieren sie. Longinus-Episode, Erlaubnis zur Beisetzung, Kreuzabnahme und Begräbnis werden dagegen recht ausführlich behandelt.

Das Osterspiel am Sonntag setzt ein mit den Beratungen zur Grabbewachung. Wir erwähnten schon die starken Übereinstimmungen im Wortlaut mit *Innsbruck.* Jedoch sind die Szenen zum Teil anders angeordnet oder vielmehr manche der *Innsbrucker* Szenen, insbesondere die derben, sind ausgefallen, während nahezu alle lateinischen Gesänge, die freilich meist zu dem festen Grundstock der lateinischen Spiele gehören, auch in *Tirol* wiedererscheinen. Ausgefallen ist zum Beispiel die Streitszene zwischen den Soldaten nach der Auferstehung. In *Tirol* schließt sich hier sofort die Höllenfahrt an wie ja auch in *Innsbruck* im Gegensatz zu manchen anderen Osterspielen, wo die Höllenfahrt nach der Visitatio angesetzt war. Die Tiroler Höllenfahrt ist allerdings weit umfangreicher als die *Innsbrucker,* aber sie weist nicht nur viele mit *Innsbruck* fast identische Zeilen auf, sondern hier finden sich auch zwei Reime, die absolut nicht in den bayrisch-österreichischen Raum passen: dich — geleich (Wackernell, S. 216, v. 3430/31) und mich — reich (v. 3440/41). Gerade diese Zeilen kommen aber nicht aus dem *Innsbrucker Osterspiel.* Sollte man also noch ein weiteres mitteldeutsches Spiel postulieren, das aus dem *Innsbrucker* hervorgegangen wäre und das direkte Vorbild von *Tirol* darstellte? Wir wagen keine so kühnen Hypothesen, namentlich nicht auf Grund von nur zwei Reimen. Auch in der folgenden Visitatio und in den Szenen mit dem ungläubigen Thomas finden sich immer wieder starke Übereinstimmungen mit *Innsbruck.* Und nun folgt ganz wie in *Innsbruck* der Wettlauf der Apostel erst nach der Thomasszene. Das ist ganz ungewöhnlich. Hier ist der Text völlig verderbt, würden wahrscheinlich unsere braven Emendatoren des 19. Jahrhunderts sagen. Uns scheint das nur ein Beispiel für die eigene Ratio des Volksdramas, wie überhaupt die Volkskunst nicht mit logischen Gründen erfaßt werden kann. Zugleich aber bietet diese unerwartete Übereinstimmung in der Anordnung einen schlagenden Beweis für den Zusammenhang der beiden Spiele. Es folgt dann noch eine breitausgewalzte Szene der Soldaten bei Cayphas und eine Teufelsszene. Beide zeigen verglichen mit dem eigentlichen Osterspiel einen recht modernen Charakter mit psychologischer Finesse. Beide haben mit dem *Innsbrucker Osterspiel* nichts mehr gemein. Die Komik des *Innsbrucker Spiels*, ein direkt frischzotiger Ausdruck vagantischer Lebenslust, verschwand in dem ursprünglichen *Tiroler Spiel*. Dafür tritt verspätet eine weit weniger offene Derbheit, Lüsternheit tritt an die Stelle der Lust.

Neben diesem Grundstock der *Tiroler Passion*, auch dieser schon mit weitverzweigtem Geäst der Versionen überliefert, sprossen andere Dramen mit anderen geistlichen Stoffen als wilde Schößlinge empor. Wir erwähnten schon das *Mariae Lichtmeßspiel* und *Christi Himmelfahrt*. Eine recht monotone *Klage der Maria und Propheten* für den Karsamstag, ein etwas derbes *Emmausspiel* für Ostermontag sind ebenfalls aus dem Grundstock hervorgegangen[197]. Eine Fülle weltlicher Spiele, auch diese von Debs und Raber gesammelt, zeigt den großen Reichtum, die Vielfarbigkeit des Tiroler dramatischen Lebens. Wir werden sie im Zusammenhang mit dem weltlichen Drama und den Fastnachtspielen behandeln. Eine kurze Erwähnung aber verdient noch ein weiteres Drama, das sogenannte *Vorspiel*, mit dem in Bozen 1514 und nur in diesem Jahr die siebentägigen Spiele eingeleitet wurden[198]. Aus Sterzing hat sich Raber den Text geholt, der aber wohl aus Hall stammte. Da es für Bozen ein neues Spiel war, machte sich Raber eine Skizze für die Aufführung. Diese Skizze bleibt eine einzigartige Quelle nicht nur für die Rekonstruktion aller Bozener Aufführungen, sie erlaubt auch einen Einblick in die mittelalterliche Simultanbühnenform schlechthin[199].

---

[197] Das Karsamstagspiel bei Adolph Pichler, *Über das Drama des Mittelalters in Tirol*. Innsbruck: Wagner: 1850, S. 114—140, das Emmausspiel Wackernell, *Altdeutsche Passionsspiele*, S. 473—480.

[198] Text im Auszug Wackernell, S. 433—472.

[199] Siehe hierzu Wolfgang F. Michael, *Frühformen der deutschen Bühne* (Schriften der Gesellschaft für Theatergeschichte 62) Berlin: Gesellschaft für Theatergeschichte: 1963, S. 37—44.

Der Text von Wackernell leider nur im Auszug gegeben, sucht die *Tiroler Passion* nach vorn zu erweitern. Dadurch wird aber die ursprüngliche Kompaktheit der *Tiroler Passion*, der einzigen Passion im eigentlichen Sinne verwässert. Mit der Versuchung Christi beginnt das Drama. Verschiedene Heilungen erwecken den Widerstand der Juden. Beim Gastmahl des Simon wird die Salbung durch Maria Magdalena recht flüchtig abgetan. Marias Weltleben war vorher in keiner Weise angedeutet worden. Besonders geschickt wird das Feilschen im Tempel dargestellt, so daß Christi Zorn, die Vertreibung der Händler durch Christus dramatisch geschickt vorbereitet sind. Dauernd werden Christus von den Juden dialektische Fallen gestellt, die er natürlich spielend umgeht. Ohne eigentlichen Abschluß endet das Drama.

Überblicken wir das Gesamtdrama, so bleibt bei aller Vielfalt der Eindruck erstaunlicher Gedrungenheit und Kompaktheit, eine Einheitlichkeit, die durch alle späteren Erweiterungen nicht gestört wird. Wo die westmitteldeutschen Spiele von Jahrhundert zu Jahrhundert, von Ort zu Ort eine neue Gestalt annehmen, bleibt in Tirol die Grundform gewahrt. Die Erweiterungen, die äußerlichen Ausschmückungen berühren diese Grundform nicht.

f) Luzern, Donaueschingen

> Die representation deß Passions oder osterspils Jn diser statt hatt angfangen erstlich vngefar A° 1450 durch Rat vnd anstifften der priesterschafft die sich dann selbsten darzu gebrucht, doch war es jn ein kurtze Substantz begriffen vnd nur für etliche stund eines tags ouch von 5 zu fünff jaren gehallten . . . .

So berichtet Renward Cysat, der letzte große Regisseur der *Luzerner Spiele*, zugleich nicht nur ein emsiger Sammler von Kulturgütern seiner Heimatstadt, sondern auch als Stadtschreiber eine führende Persönlichkeit im politischen Leben von Stadt und Kanton[200]. Cysat hat vorher schon in demselben Bericht dargelegt:

---

[200] Renward Brandstette, *Die Regenz bei den Luzerner Osterspielen*, Luzern: Räber: 1886, S. 5. Eine besonders ausführliche und zuverlässige Biographie von Cysat; B. Hibder, „Renward Cysat, der Stadtschreiber zu Luzern. Lebensbild eines katholisch schweizerischen Staatsmannes aus dem 16. Jahrhundert" *Archiv für schweizerische Geschichte* XIII (1862) 161 bis 224; XX (1875) 3—88.

> 1480 Die Historj deß passions sonst gmeinlich das osterspil genannt würdt durch die priesterschafft In rymen vnd actus wie ein Comedj gebracht vnd erstlich vngefar vmb diß zyt mit hillff der Burgerschafft mitt verwilligung vnd guttem gfallen der oberkeit gespillt vnd dem gmeinen volck offenlich representiret jn osterfyrtagen, diß gfiel der oberkeit vnd dem gmeinen volck so wol Das es vffgenommen ward alle Fünff jar ein mal ze spilen, der platz darzu ward am vischmerckt verordnet . . .
>
> (Brandstetter, S. 4)

Die beiden Zitate scheinen sich zu widersprechen. Wie ich annehme, wollte Cysat ausdrücken, daß die Darstellungen zunächst, als sie um die Mitte des Jahrhunderts begannen, wesentlich intern von der und für die Geistlichkeit veranstaltet wurden, daß dann erst etwa seit 1480 die Aufführungen weitere Kreise anzogen, sowohl als Darsteller wie als Zuschauer, daß sie dann erst zu Volksstücken wurden. Die städtischen Bücher bestätigen diese Annahmen:

> 1453 gibt der Umgeldner im Namen der Stadt den Schülern im Osterspiel 3 Pfund Geldes. 1470 bezahlt die Stadt einen Teil der Ausstattung und bewirtet die Spieler. Dazu steht im Umgeldbuch zu 1470 noch die Notiz: „vff samstag nach der vffart item XVI schilling vmb win an der schuoller spil[201]."

Eberle hält es für möglich, daß der Schulmeister Jakob Amgrund, bekannt als Verfasser eines *Jüngsten-Gerichts-Spiels* und gerade um diese Zeit im Amte, das *Osterspiel* verfaßte. Weitere Belege von Aufführungen liegen vor für die Jahre 1481, 1490, 1494, 1500 und so fort bis zum Jahre 1616.

Es ergibt sich also auch hier ein recht klares Bild der Entwicklung, das wesentlich mit dem von Tirol und Westmitteldeutschland übereinstimmt, wenn auch die dramatische Tätigkeit in Luzern, verglichen mit den beiden anderen Zentren erst spät einsetzt. Auch hier beginnt die Tradition mit einem Osterspiel „ein kurtze Substantz begriffen vnd nur für etliche stund eines tags". Doch bereits 1500 muß die Luzerner Aufführung zwei Tage gedauert haben. Für das 16. Jahrhundert, insbesondere die zweite Hälfte, liegt eine solche Fülle des Materials vor, daß einer der Kenner des Spieles sagen konnte, daß

---

[201] Zitiert nach: Oskar Eberle, *Theatergeschichte der inneren Schweiz* (Königsberger deutsche Forschungen 5) Königsberg: Gräfe und Unzer: 1929, S. 12.

es möglich wäre, die großartige Aufführung vom Jahre 1583 genau so auf dem Weinmarkte in Szene zu setzen, wie dies die Luzerner vor mehr als 350 Jahren während der Ostertage getan haben[202].

Nicht nur nämlich besitzen wir zwei Bühnenpläne für die beiden Tage der Aufführung, die Renward Cysat gewissenhaft bis ins Einzelne ausgearbeitet hat, die also weit eindeutigere, klarere und genauere Auskunft geben als der skizzenhafte Plan Vigil Rabers für Tirol, sondern seit der Mitte des 16. Jahrhunderts sind Notizen, Überlegungen, Anordnungen, Regieentscheidungen in einer Fülle vorhanden, einzigartig für die ganze ältere Geschichte des Theaters bis ins 19. Jahrhundert hinein.

Jedoch nicht nur die große Masse dieser Nachrichten ist erst aus später Zeit überliefert, auch der Text des Spieles liegt erst in einer Fassung des Jahres 1545 vor und große Teile sogar nur aus noch späterer Zeit[203].

---

[202] M. Blakemore Evans, ,,Zur Geschichte des Luzerner Passionsspiels" *Innerschweizerisches Jahrbuch für Heimatkunde* II (1937), S. 15—23.

[203] Endlich sind die gesamten Luzerner Texte mustergültig herausgegeben worden. Nachdem Renward Brandstetter zuerst in vielen liebevollen, wie auch gründlichen und verläßlichen Arbeiten auf das *Luzerner Spiel* aufmerksam gemacht hatte: ,,Zur Technik der Luzerner Osterspiele" *Allgemeine Schweizerzeitung* Plauen i. V. (1884); ,,Die Figur der Hochzeit zu Kana in den Luzerner Osterspielen" *Alemannia* XIII (1885) 241—262; ,,Die Luzerner Bühnenrodel" *Germania* XXX (1885) 205—210; XXXI (1886) 249—272; ,,Musik und Gesang bei den Luzerner Osterspielen" *Geschichtsfreund* XL (1885) 145—168; *Die Regenz bei den Luzerner Osterspielen* Luzern: Räber: 1886, S. 5; und *Renward Cysat, 1545—1614, Der Begründer der schweizerischen Volkskunde* (Renward Brandstetters Monographien 8) Luzern: Haag: 1909, nachdem dann Oskar Eberle im Rahmen seiner Betrachtungen über das Theater der Zentralschweiz durch neue Gesichtspunkte weitere Interpretation ermöglichte: *Theatergeschichte der inneren Schweiz* (Königsberger Deutsche Forschungen 5) Königsberg: Gräfe und Unzer: 1929, nachdem dann M. Blakemore Evans in mühevoller, langjähriger Arbeit die Edition des Textes vorbereitete: ,,The Passion Play of Lucerne" *Germanic Review* II (1927) 93—118; ,,Beteiligung der Luzerner Bürger am Passionsspiel" *Der Geschichtsfreund* LXXXVII (1932) 304—335; ,,Zur Geschichte des Luzerner Passionsspiels" *Innerschweizerisches Jahrbuch für Heimatkunde* II (1937) 15—23; ,,A Medieval Pentecost — A Note on Foreign Languages in the Lucerne Passion Play" *Monatshefte* XXX (1938) 153—156; und *The Passion Play of Lucerne An Historical and Critical Introduction* (The Modern Language Association of America Monograph Series 14) New York: The Modern

Der ältere Text läßt sich aber trotzdem dank eines günstigen Zufalls sehr weitgehend rekonstruieren. Aus demselben Urtext wie das spätere *Luzerner Spiel* ist noch eine zweite Tradition hervorgegangen, das *Donaueschinger Passionsspiel*, so genannt nach dem Aufbewahrungsort der Handschrift. In Villingen, dem alten vorderösterreichischen Städtchen am Osthang des Schwarzwalds, wurde das Drama aufgeführt[204].

Es läßt sich nachweisen, daß das *Villinger Drama* bereits im 15. Jahrhundert aus Luzern übernommen wurde. Der vorliegende Text ist im 15. Jahrhundert niedergeschrieben. Während weder die *Luzerner* noch die *Villinger Passion* mit irgendeinem der vielen anderen Spiele deutliche oder auch nur vage Zusammenhänge erkennen läßt, so ergeben sich zwischen den zwei genannten Spielen weitgehende Übereinstimmungen. Nicht nur der Luzerner Text von 1545, der Text des zweiten Tages, zeigt erstaunlich genaue textliche Gleichheiten, auch noch in den Teilen, die nur in späteren Handschriften vorliegen, sind ganze Szenengruppen mit nahezu gleichem Text stehengeblieben. Man könnte also an Hand der beiden Textüberlieferungen das Urspiel, aus dem beide entsprungen sind, fast völlig rekonstruieren. Der *Donaueschinger* (*Villinger*) *Text* steht diesem Urspiel nicht nur zeitlich besonders nah, er scheint auch wenige Erweiterungen oder Veränderungen vorge-

---

Language Association of America: 1943, hat nun endlich Heinz Wyss diesen langverheißenen Text in gewissenhafter diplomatischer Ausgabe und mit allem nötigem und wünschenswertem Apparat vorgelegt: Heinz Wyss, *Das Luzerner Osterspiel* (Schriften heraufgegeben unter dem Patronat der schweizerischen geisteswissenschaftlichen Gesellschaft 7) I, II, III Bern: Francke: 1967. Nun erst kann das Spiel wirklich als Gesamtwerk betrachtet werden.

[204] Der brauchbarste Text noch immer: F. J. Mone, *Schauspiele des Mittelalters* Karlsruhe: C. Macklot: 1846, II, S. 150—350. Die Ausgabe von Eduard Hartl, *Das Drama des Mittelalters Passionsspiele II* (Deutsche Literatur, Reihe Drama des Mittelalters 4) Leipzig: Philipp Reclam: 1942 ist keine Verbesserung. Über die Beziehungen zwischen Luzern und Donaueschingen (Villingen) siehe Georg Dinges, *Untersuchungen zum Donaueschinger Passionsspiel* (Germanistische Abhandlungen 35) Breslau: M. &. H. Marcus: 1910. Über den Donaueschinger Bühnenplan: A. M. Nagler, „Der Villinger Bühnenplan" *Journal of English and Germanic Philology* LIV (1955) 318—331 sowie Wolfgang F. Michael, *Frühformen der deutschen Bühne* (Schriften der Gesellschaft für Theatergeschichte 62) Berlin: Gesellschaft für Theatergeschichte: 1963, S. 49—51.

nommen zu haben. Noch gegen Ende des 16. Jahrhunderts, als man die Erweiterungen des Spieltextes in einer neuen Niederschrift zum Ausdruck bringt — *Villingen II* — bleiben große Teile unangetastet im alten Stil und geben Zeugnis für den Konservativismus der Schwarzwaldstadt.

Der jüngere *Luzerner Text* hat eine große Masse von Erweiterungen vorgenommen. Wo das *Donaueschinger* (*Villinger*) *Spiel* mit Maria-Magdalenen-Szenen einsetzt, da greift der *Luzerner Text* bis auf die Schöpfung zurück und geht das gesamte Alte Testament und die Weihnachtsszenen mit Gründlichkeit durch. Auch in den späteren Szenen erweitert und ergänzt *Luzern*. Gelegentlich, das ist bei der nahen Verwandtschaft der Texte besonders amüsant zu verfolgen, werden die Reime geändert. Ich gebe nur einige Beispiele, die mir aufgefallen sind; eine Textvergleichung auf dialektgeographischer Grundlage würde sicherlich interessante Ergebnisse bringen. Der Reim „geschehen — jehen" (*Donaueschingen* 171/172) ist in *Luzern* geändert zu „sprechen — bschehen" (*Luzern* 4304/4304). Lehnte *Luzern* „jehen" als zu altmodisch ab? Umgekehrt finden wir für den Luzerner Reim „gott — sott" (Luzern 4275/4276) in *Donaueschingen* den Reim „gott — spott" (*Donaueschingen* 159/160). Empfand man in der Schwarzwaldstadt die dialektische Kontraktion „sollst" zu „sott" als zu weit entfernt von der gehobenen Dialektsprache der Aufführungen? Oder ein Reim wie „Endung — Capharnum" (*Donaueschingen* 527/528) wird zu „vmb — Capharnaum" (Luzern 4789/4790), vielleicht weil man in Luzern den Reim verbessern wollte? Oder der Reim „Israhel — quel" (*Donaueschingen* 537/538; „quel" bedeutet hier Qualen) erscheint in Luzern als „Israhel — Seel" (*Luzern* 4799/4800). Widersprach dieser Reim dem späteren Luzerner Dialektgebrauch? Man bemüht sich überhaupt in Luzern Sprache und Rhythmus zu verbessern.

Dann wieder dienen Erweiterungen zur Verdeutlichung; sie machen die Begebenheit lebensnaher. Zum Beispiel nach der Bekehrung der Maria Magdalena protestiert ihr Liebhaber „zornigklich" „Das du mich allso willtt verlan?" (*Luzern* 4334). Überhaupt gewinnen die Maria-Magdalenen-Szenen an Farbe durch Einfügungen, die den Charakter ihrer Liebhaber verdeutlichen. Gelegentlich stellt *Luzern* auch die Szenen um. In sonderbarer Weise folgt in *Donaueschingen* die Versuchung „uff den berg" nach den Maria-Magdalenen-Szenen. In *Luzern* wird die Szene wie in der Bibel unmittelbar nach der Taufe angesetzt.

Trotz all dieser Unterschiede gewinnt man den Gesamteindruck, wenn man die beiden Traditionen vergleicht, daß in den 100 Jahren, in denen sich beide weiterentwickelten, die Übereinstimmungen erstaunlich stark bleiben.

In Tirol, das hatten wir gesehen, beruht die weitgehende Einheitlichkeit aller Texte darauf, daß die Regisseure und Veranstalter von Ort zu Ort reisten, Texte einsahen und abschrieben und an verschiedenen Aufführungen selbst teilnahmen. In Westmitteldeutschland, wo solch lebhafter Austausch nicht nachzuweisen ist, gewinnen die einzelnen Texte trotz gleichen Grundgehalts, trotz vielfachen Wiederaufklingens derselben Zeilen, derselben Reime, in der Struktur, in der Verwendung der Motive und Szenen jeder seine eigentümliche Form, seinen eigentümlichen Charakter. Wie kommt es, daß hier im alemannischen Raum die Entwicklung so eigentümlich einheitlich verläuft?

Wie wir schon sagten, beginnt der *Villinger Text* mit der Maria-Magdalenen-Handlung. Nun folgt nach der Versuchung das Wirken Christi, vor allem natürlich seine verschiedenen Wundertaten. Jedoch gehen auch in der Stoffwahl *Villingen* und mit ihm *Luzern* ihre eigenen von anderen Passionsspielen abweichenden Wege. So werden zum Beispiel die ungewöhnlichen Themen Christus und die Samariterin und der Jüngling zu Nain behandelt. Natürlich nehmen auch bei den alemannischen Spielen die Szenen um den Tod des Lazarus einen bedeutenden Platz ein. Nach dem Einzug in Jerusalem und Judas' ersten Verhandlungen mit den Juden bricht das *Villinger Spiel* recht unvermittelt ab mit den Worten:

> Und denn ist es gnůg uff ein tag gespilt und gat der Proclamator her für und seit den hinderisten spruch ...
>
> Nach dissem spruch facht die Judenschůl an und singt und in dem gat man uff dem platz in der ordnung bis in die cappel, denn gat jederman heim. (Mone, S. 252)

Auch hier wie bei der *Frankfurter Dirigierrolle* spürt man, daß die Zweiteilung noch neu ist und recht willkürlich durchgeführt wurde. Spielern und Publikum durfte man an einem Tag nicht mehr zumuten. Dem entspricht auch, daß zu Anfang alle Spielorte genannt sind, ohne einen Unterschied zu machen, ob sie für den ersten oder zweiten Tag benötigt werden. Dieser Mangel an Bühnenökonomie läßt sich nur aus der Neuheit der Teilung erklären. Im späteren Luzerner Spielplan bleiben zwar zum Beispiel Himmel und Hölle durch beide Tage erhalten, man brauchte sie das ganze Spiel hindurch, aber wo am ersten Tag der Garten des Paradieses aufgebaut war, da war am zweiten Tag, wenn auch nicht genau an derselben Stelle, der Ölberg errichtet. Am ersten Tag fehlen natürlich die Kreuze, die Säule für die Geißelung, am zweiten das Weihnachtshüttlein, der Opferblock für Abraham und so fort. In ähnlicher Weise werden auch in Bozen die Spielorte nach Bedarf ausgetauscht. Auch in Villingen wird man später dieselbe Technik befolgt haben.

Der zweite Tag in *Villingen* umfaßt Abendmahl, Ölberg, die Verhandlungen vor Annas, Cayphas, Pilatus und Herodes, Kreuzigung, Kreuzabnahme. Im eigentlichen Osterspiel bricht die *Villinger Handschrift* ab. Die Krämerszene, selbst in den anderen Passionsspielen, vor allem aber in den Osterspielen ein Urquell derber Komik, bleibt durchaus in ernstem feierlichem Ton. Auch das *Luzerner Spiel* von 1545 ändert daran nichts. Ein „appentekker", nicht ein Mercator oder Krämer hält die Salben feil, und er hat weder einen derben Gehilfen noch eine zänkische Frau.

Nicht nur in Villingen beschränkte man sich auf diesen Grundstock von Szenen vom Wirken, Leiden und der Auferstehung des Heilands, auch das *Luzerner Spiel*, von dem das *Villinger* abstammte, muß ebenso begrenzt gewesen sein. Der *Luzerner Text* von 1545 enthält nur die Darstellungen des zweiten Tages; wir wissen also nicht genau, mit wie viel Detail man damals schon die Weihnachtsgeschichte und das Alte Testament behandelte. Immerhin wird nun die Lazarusszene in den zweiten Tag hinübergenommen, wahrscheinlich um am ersten Tag eine größere Zeitspanne für die früheren Spiele zu gewinnen.

Der Text des ersten Tages in Luzern, so wie er uns nun in Handschriften aus den Jahren 1571 und 1583 vorliegt, beginnt mit der Schöpfung. Der Sündenfall, Cayn und Abel, Abraham und Isaac, Jacob und Esau, Joseph, Moses und der Auszug aus Ägypten, David und Goliath, der englische Gruß und die Geburt Christi sind alle nur in der Handschrift von 1583 erhalten. Die Handschrift von 1571 setzt ein mit den drei Königen; behandelt dann den zwölfjährigen Jesus im Tempel, Johannes den Täufer und Christi Taufe. Mit der Versuchung Christi rückt die Handschrift dann in den Bereich der alten Spieltradition, wie sie uns durch den *Villinger-Donaueschinger Text* bekannt ist. Von jetzt an erscheint dieser *Villinger Text* nahezu in seinem ganzen Wortlaut als Grundstock.

Gewiß werden hier und da neue Dialogstücke, gelegentlich auch ganze Szenen eingefügt, aber der Text bleibt überraschend gleich. Wie nirgendwo sonst zeigt sich die erstaunliche Macht der Tradition. Lassen wir den Altmeister in der Historiographie der *Luzerner Spiele* sprechen:

> Alle diese Texte sind nun aus einem Guß, d. h. diejenigen der späteren Jahre sind nur Copien der früheren, immerhin mit geringern oder größern Aenderungen, so daß man auch das Wort ,,Ueberarbeitungen" anwenden könnte. Dieses ist vollkommen sicher für die Texte von 1560 an und sehr wahrscheinlich gilt das nämliche auch für den ältesten Text, den von 1545. Zu Cysats Zeiten existirte noch das sogenannte ,,vralte Spiel", welches häufig consultirt wurde, und dieses mag wohl der Archetypus gewesen sein[205].

Dieses verlorene ,,vralte Spiel" muß also Urstock für *Villingen* wie auch für alle späteren *Luzerner Versionen* gewesen sein. Wenn auch von Aufführung zu Aufführung der Text wuchs und wechselte, dieser Urstock blieb. Auch in welcher Weise die Änderungen vorgenommen wurden hat Brandstetter vorzüglich dargelegt:

> Die Texte zu *reformiren* und endgültig zu *stellen*, ist Aufgabe des Regenten. Indes liegt es noch dem der Theologie erfahrenen Leutpriester ob, sie zu prüfen und gutzuheißen. Auch wird dann und wann das Haupt des Rathes, der Schultheiß, consultirt. Es greifen hie und da aber auch andere Personen dem Regenten in sein Amt. 1571 verfaßte der Priester Hürlimann, der die Rolle des ,,Pater aeternus" spielte, für sich eine Rede, die er nach der ,,Verscheidung Christi" zu halten beabsichtigte, und worin er den Werth des Erlösungswerkes pries. Sie wurde in den Text aufgenommen, 1583 oder 1597 aber wieder *vsgethan*. 1597 verfaßte der Salvator 3 Verse, zwei für sich und einen für Petrus, und auch diese wurden eingefügt. Die Figuren Judith und Hester schlug 1597 der Leutpriester vor. (Brandstetter, S. 21/22)

Im übrigen zeigen sich die Übereinstimmungen zwischen *Luzern* und *Villingen* noch bis in die Bühnenanweisungen. So heißt es zum Beispiel in *Villingen*: ,,Und in dissem schlicht der Salvator uss dem grab und becleidet sich anders und leit sich den wider dar in" (Mone II, S. 333) und entsprechend in *Luzern*: ,,so leyt sich Saluator anderwert an vnnd gadt dann wider inns grab, die wyl der Lerer ret" (Wyss II, S. 226).

---

[205] Renward Brandstetter, *Die Regenz bei den Luzerner Osterspielen*. Luzern: Räber: 1886, S. 20/21.

Das *Villinger Spiel* hat leider nur einen einzigen Hinweis auf die Örtlichkeit der Aufführungen. Am Ende des ersten Tages heißt es: „und in dem gat man uss dem platz in der ordnung bis in die cappel, denn gat jederman heim" (Mone II, S. 252). Wo war diese Kapelle? War sie eine der Kapellen des Münsters? War der Platz, auf dem gespielt wurde, von dem immer wieder die Rede ist, der Münsterplatz? Dies wäre der größte, der natürlichste Schauplatz für die Aufführung gewesen. Vielleicht ließe sich nun auf Grund des neuveröffentlichten *Luzerner Textes* durch einen Textvergleich, durch genaues Studium etwaiger Abweichungen in den Bühnenanweisungen doch ein gewisses Bild gewinnen von der Villinger Bühnenform.

Die späteren *Luzerner Texte* zeigen übrigens, wenn auch nur in äußerlicher Weise, daß sie einer anderen Zeit angehören, einer Zeit, die durch den Humanismus das antike Theater wiederentdeckt hatte, einer Zeit, die durch die Wirren der religiösen Auseinandersetzung gelernt hatte, die Bühne entweder zum Lautsprecher dogmatischer Leidenschaft zu machen, oder aber im Gegenteil durch vorsichtige Vermeidung aller Polemik auch ein andersgläubiges Publikum nicht vor den Kopf zu stoßen. Nur selten spürt man im *Luzerner Text* konfessionelle Stellungnahme; im allgemeinen bemühte man sich, Eidgenossen aus protestantischen Kantonen zu den Vorführungen herzulocken.

Die humanistischen Einwirkungen auf das *Luzerner Spiel* bleiben recht oberflächlich. Gewiß, der erste Tag ist nun in 28 Actus eingeteilt, der zweite in zwei Hälften von 17 beziehungsweise 11 Actus. Aber diese rein äußerliche, humanistisch klingende Bezeichnung bedeutet nichts. Die Wesensform des geistlichen Dramas im Spätmittelalter blieb erhalten. Der Stoff muß mit erschöpfender Genauigkeit durchgehandelt werden, alles muß auf der Bühne gezeigt werden. Wo das Humanistendrama sich beschränkt in der Zahl der Darsteller wie in der Auswahl des Stoffes, da bietet das *Luzerner Werk* ganz noch im Geiste des Spätmittelalters die Gesamtheit des religiösen Weltgeschehens.

Und doch hat sich die wesentliche Aufführungsform des Mittelalters: die Simultanbühne nicht mehr in reiner Form erhalten. Im *Villinger Spiel* blieben alle Darsteller während der ganzen Vorführungszeit auf dem Bühnenplatz, sei es in ihren Orten, sei es in der gemeinen Burg — einer neutralen Spielfläche, die nach Bedarf die verschiedensten Bedeutungen annehmen konnte. In einem kompakten Drama wie dem *Villinger*, wie dem älteren *Luzerner Spiel*, wo wirklich nur Leben und Leiden des Heilands abgehandelt wurde, ergab sich diese Bühnenform wie von selbst. Aber als nun das Alte Testament mit einer Unmenge von neuen Gestalten dazukam, Gestalten, die vielleicht nur für einen kurzen Auftritt benötigt wurden, da erschienen und verschwanden die Darsteller, um vielleicht später noch einmal in anderer Rolle wieder herangezogen zu werden. Kurz, die Darsteller traten auf und ab; das ist ganz unsimultan. Dazu wird die Handlung mehrfach ausgeschmückt, oder, sollte man lieber sagen, unterbrochen durch lange Reden der Kirchenväter, der Lehrer, wie sie der Text nennt. Wie diese predigtartigen Ansprachen bühnentechnisch zu meistern waren, wird zu Anfang ganz deutlich gemacht:

> Gregorius Enmitten im platz, stat in einem sonderbaren, harzů gerüsten Cantzel oder stand, wol oben har under dem Paradys gestellt. den tragt man fürher, so offt ein Leerer reden sol, dann die Leerer gand nit am platz vmbher. (Wyss I, S. 77)

Diese Ansprachen faßten das Vorangegangene zusammen, deuteten auf das Kommende hin, gaben aber vor allem belehrende Hinweise auf den tieferen Sinn des Spieles. Dieses dogmatisch belehrende Gefüge stellt natürlich keine Neuheit im geistlichen Drama dar. Aus dem Prophetenspiel hatten mehrere der Passionsspiele, insbesondere solche aus dem westmitteldeutschen Kreis, die Figur des Augustinus in ähnlicher Weise herangezogen. In *Luzern* hat sich jedoch die Wirkung dieser Arabesken noch etwas verschoben. Wo im mittelalterlichen Drama dogmatische Belehrung noch durchaus naiv und direkt war, wie zum Beispiel im *Innsbrucker Fronleichnamsspiel*, da spürt man im *Luzerner Spiel* einen recht bewußten Gebrauch der Belehrung, nicht etwa in enger kirchlicher Bindung — auch Protestanten haben sicher keinerlei Anstoß genommen — sondern allgemein moralischer Natur. Das Drama ist auf einmal didaktisch geworden, oder besser, sucht es zu sein. Das ist ein Grundzug im Drama des 16. Jahrhunderts. Ich habe an anderer Stelle die Didaktik der Zeit eine recht oberflächliche Bemäntelung genannt, hinter der sich der vitale sündhafte Spieltrieb des Jahrhunderts verberge[206]. Ob man diese Auffassung für berechtigt hält oder nicht, jedenfalls ist diese Didaktik ein durchaus neuer Zug, das naive mittelalterliche Theater war frei davon. Wo

---

[206] *Frühformen der deutschen Bühne* (Schriften der Gesellschaft für Theatergeschichte 62) Berlin: Gesellschaft für Theatergeschichte: 1963, S. 88.

im Mittelalter die Aufführung trotz aller Gerhoh von Reichersbergs als religiöse Tat empfunden wurde, als Gottesdienst, da war durch die Verweltlichung der Darstellung, sei sie auch frei von jeder vagantisch überschwänglichen Derbheit, das naive Band zerrissen oder doch gelockert, das letztlich dieses Drama noch an den Gottesdienst knüpfte, aus dem es einst hervorgegangen war. Mag auch der Leutpriester, wie wir sahen, noch immer den Text überprüft haben, das späte *Luzerner Drama* stellt den Säkularisierungsprozeß vom geistlichen Drama zum großen Volkstheater in radikalster Weise dar. Mit ihm können wir unsere Betrachtungen über das geistliche Drama abschließen und zu anderen Ausdrucksformen mittelalterlicher Dramatik vorstoßen, nachdem wir nun kurz die betrachtete Entwicklung zusammenfassen.

17. Rückblick

Bei aller Vielfalt der sprachlich geographischen Einheiten, der Stoffe, der Entwicklungsstufen, der Bühnenformen, der soziologischen Begrenzung muß man doch das geistliche Drama vom Quem Queritis zum lateinisch liturgischen Kirchenspiel, zur vom Vagantenwitz durchsetzten Übergangsstufe, zum Spiel in deutscher Sprache, zum großen Zyklus des Spätmittelalters, ja bis hin zu *Oberammergau* und *Erl* als zusammengehöriges Grundphänomen ansehen. Gewiß, die frühen dramatischen Feiern, noch ganz eingebettet in den Gottesdienst und in ihrem lateinischen Gewande von diesem kaum zu unterscheiden, zudem untereinander so stark verwandt, daß man selten schöpferischen Geist durchfühlt, scheinen wenig gemein zu haben mit einem so eigenwilligen, so genialen und in Thema wie Behandlung völlig alleinstehenden *Ludus* wie dem aus Tegernsee. Auch klingt vagantische Lebensfreude, vagantische Zügellosigkeit, selbst wo sie dann durch Gedanken an tiefe Reue und Devotion abgetönt wird, fast wie schrille Dissonanz in dem ernsten Konzert religiöser Darbietungen. Durch diesen liberalen, wenn nicht libertinen Geist wurde der Weg frei gemacht für die meist traditionslosen und so auch nicht recht beheimateten Osterspiele, wo noch derber Witz ein Hauptelement bleibt. Zugleich sproßt ein schier unübersehbares Feld von geistlichen Dramen mit verschiedenen Themen empor. Aber als dann die Träger städtischer Kultur: Rat und Zünfte die Pflege des geistlichen Dramas übernehmen, da bildet sich von neuem eine feste Tradition in den Passionsspielen, in den Fronleichnamsspielen. Wir haben hier nur drei Zentren solcher Traditionen genannt, die von Tirol, Westmitteldeutschland und Luzern-Villingen. Jedoch wissen wir von weiteren solchen Zentren, wo freilich nur wenige Hinweise in den städtischen Büchern die Reste bleiben, die von einer einst vielleicht recht wertvollen Tradition auf uns gekommen sind; solche Hinweise haben wir, um nur Beispiele zu nennen, aus Straßburg aus den Jahren 1488 und 1512, 1513 und aus dem Straßburg nahen Colmar 1514 und 1515[207].

Was läßt uns diese Vielfalt als Einheit erscheinen? Wenn auch gelegentlich in *Tegernsee*, in *Benediktbeuren*, in *Muri* originelle Leistungen hervorragen, im ganzen schafft die Tradition, sei es die frühe liturgische, sei es die späte städtische, ein zusammenhängendes Bild. Es ist mehr als ein Gemeinplatz zu sagen, daß das geistliche Drama sich ausschließlich mit religiösen Themen befaßt, auch da noch wo Teufelsspuk und Salbenkrämerszenen die Grundstimmung fast völlig übertönen. In einer naiven Gottgläubigkeit, die der moderne Mensch kaum noch nachempfinden kann, durfte das ruhig hingenommen werden. Und diese naive ungebrochene Gottgläubigkeit schafft den Urgrund, aus dem die Dramen wachsen und gedeihen konnten. Nicht allein puritanische Feindschaft zerbrach die lange Tradition in protestantischen Gegenden. Luther befürwortete dramatische Aufführungen; Protestanten wie Hans Sachs, wie Rueff verfaßten Passionsspiele. Vielmehr es fehlte diese naive selbstverständliche Gottgläubigkeit. Seit der Reformation überprüfte der Laie die religiösen Wahrheiten. Wir sprachen schon beim *Luzerner Spiel* davon: an Stelle der Selbstverständlichkeit tritt nun dogmatisch didaktische Belehrung. Gewiß, im Volksdrama, sei es im einfachen Stubenspiel, sei es im großen Spiel im Freien, geht die Tradition weiter. Aber sie hat nun etwas Privates, etwas Epigonenhaftes. Nur vereinzelt wie in *Oberammergau* lebt mittelalterlicher Geist verändert, verjüngt bis in unsere Zeit.

---

[207] M. Vogeleis, *Quellen und Bausteine zu einer Geschichte der Musik und des Theaters im Elsaß (500—1800)* Straßburg: F. X. Le Roux: 1911, S. 130, 176, 181, 183, 184.

II. DAS WELTLICHE VOLKSDRAMA

Das religiöse Drama des Mittelalters liegt also verhältnismäßig klar vor uns. Wir wissen von seiner Entstehung; wir übersehen die verschiedenen Formen, Stufen, Genres, in denen es Gestalt gewann; wir glauben zu verstehen, wie es schließlich sozialen Verschiebungen, neuen kulturellen Strömungen, religiösem Eifer zum Opfer fiel. Das weltliche Drama des Mittelalters in Deutschland ist weit schwerer zu umreißen. Immer wieder tastete man zurück in dem Strome dieser Erscheinung, um zu den Quellen, dem Ursprung zu gelangen. Mehr und mehr verlor sich dieses Tasten in Problematik, in Kontroverse. Zuletzt hat man dieses scheinbar aussichtslose Unterfangen völlig beiseite geschoben und sich damit begnügt, das Phänomen als solches zu werten. Zweifellos eröffnen sich so Einblicke, die vorher verdeckt waren. Aber auch hierbei konnte man letzten Endes nicht ohne historischen, ja um es noch positivistischer zu formulieren, nicht ohne entwicklungsgeschichtlichen Hintergrund auskommen. So hat Catholy in glücklichster Weise die genaue Werkanalyse auf sorgfältige Untersuchung der historischen, der philologischen Hintergründe aufgebaut. Im luftleeren Raum dagegen kann man nicht operieren. Wer würde, extrem und kraß ausgedrückt, eine textimmanente Interpretation des *Fastnachtspiels vom Dreck* durchführen. So scheint es, daß um das Phänomen weltliches Drama und insbesondere Fastnachtspiel voll zu erfassen, doch auch das historische Bild herangezogen werden muß. Wir werden zunächst versuchen, den Begriff Fastnachtspiel zu umreißen; wir werden darauf versuchen, einen Überblick über den Stand der Forschung zu geben; wir werden schließlich versuchen, an Hand der Dokumente und Texte induktiv den Entwicklungsgang nachzugehen und so zu einem Gesamtbild der Erscheinung zu kommen.

1. Definition

Die Fastnachtspiele sind dramatische Werke, die in der Fastnachtszeit, der Zeit vor dem Osterfasten aufgeführt werden. So könnte man am einfachsten und unverbindlichsten definieren.

Freilich würde eine solche Definition sehr wenig aussagen von dem Charakter solcher Spiele; sie würde nur eine äußerliche Gemeinsamkeit beschreiben, würde also wenig befriedigen. Dazu käme aber, daß sie nicht einmal völlig zutrifft.

Wir sprachen in der Einleitung von der gefährlichen Begriffsweitung des Wortes Drama. Wir forderten, daß hier klar und scharf geschieden werden muß zwischen Drama im eigentlichen Sinne und der metaphorischen Ausweitung. Bei dem Wort Spiel klingt im modernen Deutschen eine Vielzahl der Bedeutungen an; im Spätmittelalter erscheint diese Vieldeutigkeit noch weit ausgesprochener. Die Kontroverse über Charakter und Tätigkeit der Spielleute im Hochmittelalter ist bis ins 20. Jahrhundert hinein noch nicht verstummt; in unserer Zeit, dem 15. und 16. Jahrhundert, bedeutet Spielmann offensichtlich beruflicher Musikant, und zwar kann jede Art von Instrumentalisten gemeint sein[208]. So mag Spiel also unter anderem auch musikalische Darbietungen betreffen, und solche „Spiele" gab es natürlich auch in der Fastnachtszeit. Aber selbst die direkte Wortverbindung Fastnachtspiel, übrigens auch Osterspiel, bezog sich mehrfach auf Nichtdramatisches. In Johann Kesslers *Sabbata* liest man: „so habend die predicanten ain gewohnhait in irer predig ainen lechnigen bossen und kurtzwilligen fabel (so man nennet das osterspil) die och gnůg ring were in der bůben trinckstube zů erzellen . . ."[209]. In sonderbarer Weise verbindet Aventinus Fastnachtspiel und Osterspiel so:

> Curtius sprengt in ein grueb und wurden vastnacht- und osterspil und dergleichen kurzweil got zu eren von dem Römern angenummen und gehalten ausz rat irer geistlichen.

und:

> Über das alles gelobet kaiser Augustus ochsen mit vergülten hörnern und große (wie damals der brauch war) vasnacht- und dergleichen osterspil oder wie mans nennen sol . . .[210].

---

[208] Siehe hierzu Wolfgang F. Michael, „Gab es ein Marburger Prozessionsspiel?" *Archiv für das Studium der neueren Sprachen und Literaturen* CXIV (1963) 394—396.

[209] Ernst Götzinger, „Johann Kesslers Sabbata" *Mitteilungen zur vaterländischen Geschichte herausgegeben vom historischen Verein St. Gallen* V—X (1866—1868), S. 100.

[210] Diese beiden Zitate und das folgende nach Neil C. Brooks, „Fastnacht- und Osterspiel" *Modern Language Notes* XXXIII (1918), S. 436/37.

Bei diesen und anderen Stellen könnte man noch annehmen, daß Aventinus dramatische Aufführungen meinte. Andere Zitate dagegen lassen sich kaum so interpretieren, zum Beispiel:

> Alle gescheft, von got geben, die ganz natur, alles götlich verhaissen, zaichen, briefe und sacrament, auch alle gotsdienst seind auf die zehen gepot gewidembt, geordnet und gericht: wa man die zehen gepot nit helt, ist das ander lauter fasnachtspiel (das ist ‚hipocrisis', wie es die hailig schrift im kriechischen nent), man predig, man sing, man schrei, man pfeif wie man wöll in der kirchen.

Aus Zwickau sind besonders reichhaltige und interessante Angaben in einem Aufsatz von Hahn wiedergegeben[211]:

> In einem von Losan festgehaltenen Spottgedicht wird der am Fastnachtdonnerstag 1522 erfolgte Bildersturm auf den Wirtschaftshof der Grünhainer Zisterzienser in Zwickau geradezu als „ein faß nacht spil" bezeichnet und zu dem dabei vorgefallenen Martyrium des Mönches Valentin angemerkt:
>
> Jdermann die faßnacht belacht.
> Wars nit zuvil, so wars genugk,
> das man übet solch faßnacht stugk.
>
> Zu solchen Fastnachtstücken rechnen, übrigens bis an den Dreißigjährigen Krieg heran, Stechen, Fechtschulen, Fuchsprellen, Schwert- und Reiftänze u. a. als das Übliche, Tollheiten wie der Mummenschanz von 1525, da man als Mönche und Nonnen verkleidete Personen mit Geschrei und Schlägen in Hasennetze jagte, die auf dem Markt aufgestellt waren, als das Ungewöhnliche. Am abwechslungsreichsten ist nach unsern Quellen die Fürstenfastnacht von 1518 gewesen; der Chronist Schumann zählt zwölf verschiedene Unterhaltungen auf, ohne vollständig zu sein: „Sonsten ist diese woche über viel Rennens und stechens alhie geübt worden von Edel und Unedel. Auch viel Fasnachtspiel, die do seltzam zu schauen gewest sein; welche umb kurtz willen nicht alle hierher haben konnen geschrieben werden." Indes nur drei volkstümliche Fastnachtspiele im engeren Sinne, d. h. dramatische Darbietungen, sind festzustellen. (S. 97/98)

Klar erkennt man auch die Mehrdeutigkeit des Wortes in einem Stück aus einer Wiener Handschrift[212]. Schon das Reimschema

---

[211] Karl Hahn, „Schauspielaufführungen in Zwickau bis 1625" *Neues Archiv für sächsische Geschichte und Altertumskunde* XLVI (1925), S. 95—123.

[212] Adelbert von Keller, *Fastnachtspiele aus dem fünfzehnten Jahrhundert Nachlese* (Bibliothek des litterarischen Vereins in Stuttgart 46) Stuttgart: Litterarischer Verein: 1858, S. 286—290.

a b a b c d c c d und der strophische Aufbau läßt deutlich werden, daß es sich um ein Lied handelt. Und tatsächlich erklärt der Vortragende: „Ein lied hab ich besunen," und zu Anfang der letzten Strophe: „Das liedt doch yetz ein ende hat." Aufbau und Form lassen keinen Zweifel zu, ein Einzelner sprach oder richtiger sang das Stück. Dennoch beginnt es:

> Ir herren, wolt ir schweigen
> Und horen ein fastnachtspil?

Fastnachtspiel bedeutet in diesem Stück also nichts weiter als ein saftiger Vortrag. Was gegeben wird, sind Liebesabenteuer, satirisch behandelt und nach Ständen aufgereiht. Niemand wird verschont.

Ganz besonderes Gewicht haben für unsere Betrachtungen natürlich Belege aus Nürnberg. Da heißt es denn in den Ratsprotokollen des Jahres 1512:

> das sie auch des aschrigen mittwochs endlich verschonen mit allem vassnachtischen spilen und dafür den gailen montag nemen, wie etliche jar her geschehen[213].

Vorher schon 1500 wird ein Bettler gewarnt:

> das er sich hinfüro, so er bettelt, darzu zimlicher gewönlicher wort gebrauch und sein närrisch fassnachtswenk underlass, oder man wölle ime das handwerk verpieten.

Endlich besonders deutlich wird im Jahre 1510 gestattet:

> Den Polacken, so itzo mit den beeren und trummeten hie sein, ist zugelassen, das sie ihr vassnachtspil uf die pfingstfeiern machen mögen.

Wieder erscheint Fastnachtspiel nicht an die Jahreszeit gebunden; aber vermutlich steht das Wort nicht einmal für dramatische Darbietungen, sondern eben für Jahrmarktsunterhaltung mit Bären und Trompeten. Zum Schluß sei noch hingewiesen auf eine sonderbare Fastnachtspielaufführung, auf die Werner Lenk zuerst aufmerksam gemacht hat[214]. In seinem Reimpaarspruch No. 38 feiert Folz die Anwesenheit in Nürnberg von König Maximilian

---

213 Theodor Hampe, *Die Entwicklung des Theaterwesens in Nürnberg* Nürnberg: J. L. Schrag: 1900, S. 230. Die folgenden Zitate sind alle auf derselben Seite zu finden.

214 Werner Lenk, *Das Nürnberger Fastnachtspiel des 15. Jahrhunderts* (Deutsche Akademie der Wissenschaften zu Berlin 33, Reihe C, Beiträge zur Literaturwissenschaft) Berlin: Akademie Verlag: 1966. S. 990

dem späteren Kaiser. Er beschreibt die verschiedenen Belustigungen, und dann heißt es „Eyn ging ein Fasnachtspil"[215]. „Eyn greiß bedagter man" bewirbt sich um ein junges Mädchen. All sein Gold hilft ihm aber nichts, das Mädchen zieht einen Landsknecht vor. Folzens Beschreibung macht es nicht klar, ob das Dargestellte ein regelrechtes Drama mit gesprochenem Text war oder, wie ich eher glauben möchte, nur eine Pantomime. Auch hier bezeichnet also Fastnachtspiel eine Darstellung, die nicht der Fastnacht gilt. Das Thema erscheint allerdings, wenn auch nicht ganz in derselben Form, in anderen regelrechten Fastnachtspielen. Diese Belege dienen als Warnung: Das Wort Fastnachtspiel muß immer im textlichen Zusammenhang gesehen werden; nur in diesem Zusammenhang können wir seine eigentliche Bedeutung erkennen.

Aber nun müssen wir die ursprünglich versuchsweise gegebene Definition auch noch im umgekehrten Sinne einschränken: nicht jede dramatische Aufführung in der Fastnachtzeit können wir als Fastnachtspiel bezeichnen. Im 16. Jahrhundert wird es bei den Schulmeistern häufiger Usus, in der Fastnachtszeit dramatische Vorführungen zu veranstalten. Und doch kann man dabei kaum von Fastnachtspielen sprechen. Die früheren vorreformatorischen Humanistendramen konnten zu jeder Jahreszeit inszeniert werden. Dennoch scheint es nicht ganz zufällig, daß gerade Reuchlins *Henno* das bedeutendste Humanistendrama, am 31. Januar, also auch in der Fastnachtszeit aufgeführt wurde. Laurencius Corvinus, ein Schüler des Celtis, stellte in den Jahren 1500 und 1501 jeweils an der „Herren und der Pfaffen Fastnacht" den *Eunuchus* des Terenz, beziehungsweise die *Aulularia* des Plautus in Breslau vor dem Rat und den Bürgern dar[216]. Endlich hat man Celtis' *Ludus Diane*, am Fastnachtsdienstag vor Kaiser Maximilian und seinem Hofe aufgeführt, als ein humanistisches Fastnachtspiel gedeutet[217]. Wenn also der Humanismus sich von der Begrenzung der Schulatmosphäre frei macht, sich vor der Öffentlichkeit produziert, so benutzt er die Fastnachtszeit für seine Aufführungen. Denn sicherlich wählte

---

[215] Hans Fischer hrsg., *Hans Folz: Die Reimpaarsprüche* (Münchener Texte und Untersuchungen zur Deutschen Literatur des Mittelalters 1) München: Beck: 1961, S. 326/327 (v. 271—309).

[216] Gustav Bauch, *Geschichte des Breslauer Schulwesens vor der Reformation* (Codex Diplomaticus Silesiae 25) Breslau: Ferdinand Hirt: 1909.

[217] Virginia Gingerick, „The *Ludus Diane* of Conrad Celtis" *Germanic Review* XV (1940), S. 164/165.

Corvinus nicht zufällig in beiden Jahren denselben Sonntag in der Fastnachtszeit.

Endlich ließ Burkard Waldis sein Drama vom verlorenen Sohn „das erste gedruckte deutsche Drama, welches den Einfluß der Kunstgesetze des antiken klassischen Dramas bekundet", am 27. Februar 1527 in Riga aufführen[218]. Dabei nahm er im Prolog ausdrücklich Stellung gegen die„ lichtuerdicheit," die im „fastelauendes spell" zu Rom gezeigt werde. Ein Fastnachtspiel ist Waldis' Werk weder in Gehalt noch in der Form. Der Geist, in dem es geschrieben wurde, bekundet ja gerade die Ablehnung des Fastnachtsgeistes. Der Gehalt: das Gleichnis vom verlorenen Sohn, viel zu umfassend und zu schwerwiegend um als Fastnachtspiel zu gelten, dient religiös-politischer Propaganda. Die Form: die Teilung in zwei Akte, läßt eine gewisse humanistische Vorbildung des Autors erkennen, wie auch ausdrückliche Hinweise auf Plautus und Terenz, deren Werke aber abgelehnt werden. Was Waldis geben wollte, war also gerade nicht ein Fastnachtspiel (die Bezeichnung Fastnachtspiel stammt von dem modernen Herausgeber Milchsack), noch auch ein Humanistendrama. Dem Protestanten lag es auch fern, in der alten Tradition des geistlichen Dramas fortzuwirken, von der er freilich die simultane Bühnenform übernahm. Waldis fand eine wesentlich neue Form, die im 16. Jahrhundert dann überwiegende Bedeutung erlangte: das geistliche Volksdrama außerhalb der Tradition, als Einzelwerk, als Originaldrama. Sei es um von dem unchristlichen Fastnachtstreiben abzulenken, sei es weil er sie für opportun hielt, jedenfalls auch Waldis wählte die Fastnachtszeit für seine dramatische Aufführung.

Die Beispiele, die wir geben konnten für Darbietungen von Dramen, die nicht Fastnachtspiele waren, aber in der Fastnachtszeit aufgeführt wurden, stammen allerdings fast alle aus dem 16. Jahrhundert; und doch könnten sie andeuten, daß Spiele zur Fastnacht auch in früherer Zeit anderes einschlossen als nur das, was wir im engeren Sinne Fastnachtspiele nennen.

Was sind denn aber eigentlich Fastnachtsspiele? Wir können einstweilen nur a priori kurz umreißen, was wir unter dieser Dichtungsgattung verstehen und werden später an Hand der

---

[218] Gustav Milchsack, hrsg., *Der verlorene Sohn, ein Fastnachtspiel von Burkard Waldis* (Neudrucke deutscher Litteraturwerke des XVI. und XVII. Jahrhunderts 30) Halle: Max Niemeyer: 1881. Das Zitat ist auf Seite VI.

Dokumente Schritt auf Schritt darzulegen haben, warum wir zu einer solchen Beschreibung (der Ausdruck Definition verbietet sich eigentlich) gekommen sind.

Fastnachtspiele sind leichte Unterhaltungsstücke dramatischen oder manchmal auch nur semidramatischen Charakters. Als Vortragsform dienen Dialoge oder mindestens aneinandergereihte Monologe verschiedener Personen. Handlung oder selbst Reihung von Ereignissen darf fehlen, ja fehlt in vielen Stücken. Derbe Sprache überwiegt. Die Funktionen aller Körperteile werden in zweideutiger oder unzweideutiger Weise zum Thema. Der moderne Protestant, ja auch der moderne Katholik versteht kaum noch die wilde Ausgelassenheit der Vorfastenzeit. Aber als die Fasten noch eine schwere Lebensentsagung bedeuteten, das heißt also vor der Reformation und dem Tridentiner Konzil, konnte auch die Triebhaftigkeit vor Torschluß solch gargantische Formen annehmen. Aus diesem Geist heraus wurde das Fastnachtspiel geboren. Freilich zeigt sich die triebhafte Vitalität dieses Zeitalters auch in anderen Literaturgattungen, in der epischen Satire, wie zum Beispiel in Wittenweilers Ring, im Schwank und wir haben sie ja auch in den komischen Szenen des geistlichen Dramas beobachten können. Die Ideale der Maze des Hochmittelalters, des Ritterstandes wichen vor der dörperlichen Urwüchsigkeit, vor dem ungeschminkten Selbstbehagen einer wesentlich neureichen, oder jedenfalls neugesicherten städtischen Gesellschaft.

2. Stand der Forschung

Jede Auseinandersetzung mit dem Phänomen Fastnachtspiele führt früher oder später zu der Frage: Wie ist diese Form zu erklären, wie entstand sie, wie kommt es, daß aus einem Zentrum: Nürnberg, die überwiegende Mehrzahl aller Texte überliefert ist zusammen mit weitgehender Dokumentation? Wie kommt es, daß daneben aber auch aus anderen Gegenden Deutschlands, wenn auch nicht immer Texte so doch Nachrichten und Belege vorhanden sind und daß diese zum Teil in recht frühe Zeit zurückreichen? Ein und dieselbe Form muß in ihrer Entstehung doch irgendwo einen Anfang gehabt haben, wie das geistliche Drama in dem Quem-Queritis-Tropus, in der *Regularis Concordia.* Zudem läßt sich ein Phänomen voll erklären doch nur, wenn wir seinen ursprünglichen Charakter, ich möchte sagen, seine ursprüngliche Absicht kennen.

Bei der Betrachtung des geistlichen Dramas stießen wir auf weltliche Szenen, die oft erstaunlich wenig religiös, ja direkt grob und obszön wirkten. Immer schon hat man diese Szenen als Vagantengut angesehen. Nun ging man einen Schritt weiter und leitete aus diesen Szenen, die sich ja gelegentlich aus ihrem religiösen Rahmen lösten, die Entstehung des weltlichen Dramas, ja des Fastnachtspieles ab. Schon im letzten Jahrhundert erkannte Richard Heinzel den engen Zusammenhang zwischen dörperlicher Minne, Volkslied und andererseits weltlichen Szenen im geistlichen Drama; dann aber auch die engeren Beziehungen zwischen den Salbenkrämerszenen der Oster- und Passionsspiele einerseits und manchen Fastnachtspielen andererseits[219]. Alfred Bäschlin behandelte diese Beziehungen in seiner Dissertation noch weit ausführlicher[220]. Am weitesten aber ging Fritz Hammes in seiner Untersuchung über das Zwischenspiel im deutschen Drama:

> So dürfen wir trotz des faktischen Gegenteiles die Behauptung aufstellen: das Zwischenspiel des geistlichen Dramas hat sich aus unscheinbaren Anfängen selbständig zum Fastnachtsspiel entwickelt, d. h. die letzte Stufe seiner Ausgestaltung ist die unterste Stufe des Fastnachtsspieles[221].

Gegen eine solche summarische Behauptung läßt sich einwenden, daß nur eine kleine Zahl der Fastnachtspiele überhaupt Übereinstimmungen mit der Krämerszene oder anderen komischen Szenen des geistlichen Dramas aufweist, daß diese Spiele meist in ihrer Form kompliziert sind, daß sie meist nicht aus dem Hauptzentrum Nürnberg zu stammen scheinen. Den Ursprung der Fastnachtspiele aus dieser einen Quelle herzuleiten, scheint also nicht angängig.

Weit öfter wurde immer schon und wird zum Teil noch heute auf volkstümliche Bräuche als Nährboden der Fastnachtspiele hingewiesen. Wie jedes Kulturvolk müßten natürlich auch die alten Germanen ein Drama gehabt haben. Das Wort Drama erscheint in dem schillernden Strahlenglanze romantischer Bewunderung, d. h. ohne jeden scharfen Fokus, jede Dokumentation. Dieses Drama sei der Urgrund gewesen, aus dem das gesamte mittelalterliche Drama,

---

219 Richard Heinzel, *Abhandlungen zum altdeutschen Drama* (Sitzungsberichte der kais. Akad. der Wissenschaften in Wien Philosophisch-Historische Classe 134) Wien: Carl Gerold's Sohn: 1896.

220 Alfred Bäschlin, *Die Altdeutschen Salbenkrämerspiele* Diss. Basel, 1929. Mulhouse, Imprimerie Centrale, 1929.

221 Fritz Hammes, *Das Zwischenspiel im deutschen Drama* (Literarhistorcheis Forschungen 45) Berlin: Emil Felber: 1911, S. 12.

oder doch mindestens die Fastnachtspiele hervorgewachsen seien. Wir erwähnten diese Gedankengänge kurz in der Einleitung, wir müssen näher auf sie eingehen, zumal diese Gedankengänge bei der Erklärung der Fastnachtspiele noch immer gelegentlich vorgebracht werden.

Vor anderthalb Jahrhunderten versuchte der bekannte Dichter und Kritiker Gustav Freytag in seiner Doktor-Dissertation die Anfänge des deutschen Dramas in der oben angegebenen Weise zu umreißen[222]. Aus Schwerttänzen, er bezieht sich auf Tacitus, glaubt er, ein germanisches Drama ableiten zu können, und aus diesem oder in Konkurrenz mit diesem sei dann das mittelalterliche Drama entstanden. Die Kenntnisse über das geistliche Drama waren damals noch recht begrenzt; J. C. von Fichards Ausgabe der *Frankfurter Dirigierrolle*, E. Martenes vier Bände *De Antiquis Ecclesiae Ritibus* bezeichnen die wesentliche Sekundärliteratur. So versteht man, daß Freytag bei den geistlichen Dramen an Stelle der Dokumentation die Hypothese treten ließ. Anders bei den Fastnachtspielen. Gottsched war schon zu einer Darstellung gekommen, die auch heutiger Auffassung nicht zu fern steht. Er hatte die Fastnachtspiele aus den Fastnachtslustbarkeiten abgeleitet. Gottsched kannte wesentlich nur die Nürnberger Spiele. Um so befremdender wirkt es, daß auch hier Freytag nur an kultisches Drama denkt. Wir erwähnen diese Schrift Freytags nicht nur, weil sie symptomatisch erscheint für eine gewisse national beengte Literarhistorie seiner Zeit, sondern weil diese Auffassung immer weitergewirkt hat bis auf den heutigen Tag, obwohl dem modernen Forscher weit umfangreichere Dokumentation zur Verfügung steht, obwohl er vorsichtiger geworden sein sollte bei gewissen Ausdrücken wie „ioculator" oder „mimus," wie „ludus" oder „theatrum". Wir behandeln nur zwei besonders krasse Beispiele in der Freytag Nachfolge.

In seiner oft beachteten Schrift *The Origin of the German Carnival Comedy* wendet Maximilian Rudwin Frazersche Theorien auf unser Thema an:

> We learn of the existence of secular plays in the Middle Ages only from the attacks made upon them by the reforming ecclesiastics of the thirteenth century[223].

---

[222] Gustavus Freytag, *De initiis scenicae poesis apud Germanos* Diss. Berlin, 1838. Berlin: Nietacker: 1838.

[223] Maximilian J. Rudwin, *The Origin of the German Carnival Comedy*. New

Worauf sich dieser Satz bezieht, wird nicht klar; im 13. Jahrhundert weiß ich von keinen Angriffen in Deutschland:

> Moreover, a knowledge of the Germanic spring customs, in which the folk-plays had their rise, is essential for this investigation. But the missionaries and monks, the only medieval chroniclers, have kept silent on this point. As a matter of fact, our investigation carries us back to those dark ages which lie far beyond the range of history . . . (S. VII)

Und nun werden mit Zitaten aus Frazer die alten „arischen" Kulte abgeleitet einerseits aus den „popular superstitions and customs of the peasants" (im heutigen Deutschland) und anderseits aus den „practices of the tribes" (primitiver Völker). Denn es gibt natürlich nicht den Schatten eines Dokumentes für solche arische dramatische Kulte. Fastnacht sei nicht der Vorabend des Fastens, sondern die Fasel-Nacht. Carneval sei eine Korrumpierung von Carrus Navalis, und dieser Ausdruck stamme von dem Schiffswagen, der bei heidnischen Kultprozessionen herumgeführt werde. „Mimetic magic" sei der Gehalt des „mythical drama":

> . . . these mythical events [growth, reproduction] were enacted in order to bring about the corresponding processes in nature. (S. 13)

(Solches Nachspielen des mythischen Geschehens, selbst wenn es sich wirklich für das vorchristliche Germanien nachweisen ließe, bliebe natürlich völlig im Bereiche eines utilitaristischen Gottesdienstes und hätte mit Drama als Kunstform nichts zu tun.) Die verschiedensten Fruchtbarkeitskulte sowie Winteraustreiben, Todaustreiben werden angeführt. Rudwin trägt eine solche Fülle des Materials heran, daß er gar nicht bemerkt, wenn dieses Material sich widerspricht. Auf Seite 2 werden wir mit Hinweis auf Chambers belehrt: „The Germano-Keltic tribes had no solstitial festival, for the knew nothing of solstices." Dagegen heißt es auf Seite 18/19:

> The Yule log, the Midwinter counterpart of the Midsummer fires, is also common in Germany. We also meet with Christmas bon-fires and Lenten fires in Germany and elsewhere in Europe.

Immer wieder versucht er von diesen Riten, für die übrigens die Be-

---

York, London, Paris, Leipzig: G. E. Stechert & Co.: 1920, S. VII. Dieselbe Schrift erschien auch in *The Journal of English and Germanic Philology* XVIII (1919), S. 402—454. Doch ist die spätere Ausgabe etwas erweitert und enthält eine wertvolle Bibliographie.

lege fast alle nicht über das Spätmittelalter zurückreichen, zum Fastnachtspiel vorzudringen:

> The theory in regard to the demonic origin of the Greek drama gains further weight by the analogies which Preuss has drawn with the fertility ceremonies of the Mexican and American Indians. The same origin may, therefore, with great probability be assumed also for the German drama. (S. 38)

Wir sehen, wie dünn seine Beweisführung bleibt. Offenbar auf Grund solcher Schlüsse heißt es dann:

> The Carnival comedy is, as we have seen, of country origin. Peasants were its first actors. When the Carnival festival, however, was adopted by the towns, the burghers replaced the peasants as Carnival players. It was in their hands that the drama could develop as an art. Among the country people the comic pieces would have remained to the present day mere shows and games just as has been the case with the ritual parts. (S. 39)

Nach Rudwin waren also die Bräuche auf dem Lande, wo sie entstanden, „mere shows and games" (was immer das bedeuten mag). Erst als die Städter diese Bräuche übernahmen, konnte sich Drama als Kunstform entwickeln. Rudwin bringt aber keine Beweise für die Existenz dieser Kulte in früherer Zeit, noch für die Übernahme der Kulte durch die Städte. Und dann versichert er ganz in dem prüden Geiste des 19. und frühen 20. Jahrhunderts:

> It would, indeed, be a great injustice to our ancestors to take the Carnival plays as a criterion of their sex morality. The Carnival player was not bound by the morals of his day. He owed his freedom to his origin from the phallic demon. (S. 43)

Oder mit anderen Worten: Jeder saftige Witz, jede Derbheit ist auf phallischen Kult zurückzuleiten. Derbheiten dieser Art schockieren aber nicht mehr, wenn wir sie zur Religion machen. Vielleicht dürfen wir noch einige schöne Stilblüten dieses Werkes anführen, zum Beispiel:

> The long hair of the actors is a modern survival of their original demonic appearance. (S. 39)
>
> The dance of Mary Magdalene with a Roman officer in the Alsfeld Passion Play forms a parallel to the dance of the harlots with the soldiers at spring festivals, as may still be seen in Mexico. (S. 52)
>
> The phallus was dropped in the West earlier than in the East. (S. 39)

Doch wir haben uns viel zu lange mit diesem Werk abgegeben. Es bleibt wichtig wegen seiner Nachwirkung auf ein anderes, weit radikaleres Buch, dessen Ideen wiederum noch heute in manchen populären oder auch ernsten Literaturgeschichten herumspuken. War Rudwins Studie noch wesentlich frei von politischen Vorurteilen, höchstens eine gewisse romantisch nationale Erbschaft ließ sich erkennen, so erscheint der Autor des Buches, mit dem wir es nun zu tun haben als offener, völlig ungeschminkter, engagierter Aktivist für die Sache der nationalsozialistischen Belange. Wir sprechen von Robert Stumpfl und seinen Kultspielen der Germanen[224].

Robert Stumpfl hatte 1926 in Wien mit einer Dissertation über das Theater in Steyr seine akademische Laufbahn begonnen, hatte dann verdienstvoll, obwohl nicht fehlerfrei, eine Ausgabe von Thomas Brunners *Jacob und seine zwölf Söhne* veranstaltet, hatte schließlich recht oberflächlich und verschwommen die Bühnenmöglichkeiten im 16. Jahrhundert abgehandelt[225]. 1936, zur rechten Zeit, unternimmt er es, das gesamte mittelalterliche Drama auf vorchristliche, auf germanische, auf „arische" Ursprünge zurückzuführen. Er teilt seine Arbeit nach zwei Gebieten: Mimus und Drama im eigentlichen Sinne. Die zweite Hälfte befaßt sich mit dem Ursprung des geistlichen Dramas und wurde schon gleich nach dem Erscheinen des Buches überzeugend zurückgewiesen[226]. Heute

---

[224] Robert Stumpfl, *Kultspiele der Germanen als Ursprung des mittelalterlichen Dramas.* Berlin: Junker und Dünnhaupt: 1936.

[225] Robert Stumpfl, *Das evangelische Schuldrama in Steyr im 16. Jahrhundert* Diss. Wien, 1926 (Masch.), *Jacob und seine zwölf Söhne Ein evangelisches Schulspiel aus Steyr von Thomas Brunner.* (Neudrucke deutscher Literaturwerke des 16. und 17. Jahrhunderts 258—260) Halle: Niemeyer: 1928 und „Die Bühnenmöglichkeiten im 16. Jahrhundert" *Zeitschrift für deutsche Philologie* LIV (1929) 42—80, LV (1930) 49—78.

[226] Ernst Scheunemann, „Robert Stumpfl, Kultspiele der Germanen als Ursprung des mittelalterlichen Dramas" *Zeitschrift für deutsche Philologie* LXI (1936) 432—443 und LXII (1937) 95—105. Siehe auch: Wolfgang F. Michael, *Deutsche Vierteljahrsschrift für Literaturwissenschaft und Geistesgeschichte* XXXI (1957), S. 109/110. Auch Neil C. Brooks weist in seiner Besprechung *Journal of English and Germanic Philology* XXXVII (1938) 300—305 Stumpfls Theorie über das geistliche Drama in allen Teilen zurück, bleibt aber milde im Ton. Stumpfls Theorien über die Fastnachtspiele blieben dagegen unangetastet.

nimmt diesen Teil wohl niemand ernst. Wir ersparen uns daher neuerliche Kritik.

Die Fastnachtspiele seien im Gegensatz zu dem geistlichen Drama Mimus, womit er vermutlich ausdrücken will, daß sie aus der reinen Darstellung, also dem Mimetischen hervorgegangen seien, wogegen das geistliche Drama aus Handlung, wir würden für das mittelalterliche Drama sagen, aus Ton und Wort, gestaltet wurde. Stumpfl lehnt trotz seiner politischen Bindung Rudwin ab, nicht nur weil Rudwin sich „so sehr auf den Rationalismus der angelsächsischen Schule (James George Frazer)" stützt (S. 4). (Wir müssen uns daran erinnern, daß damals Rationalismus ein Schimpfwort war; freilich mag es seltsam anmuten, daß man ausgerechnet Frazer zum Rationalisten stempelte.) Stumpfl erkannte auch:

> ... mit der bloßen Anhäufung von ethnologischem Material, von mehr oder weniger ‚dramatischen' Bräuchen, die ungefähr (oder auch gar nicht) der Fastnachtzeit angehören, ist wenig getan.

Kurz, Stumpfl erfaßte die Schwäche des Rudwinschen Buches. Einzig Rudwins Betonung des Phallischen findet Stumpfls Gefallen. Auch lehnt er die „Ableitung nicht nur aus den Schwerttänzen, sondern aus Frühlings-Reigen-Tänzen überhaupt" ab (S. 14) „Das Ethos der Fastnachtspiele" sei eben grundverschieden. Dieser Ausdruck wird in vollem Ernst gebraucht. Wo Rudwin sich auf den „Rationalismus" des angelsächsischen Frazer stützte, da findet Stumpfl seine Grundlage in den altgermanischen Forschungen eines Otto Höfler[227]. Höfler hatte die Existenz von kultischen Geheimbünden statuiert. Stumpfl wendet das auf die Fastnachtspiele an:

> Zunächst die mimisch-dramatische Aufführung einer Satire, die den inkriminierten Vorgang (sexuelle Verfehlungen, Weiberregiment, eheliche Untreue) darstellt (Charivari!). Dann: Rüge in Form einer fiktiven Gerichtsverhandlung. Die letztere kann dann auch die Form eines im Rahmen der Bünde ernst zu nehmenden Gerichts annehmen, dessen Spruch rechtskräftig wird, das aber doch zugleich als öffentliches Schauspiel erscheint, durchsetzt mit satirisch-komischen Elementen. (S. 16)

---

[227] Otto Höfler, *Kultische Geheimbünde der Germanen*. Frankfurt a. M.: M. Diesterweg 1934.

„Die dämonischen Männerbünde als ursprüngliche Träger des Fastnachtspiels" sei eine unschätzbare Erkenntnis.

> Ja, die ganze Überlieferung läßt eigentlich gar keinen Zweifel, daß das rottenweise Umziehen mit Spielen (ursprünglich in Masken) uralter Fastnachtbrauch ist — unabhängig von Rüge-, Hochzeits- und Initiationsspiel im besonderen, unabhängig aber auch wohl von den eigentlichen Lenzspielen! Es ist festzustellen, daß die Aufführung von Fastnachtspielen noch im ausgehenden Mittelalter fast durchweg als Vorrecht bestimmter Männergruppen, in Nürnberg der Gesellen und Handwerker, erscheint, die kleine Spielgilden, sogenannte „Rotten", bilden. (S. 19)

„Die Überlieferung" läßt nun tatsächlich sehr viele Zweifel zu. Belege von dem Umherziehen solcher Rotten gibt es erst aus dem 15. Jahrhundert. Der Ausdruck Rotte hat gerade nicht irgendwelche mysteriöse Bedeutung; er bezeichnet eine *ad hoc* zum Spaß also zusammengekommene Gruppe. Wenn Stumpfl versucht, diese Rotten in seine Theorie einzuspannen, sie seinem „germanischen Ethos" dienstbar zu machen, so könnte er ebenso jeden Gesangverein, jeden Kegelklub in einen Männerbund verwandeln und auf germanische, also nicht vom Christentum verseuchte Herrenmoral zurückleiten. Ritus und Brauch mögen indirekt doch bei der Entstehung des weltlichen Dramas Pate gestanden haben; aber weder die Rudwinsche noch die Stumpflsche Methode helfen uns weiter in der Erkenntnis der Zusammenhänge. Kehren wir nun zu wissenschaftlichen Arbeiten zurück.

Der erste, der sich ernsthaft mit den Fastnachtspielen auseinandersetzte, war der vielgeschmähte Gottsched[228]. Er hatte Einblick in Handschriften von Fastnachtspielen und kam so zu dem recht sachlich klingenden Ergebnis:

> Um die Fastnachtzeit, wenn es erlaubet war, sich mit allerley Lustbarkeiten, Tanzen, u. Mummereyen zu vergnügen, zogen zuweilen verkleidete Personen aus einem Haus ins andre, um ihren Freunden und Bekannten eine Lust zu machen. Eine lustige Gesellschaft dieser Art kam auf den Einfall, in dieser Verkleidung etwas vorzustellen, und eine dieser Kleidung gemäße Unterredung zu halten. Dieser Versuch gelang ihr.

---

[228] Johann Christoph Gottsched, *Nötiger Vorrat zur Geschichte der dramatischen Dichtkunst*. Leipzig: o. V.: 1757—1765. Für die Forschungsgeschichte der Fastnachtspiele bietet Walter Langridge Robinson, *The Origin of the German Fastnacht Plays* M. A. Thesis, University of Texas, 1955 einen nützlichen Überblick.

> Man lobte die unbekannten Schauspieler: man bewirthete sie wohl, oder beschenkte sie gar. Dieser Beyfall munterte sie zu mehrem auf. Ihre Bande verstärkte sich; ihre Fabeln und Gespräche wurden länger. Endlich wurden ordentliche Nachahmungen menschlicher Handlungen daraus, die theils satirisch, theils aber auch wohl schlüpfrig wurden, und den guten Sitten eben keinen Vortheil brachten. (S. 5)

Diese rationale Stimme wurde jedoch bald übertönt von der patriotischen Leidenschaft des Sturm und Drang und der Romantik. Als der junge Goethe und einige seiner Zeitgenossen auf das Fastnachtspiel zurückgriffen, war Hans Sachs ihnen Vorbild, nicht die Spiele des 15. Jahrhunderts. Das 19. und 20. Jahrhundert, das zeigten wir schon, schwankte zwischen pedantischem Positivismus und nationalistischem Eifer. Aber daneben stehen doch auch gelegentlich ernstere Werke.

> ... sind die Fastnachtspiele des 15. Jahrhunderts aus altheidnischen Wurzeln erwachsen oder im Anschluß an das geistliche Drama gezeitigte Nebentriebe ? Diese Fragestellung steht im Hintergrunde auch unserer Ausführungen. Doch ist unschwer zu sehen, daß die Stellung einer solchen Alternative Gefahr läuft, an den Tatsachen überhaupt vorbeizustreifen. Jedes Entstehende setzt in Wahrheit eine solche Vielheit von Bedingungen voraus, daß man, bevor es nicht, losgelöst von seiner Umgebung, gründlich erkannt ist, nur Gefahr läuft, sich mit schnellen Hypothesen den Ausblick auf die thatsächlichen Zusammenhänge zu verbauen. Gar zu leicht verfällt die entwicklungsgeschichtliche Betrachtungsweise in den Fehler, die einzelnen Fäden, aus denen sich das geistige Leben einer Zeit oder Nation zusammenwebt, säuberlich einzeln herauszuziehen, aber statt die Webart zu Tage zu legen, das Gespinst zu vernichten.

Mit dieser begrüßenswert sachlichen Ausführung beginnt Victor Michels seine gründlichen und grundlegenden Studien über die Fastnachtspiele, die noch heute für die Forschung eine wichtige Materialsammlung bieten[229]. Michels versucht nämlich die Texte auf Grund von philologischen sowohl wie anderen Kriterien zu scheiden nach nürnbergischer und nichtnürnbergischer Herkunft und weiterhin den Anteil von Rosenplüt und Folz festzulegen. Er zeigt dabei auch Zusammenhänge mit dem geistlichen Drama, mit Stoffsammlungen und -wandlungen. All dies werden wir uns später zu Nutze machen. So ganz nebenbei weist er nach, daß Carneval aus

[229] Victor Michels, *Studien über die ältesten deutschen Fastnachtspiele* (Quellen und Forschungen zur Sprach- und Culturgeschichte der germanischen Völker 77) Straßburg: Karl J. Trübner: 1896, S. 1/2.

philologischen Gründen nicht aus „carrus navalis" abgeleitet werden kann (S. 94/95). Rudwin kannte Michels Buch, aber auf diese Ausführung nimmt er in keiner Weise Bezug[230].

Somit werden seine Untersuchungen zur unentbehrlichen Grundlage, wenn auch die Art seiner Darstellung unübersichtlich bleibt. Man vermißt eine Statistik oder einen Index, der das Resultat seiner Studien deutlich machen würde. Überhaupt endet er ohne jegliche Schlußfolgerung; seine Arbeit bleibt also in der Materialsammlung stecken.

Schon vor Michels hatte Leonhard Lier sich mit den Nürnberger Fastnachtspielen beschäftigt[231]. Er hatte versucht, die Spiele nach sprachlichen, nach inhaltlichen, nach formalen Grundsätzen und auch nach Hinweisen in den Handschriften zeitlich zu ordnen. Seine Studie, der gewiß manches Hypothetische anhaftet, konnte auch zur Grundlage weiterer Untersuchungen dienen. Auch Lier verharrt im wesentlichen in der Stoffsammlung.

Erst in neuester Zeit sucht man neue Gesichtspunkte zu gewinnen. In einer Tübinger Dissertation lehnt Hans Günter Sachs die historische Betrachtung der Spiele als unwichtig ab[232]. Die Strukturanalyse ergebe die einzige mögliche Behandlungsweise. Sachs bleibt dabei aber vielfach im Abstrakten befangen.

Werner Lenk beschränkt sich völlig auf die Nürnberger Spiele[233]. Zunächst weist er Werke wie Rudwin und Stumpfl energisch und

---

[230] Die Geschichte der Etymologie des Wortes Fastnacht ist besonders amüsant. Die Auflage von Kluge von 1910 leitet Fastnacht ab aus „Faselnacht"; Kluge-Götze von 1939 erklärt das Wort einfach als die Zeit vor Fasten, die Form „vasenacht" sei „als Erleichterung der Drittkonsonanz" zu erklären. Die neueste Bearbeitung durch Mitzka 1963 gibt beide Möglichkeiten der Etymologie. Der etymologische Laie weiß nun wirklich nicht, woran er ist. Ist die Etymologie eines Wortes von politischen Zeitströmungen auch so abhängig, daß sie sich jeweils dagegen wendet? Lassen sich wirklich keine älteren Belege finden, die das Wort in der einen oder anderen Weise festlegen würden?

[231] Leonhard Lier, „Studien zur Geschichte des Nürnberger Fastnachtsspiels" *Mitteilungen des Vereins für Geschichte der Stadt Nürnberg* VIII (1889), S. 87—160.

[232] Hans Günter Sachs, *Die deutschen Fastnachtsspiele von den Anfängen bis zu Jakob Ayrer.* Diss. Tübingen, 1957 (Masch.)

[233] Werner Lenk, *Das Nürnberger Fastnachtspiel des 15. Jahrhunderts* (Deutsche Akademie der Wissenschaften zu Berlin 33, Reihe C, Beiträge zur Literaturwissenschaft) Berlin: Akademie Verlag: 1966.

mit guten Argumenten zurück. Dann sucht er zu erweisen, daß die einfachste Form der Fastnachtspiele: die Revueform nicht die ursprüngliche Form darstelle. Seine Beweisführung scheint mir hier gekünstelt und nicht überzeugend. Wir werden darauf später zurückkommen müssen. Nur als von einem Dichter geformt will er Fastnachtspiele gelten lassen. Mit anderen Worten, die Fastnachtspiele sollen voll gewachsen und gewappnet wie Athene aus dem Haupt eines Zeus hervorgesprungen sein. Dieser Zeus aber, das seien die literarischen Quellen: Schwänke, Legenden, Volkserzählungen usw. Diese Gewaltgeburt bereitet offenbar weder diesen Quellen noch Herrn Lenk viel Kopfschmerzen. Lenks Arbeit ist gewiß verdienstvoll und für die weitere Forschung von bedeutendem Wert. Denn aufs genaueste werden die Quellen herangezogen, durchgearbeitet und mit den Spielen verglichen. Aber Stoffquellen können niemals den Ursprung eines Genres erklären. Das geistliche Drama hat sich nicht aus der Bibel entwickelt, seiner Stoffquelle, sondern aus dem Tropus, seinem Embryo. Diesen Embryo werden wir auch im Fastnachtspiel zu suchen haben.

Zweifelsohne die bedeutendste Darstellung ist Eckehard Catholys Studie[234]. Catholys Buch beginnt mit einer ausführlichen Analyse des Fastnachtspiels von *Salomon und Markolfo*. Der Verfasser dieses Stückes kann nachgewiesen werden; es ist Hans Folz. Auch die von Folz benutzte Quelle liegt vor. So gelingt es Catholy, die Schaffensweise Folzens an diesem einen Beispiel lebendig darzulegen und von hier aus überhaupt die Grundeigentümlichkeiten der Nürnberger Fastnachtspiele zu erfassen. Aus dem Fastnachtsgeiste

[234] Eckehard Catholy, *Das Fastnachtspiel des Spätmittelalters* (Hermaea 8) Tübingen: Max Niemeyer: 1961. Auch dieses Werk wurde in pedantischer Weise von Dieter Wuttke angegriffen: „Zum Fastnachtspiel des Spätmittelalters" *Zeitschrift für deutsche Philologie* LXXXIV (1965) 247—267. Es ist wahr, Catholy hatte den Druck des Fastnachtspiels von König Salomon und Markolfo, der in Ostberlin vorliegt, übersehen. Das beeinträchtigt aber weder die Beweisführung noch den Gehalt von Catholys Buch. Die anderen Anwürfe sind belanglos; zum Beispiel, Catholy habe ein gewisses Buch in der englischen Urfassung zitiert statt in der späteren deutschen. Dieter Wuttke hat selbst wertvolle wissenschaftliche Arbeit geleistet in seinem Buch über Pangratz Schwenter: *Die Histori Herculis des Nürnberger Humanisten und Freundes der Gebrüder Vischer Pangratz Bernhaupt gen. Schwenter*, Köln, Graz: Böhlau: 1964. Wir verzeihen ihm gerne den groben Fehler, daß er Schwenters Werk für eine Übersetzung von Sebastian Brant hielt; denn wir sind ihm alle in diesem Fehler gefolgt.

seien die Spiele geboren, in ihn müßten sie wieder ausmünden.Die einfachste Form, die Revueform, oder, wie Catholy sie zu nennen wünscht, das Reihenspiel zeige diesen Geist am ungebrochensten, obwohl es auch in dieser Form schon erhebliche Abstufungen gebe. Die sogenannten Handlungsspiele entfernten sich von dieser Form am weitesten. Ein Ereignis werde nicht mehr erzählt, sondern dramatisch ausgespielt. Catholy beschränkt sich freilich wesentlich auf die Nürnberger Spiele; nur gelegentlich werden auch Spiele aus anderen Gegenden erwähnt; ihr anderer Charakter wird nicht erklärt.

Zur Ergänzung von Catholy mag hier noch ein Werk erwähnt werden, das sich nur mit einem formalen Aspekt befaßt, Hubert Heinens *Die rhythmisch-metrische Gestaltung des Knittelverses bei Hans Folz*[235]. Heinens feinfühliges Eingehen auf Folzens metrische Formung läßt uns die künstlerische Arbeitsweise auch bei den Fastnachtspielen klarer erscheinen.

Catholy behandelt das Fastnachtspiel noch in zwei weiteren Werken. In der Sammlung Metzler gibt er einen kurzen Abriß, in dem am Schluß auch „andere Fastnachtspielzentren des 15. und 16. Jahrhunderts" gewürdigt werden[236]. Die österreichischen Fastnachtspiele seien älter als die Nürnberger; sie ließen sich nicht aus komischen Einzelvorträgen herleiten. Eine Erklärung dieser Tatsache wird nicht versucht. „Die stoffliche Verschiedenheit und die offenbar völlig andersgeartete gehaltliche Ausrichtung" mache die Annahme einer Anregung Lübecks durch Nürnberg hinfällig. Hier bleibt uns Catholy die Erklärung oder auch nur einen Versuch dazu schuldig. Dagegen werden wiederum die Nürnberger Spiele zum Teil mit neuen Farben lebendig und glaubhaft geschildert.

Auch seine Geschichte des deutschen Lustspiels gibt eine wertvolle Darstellung der Fastnachtsspiele[237]. Ein Schönheitsfehler ist

---

[235] (Marburger Beiträge zur Germanistik 12) Marburg: Elwert: 1966. Auch hier hat Dieter Wuttke *Mitteilungen des Vereins für Geschichte der Stadt Nürnberg* LIV (1966), S. 176/177 seine Bedenken angemeldet. Auch hier scheint mir Wuttkes Kritik rein subjektiv. Betonungen wie „So bin ích von zwelf geslechten der pauren" oder „Dan éin man begaben mit siben weiben ?", die Wuttke verlangt, scheinen mir pedantisch und unnatürlich.

[236] Eckehard Catholy, *Fastnachtspiel* (Realienbücher für Germanisten, Abt. D, Literaturgeschichte) Stuttgart: Metzler: 1966.

[237] Eckehard Catholy, *Das deutsche Lustspiel vom Mittelalter bis zum Ende der Barockzeit* (Sprache und Literatur 47) Stuttgart, Berlin, Köln, Mainz: Kohlhammer: 1969.

hier anzumerken. Die Darsteller der Spiele, das weiß Catholy ja doch, waren nicht ausschließlich Gesellen, die ihren zurückgehaltenen Sex-Impetus im Fastnachtspiel entladen mußten. Rosenplüt und Folz waren gute verheiratete Meister. Mir scheint es albern, größere Ausdrucksfreiheit im Sexuellen mit einem neuen Feigenblatt bedecken zu müssen. Statt des phallischen Kultes soll man nun an einen zurückgehaltenen Sex-Impetus glauben. War Heinrich von Wittenweiler etwa ein Sexfrustrierter Geselle? Das ausgehende Mittelalter war eben weniger prüde als das 19. Jahrhundert oder selbst unsere Zeit.

3. Die Entwicklung

In einem früheren Werke habe ich versucht, die Entstehung des Fastnachtspieles abzuleiten und zu erklären[238]. Zweifel an Einzelheiten meiner Ausführungen kamen gerade von einer Seite, von der ich sie am wenigsten erwartet hatte, von Eckehard Catholy[239]. Das hat mich überrascht, da meine Darlegungen, so schien mir, gerade Catholys Hypothesen von der Entwicklung der Nürnberger Spiele bestätigten und sie gegen die nicht-Nürnberger abgrenzten. Ich werde Verteilung, Ursprung, Entwicklung, Charakter, Weiterwirken der Spiele noch einmal ausführlich zu betrachten haben und mich dabei mit Catholys Bedenken auseinandersetzen müssen.

4. Ausbreitung der Spiele

Mehrfach liest man in populären Darstellungen, die Fastnachtspiele seien schon im frühen 15. Jahrhundert über ganz Deutschland verbreitet gewesen. Diese Behauptung ist völlig unbegründet. Nicht nur, daß aus vielen Teilen des deutschen Sprachgebiets alle Hinweise fehlen, in manchen Städten können wir sogar den Mangel an Fastnachtspielen wenigstens im frühen 15. Jahrhundert nachweisen.

---

[238] Wolfgang F. Michael, *Frühformen der deutschen Bühne* (Schriften der Gesellschaft für Theatergeschichte 62) Berlin: Gesellschaft für Theatergeschichte: 1963, S. 56—63.

[239] Eckehard Catholy, *Fastnachtspiel* (Realienbücher für Germanisten, Abt. D, Literaturgeschichte) Stuttgart: Metzler: 1966, S. 65—70 und passim.

Für Köln zum Beispiel, heute doch ein Zentrum des Fastnachttreibens, haben wir zwei ausführliche Zusammenstellungen der Fastnachtsgebräuche[240]. Man zieht in den Straßen umher; man besucht einander in den Häusern; man schlemmt in Speise und Trank; man stellt allerlei Unfug an: 1441 trägt ein Wirt einen Reliquienschrein durch die Gassen, auf dem oben ein Popanz mit Weihwedel thronte usw. (Kemp, S. 246). Aber nirgends werden bei diesen ausführlichen Beschreibungen dramatische Spiele erwähnt.

Für Zwickau berichtet Hahn:

> Gleich wenig ist für die katholische Zeit von Aufführungen dramatischer Szenen durch Laien, die wir gemeinhin Fastnachtspiele nennen, berichtet, während es an Angaben über sonstige Darbietungen und Späße am Tage vor Aschermittwoch nicht fehlt[241].

Aus Wien ist ein Hinweis aus dem Jahre 1465 auf uns gekommen: „Ain Ausrueffen, dass nyemand in pawernkleid, in Gugeln noch wast verpunden in vaschang gee."[242] Auch in Wien also Hinweise auf Vermummung aber nichts Dramatisches.

In einer Mainzer Schrift aus dem Jahre 1495 spricht der Verfasser Dietrich Gresenmund von wildem Umherschwärmen in Masken oder mit geschwärztem Gesicht[243]. Heidenheimer, der moderne Herausgeber, vermerkt dazu: „Der Umstand, daß Gresenmund keines Spiels, als zu dem Gebrauch des Festes gehörend gedenkt, beweist, daß man zu seiner Zeit das Fastnachtspiel in Mainz nicht pflegte" (S. 37).

In Basel erfahren wir zwar, daß es in der Fastnacht von 1419 „schalklich und wüstlich" zugegangen sei (S. 6) oder 1432 wird verboten in „tüfelshüten" umzulaufen, aber auch hier fehlt es an allen Hinweisen auf Fastnachtspiele. In Zürich wissen wir von verschie-

---

[240] Jakob Kemp, „Zur Geschichte der Kölner Fastnacht" *Zeitschrift des Vereins für rheinische und westfälische Volkskunde* III (1906) 241—272 und Wilhelm Beemelmans, „Bilder aus dem Kölner Volksleben des 16. Jahrhunderts; Aufführung des verlorenen Sohns" *Jahrbuch des Kölner Geschichtsvereins* XV (1933) 135—152.

[241] Karl Hahn, „Schauspielaufführungen in Zwickau bis 1625" *Neues Archiv für sächsische Geschichte und Altertumskunde* XLVI (1925), S. 97.

[242] Gugitz, „Alt Wiener Faschingsbrauch" *Jahrbuch für Landeskunde von Niederösterreich* XXIX (1944—48) 385—393, S. 385.

[343] Heinrich Heidenheimer, „Ein Mainzer Humanist über den Karneval" *Zeitschrift für Kulturgeschichte* n. F. III (1896) 21—57.

dener „Faßnacht-Kurzweil" in den Jahren 1447, 1483, 1488, aber Fastnachtspiele werden nicht erwähnt[244].

Im slawischen Grenzgebiet gab es nach Franz Peschel ein Richterspiel am Fastnachtmontag[245]. Bei Umzügen, wurde ein Schuldiger gesucht und dann bestraft, also Brauch nicht Drama. Dieser Brauch sei auch in Deutschland belegt. Die Belege sind aber alle modern.

Über *höfische Verkleidungsspiele* berichtet Aenne Barnstein in ihrer Münchner Dissertation[246]. Sie behandelt die Eroberung der Minneburg und wilde Männer. Beides sind höfische Mummereien ohne dramatischen Charakter. Die Minneburg ist natürlich eine rein literarische Tradition, während die wilden Männer wohl einem Volksbrauch entstammen.

Über die wilden Männer gibt es nämlich eine besondere Darstellung[247]. Richard Bernheimer leitet diese Tradition aus heidnischem Ritus ab, obwohl er sagen muß „most of the literary material dealing with the wild man dates from the twelfth century and after" (S. 21). Wie dem auch sei, in seinem Kapitel „Theatrical Embodiment" finden wir keine dramatischen Dokumente, sondern nur Riten aus den Alpenländern.

In den gleichen Stoffkreis führt uns ein Aufsatz von Oskar Eberle[248]. Er beschreibt ein Fastnachtfrühlingsspiel des 19. Jahrhunderts, das wohl aus dem Barock stamme, aber alte Elemente einer Fastnachtfruchtbarkeitstradition enthalte; jedoch gerade darüber gebe es keine Überlieferung.

---

[244] Paul Rudolf Kölner, *Die Basler Fastnacht* Basel: Friedrich Reinhart: 1913. Das sogenannte Basler Fastnachtspiel, das G. Binz, „Ein Basler Fastnachtsspiel aus dem 15. Jahrhundert" *Zeitschrift für deutsche Philologie* XXXII (1900) 58—64 veröffentlichte, ist, wenn überhaupt ein Drama, sicherlich kein Fastnachtspiel. Für Zürich: Hans Heinrich Bluntschli, *Memorabilia Tigurina*, S. 129.

[245] Franz Peschel, „Faschingsrecht und das deutsche Richterspiel" *Sudetendeutsche Zeitschrift für Volkskunde* VII (1934) 63—69.

[246] Aenne Barnstein, *Die Darstellungen der höfischen Verkleidungsspiele im ausgehenden Mittelalter*. Diss. München, 1940. Würzburg-Aumühle: Konrad Triltsch: 1940.

[247] Richard Bernheimer, *Wild Men in the Middle Ages*. Cambridge: Harvard University Press. 1952.

[248] Oskar Eberle, „Die Muottaler Moosfahrt einst und jetzt "*Schweizerisches Archiv für Volkskunde* XXIX (1929) 33—40.

5. Die geographischen Räume

a) Lübeck

Wir könnten mit dieser Liste fortfahren. Wir wollen lieber versuchen, die Straßen zu verfolgen, auf denen Fastnachtspiele von einem Zentrum zum anderen gewandert sein mögen. Nürnberg und Lübeck, im Süden und Norden, beides freie Reichsstädte, beide durch Handel und Gewerbe führend, aber auch in der Machtpolitik von Bedeutung, beide sonderbar wenig beteiligt am geistlichen Drama der Zeit. Aus Nürnberg wissen wir nur von einigen Osterspieldarbietungen durch Lateinschüler[249]. In Lübeck wurde wahrscheinlich das sogenannte *Redentiner Osterspiel* aufgeführt. Außerdem erfahren wir von einer Darstellung von *Mariae Verkündigung* in der Kirche im Jahre 1437[250].

Schon in der ersten Auflage seines *Grundrisses zur Geschichte der deutschen Dichtung* nahm Goedeke an, daß die Lübecker Patrizier in ihrer Verbannung in Süddeutschland die Nürnberger Fastnachtspiele kennenlernten und sie bei ihrer Rückkehr nach Lübeck importierten; und C. Wehrmann folgte Goedekes Annahme[251]. Doch in derselben Zeitschrift einige Seiten weiter wird in einem stark lokalpatriotisch gefärbten Aufsatz von C. Walther diese Abhängigkeit, wenn auch nicht direkt geleugnet, so doch in Zweifel gezogen:

> Jedenfalls ist dann die Entwicklung des Lübecker Fastnachtspiels durchaus selbständig vor sich gegangen. Während das süddeutsche die alten Sagenstoffe vernachlässigt, finden wir, gleich von vornherein, in unserm Register dieselben ziemlich vertreten. Jene Bauernkomödien fehlen[252].

Die Lübecker Spiele, so meint Walther, moralisierten. Die großartigsten Schlüsse weiß er aus den Titeln zu ziehen:

---

[249] Theodor Hampe, *Die Entwicklung des Theaterwesens in Nürnberg*. Nürnberg: J. L. Schrag: 1900, S. 229.

[250] Ernst H. Fischer, *Lübecker Theater und Theaterleben* (Veröffentlichungen der Gesellschaft Lübecker Theaterfreunde 2) Diss. München, 1931. Lübeck: Quitzow: 1932.

[251] C. Wehrmann, „Fastnachtspiele der Patrizier in Lübeck" *Jahrbuch des Vereins für niederdeutsche Sprachforschung* VI (1880), S. 1—5.

[252] C. Walther, „Über die Lübecker Fastnachtspiele" *Jahrbuch des Vereins für niederdeutsche Sprachforschung* VI (1880), S. 6—31. Das Zitat findet sich auf Seite 12. Ferner vergleiche C. Walther, „Zu den Lübecker Fastnachtspielen" *Jahrbuch des Vereins für niederdeutsche Sprachforschung* XXVII (1901), S. 1—21.

Da ein Drama, mag es noch so einfach sein, doch das Knochengerüste einer Handlung verlangt, so ist anzunehmen, daß uns in den meisten Titelangaben dieses Zeitraumes die dargestellten Stoffe nur verschwiegen sind. Mit dieser Annahme soll nicht geleugnet werden, daß das eine oder das andere Spiel vielleicht eher auf den Namen eines Dialoges als eines Dramas Anspruch gehabt haben mag. Doch denke ich mir diesen Fall nur als Ausnahme; denn einer Corporation liegt es nahe, nach einem Stoffe zu suchen, der vielen Mitgliedern eine Theilnahme am Spiele gestattet. Hatte man sich aber einmal gewöhnt, den Werth der Spiele mehr in der Tendenz, als in der dargestellten Handlung zu finden, dann hielt man es natürlich auch für angemessener, nach dem Zweck und nicht nach dem Mittel die Stücke zu benennen. (Walther VI, S. 14)

In recht gekünstelter Weise werden also Handlungsspiele statuiert, obwohl selbst Walther empfindet, daß die Titel gegen solche Spiele sprechen. Ein so ernster Forscher wie Wilhelm Creizenach folgt Walther in dieser Gegenüberstellung von Nürnberg und Lübeck, ja er überbietet ihn noch:

Bei der großen Mehrzahl der Lübecker Spiele ergibt es sich schon aus dem Titel, daß Dramen mit wirklicher Handlung und Verwicklung vorgeführt wurden. Sodann finden wir in dem ganzen Verzeichnis nicht die leiseste Verletzung des Anstandes, während gar manche Nürnberger Stücke ihren obszönen Charakter schon im Titel zu Schau tragen; die Patrizier, die sich vor dem Volk zeigten, waren offenbar mehr auf ihre Würde bedacht, als die Nürnberger Handwerksgesellen[253].

Und seitdem wissen alle Literaturgeschichten von dem moralischen, salonfähigen, handlungsreichen Charakter der Lübecker Patrizier-Spiele im Gegensatz zu dem unmoralischen, schmutzigen, reihenspielartigen der Nürnberger Gesellen. Und so wäre natürlich ein Einfluß Nürnberg—Lübeck unmöglich. Noch Catholy schließt sich dieser Auffassung an und fügt weitere Bedenken hinzu:

Darüber hinaus machen die chronologischen Verhältnisse eine Ableitung des Lübecker aus dem Nürnberger Fastnachtspiel unwahrscheinlich: Die frühesten Nürnberger Texte stammen erst aus dem Beginn der zweiten Hälfte des 15. Jahrhunderts. Daß es schon während der Anwesenheit der Lübecker Patrizier — also etwa 40 Jahre früher — dort eine feste Fastnachtspiel-Tradition gab, ist sehr fraglich[254].

---

[253] Wilhelm Creizenach, *Geschichte des neueren Dramas* I² Halle: Max Niemeyer: 1911, S. 430.

[254] Eckehard Catholy, *Fastnachtspiel* (Realienbücher für Germanisten, Abt. D, Literaturgeschichte) Stuttgart: Metzler: 1966, S. 70.

Soviel ist allerdings richtig, die ältesten Fastnachtspielhandschriften aus Nürnberg reichen vermutlich nicht in die erste Hälfte des Jahrhunderts zurück; aber zum Beispiel Rosenplüts Fastnachtspiel: Keller 100 gehört in das Jahr 1441[255]. Rosenplüt nahm schon an der Schlacht bei Nies 1427 teil. Er könnte sehr wohl schon um diese Zeit seine ersten Fastnachtspiele geschrieben haben. Zwei seiner Fastnachtspiele, darunter das eben genannte, sind schon so entwickelte Handlungsspiele, daß man eine vorhergegangene Entwicklung aus dem Reihenspiel als sicher annehmen darf, also eine Entwicklung, der wir mindestens drei bis vier Jahrzehnte zubilligen sollten. Ich weiß von keiner anderen Darstellung, die wie Catholy die Nürnberger Fastnachtspiele erst in der zweiten Hälfte des Jahrhunderts beginnen lassen will. Nur ein Zurückgreifen auf das 14. Jahrhundert wird gewöhnlich als unwahrscheinlich abgelehnt.

In dem zweiten Bedenken, nämlich dem andersartigen Charakter der Lübecker Spiele, steht Catholy nicht mehr allein. Den bedeutendsten Unterschied in der Darstellung zwischen Nürnberg und Lübeck hat freilich, soweit ich sehe, bisher niemand bemerkt oder jedenfalls angemerkt. In Nürnberg wurde eine Vielzahl der Spiele in einer Vielzahl der Plätze, wenn auch sicherlich nach gewisser Vorbereitung, doch scheinbar spontan dargestellt im besten Falle mit Erlaubnis des Rates. In Lübeck wurde jedes Jahr ein einziges Spiel nach genauer Vorbereitung sozusagen offiziös und, wie ich vermute, nur an einem Platze vorgeführt. Dieser Unterschied scheint mir gerade aus der Art der Entstehung der Lübecker Spiele erklärbar. Sie entstanden nicht wie die Nürnberger Spiele in logischer Folge aus Volksbräuchen oder vielmehr aus gesellschaftlicher Gewohnheit, sie wurden als fremdes Reis von oben her aufgepfropft, sie waren keine einheimische Pflanze.

Doch nun zu dem Gehalt der Dramen, soweit er wirklich aus den Titeln abgeleitet werden kann. Für die mögliche Abhängigkeit Lübecks von Nürnberg interessieren natürlich nur die Spiele der ersten Jahre; wenn sich später Divergenzen ergeben, so bleibt das für diese Frage bedeutungslos[256].

Mit dem Titel des ersten Spiels, *Do der godynnen de sparwer gegeven wart*, weiß Walther nichts anzufangen und so sieht er „go-

[255] H. Niewöhner, „Rosenplüt, Hans" *Verfasserlexikon* III, S. 1092—1110.

[256] Ich wiederhole hier, wenn auch ausführlicher, was ich schon in *Frühformen der deutschen Bühne* (Schriften der Gesellschaft für Theatergeschichte 62) Berlin: Gesellschaft für Theatergeschichte: 1963, S. 62/63 dargelegt habe.

dynnen" als Schreibfehler für „megedynen"[257]. Es ist eine Unsitte des 19. Jahrhunderts, wenn man etwas nicht versteht, immer gleich einen Fehler des Schreibers anzunehmen, zumal zum Beispiel in diesem Falle der Titel auch dann noch unklar bleibt.

Auch der zweite Titel, *de twe truwen kumpans; rex Baldach* scheint wenig ergiebig. Walther (S. 25) benutzt ihn als Beispiel für seinen Satz: „Ganz besonders gefallen zu haben scheinen Erzählungen von der Treue." Baldach sei Bagdad; so handele es sich um eine orientalische Begebenheit.

Den dritten Titel *Westval was sines vaders son* können wir ohne Schwierigkeit deuten. Wir geben Walthers Erklärung (1901, S. 6) wörtlich wieder:

> Zur Erläuterung des Titels bietet das Lübeker Urkundenbuch 7, S. 407 Nr. 426 einen Leumundsbrief, welchen der Lübeker Rat einem Johannes Westval an den Lüneburger Rat ausgestellt hat. Diesem Westval habe ein gewisser Hinrick Bindup nachgesagt, daß er eines Schobandes Sohn sei. Aber zwei glaubwürdige Lübecker Bürger hätten beschworen, daß Bindup ihnen gestanden habe, er hätte solches böse Gerücht dem Westval mit Unrecht nachgesagt und ihn mit einem andern verwechselt (*hadde ene vorseen*) und er wisse von ihm nicht anders, als daß er von ehrlicher Geburt und, was seine Aufführung anbeträfe, guten Leumundes sei, wie auch der Rat über Westval nicht anders in Erfahrung gebracht habe (*alse wy ok van em anders nycht hebben irvaren*). Wehrmann setzt die nicht mit Jahreszahl datierte Urkunde um das Jahr 1430 an, also etwas früher als jenes Spiel aufgeführt wurde.

Es handelt sich also um einen lokalen Lübecker Stoff; aber die scharfe persönliche Satire mit Anspielung auf illegitime Abkommenschaft klingt weder sehr moralisch, noch sehr salonfähig.

Der nächste Titel *de krake* wird von Walther (S. 24/25) noch als Ungeheuer ausgedeutet. Später (1901, S. 7) nimmt er diese Auslegung zurück und liest *kranke*. Es könnte sich dann also um eine der vielen Quacksalberspiele handeln, wie sie in ganz Süddeutschland gang und gäbe waren und auch in Nürnberg belegt sind. Diese Spiele ließen ebenfalls an Derbheit nichts zu wünschen übrig.

---

[257] C. Walther, „Über die Lübecker Fastnachtspiele" S. 31. Wir zitieren von jetzt ab diese Schrift nur Walther und Seitenzahl; wenn die andere Schrift von Walther gemeint ist, zitieren wir Walther 1901 und Seitenzahl.

1434 *Salomons erste gerichte* ist mindestens teilweise derselbe Stoff wie Folzens Drama (Keller, Nr. 60); auch hier haben wir also keinen Grund patrizische Zurückhaltung anzunehmen[258].
1435 *den olden man* will Walther (1901, S. 7) als Ermahnung zur Sparsamkeit in der Jugend erklärt wissen. Waren wirklich die Lübecker Patrizier solche Spießer? Ich denke eher an eine Satire auf einen Lustgreis, der sich vergeblich um junge Mädchen bemüht. Eine Behandlung dieses Themas kennen wir ja schon aus der Beschreibung durch Folz, die wir oben erwähnten. Ähnlich, wenn auch nicht ganz übereinstimmend, erscheint dieser Stoff auch in einem Straßburger Druck des 16. Jahrhunderts[259]. Endlich erfahren wir aus der *Zimmerschen Chronik*, daß 1483 in Mösskirch *ein alter man den man erjungt* aufgeführt worden sei. Auch das könnte das Thema des Lübecker Spieles gewesen sein[260]. Alle diese Erklärungen sind freilich rein hypothetisch.

1436 *de eselbrugge* legt Walther (S. 27) aus als Dramatisierung einer Geschichte bei Boccacio, wo Salome durch Exempel den Rat gibt, ein böses Weib wie einen störrischen Esel zu behandeln. Auch das entspräche eher dem Geist Nürnberger Spiele, wo das Eheleben eine so große Rolle spielte, als irgendeinem imaginären tugendhaften Patriziergeiste. Dasselbe Thema: Züchtigung einer Widerspenstigen, wird auch behandelt in einem späteren vermutlich Lübecker Fastnachtspiel, das von dem Lübecker Balhorn um die Mitte des 16. Jahrhunderts gedruckt wurde[261]. Freilich nimmt Walther (1901, S. 12/13) diese Interpretation als ungewiß wieder zurück.

1437 fehlt die Angabe. Walthers Ausdeutung (1901, S. 12/13), daß man das vorjährige Stück wiederholt habe, klingt nicht überzeugend.

---

[258] Wir zitieren hier aus Adelbert von Keller, *Fastnachtspiele aus dem fünfzehnten Jahrhundert* (Bibliothek des litterarischen Vereins in Stuttgart 28, 29, 30 und 46) Stuttgart: Litterarischer Verein: 1853, 1858. Da die Fastnachtspiele durch die vier Bände durchnumeriert sind, zitieren wir nur die Nummer des Spiels.

[259] *Ein hüpsch Spil vonn einem alten Wittling / wie er vmb ein junges Meitlin bůlen wolt.*

[260] K. A. Barack hrsg., *Zimmersche Chronik* (Bibliothek des Literarischen Vereins Stuttgart 91) Stuttgart: Literarischer Verien: 1869.

[261] W. Seelmann, *Mittelniederdeutsche Fastnachtspiele* (Drucke des Vereins für niederdeutsche Sprachforschung 1) Norden und Leipzig: Soltau: 1885.

1438 *de helle vnde vor Crimolt* behandelt angeblich den Nibelungenstoff (Walther, S. 19), denn Crimolt sei Kriemhilde, aber was hat Kriemhilde mit der Hölle zu tun? Es wäre möglich, daß der Stoff von Keller 56 und 57 genutzt wurde, nämlich böse Weiber, die selbst mit der Hölle fertig werden. Die Stücke 56 und 57 sind beide nichtnürnbergisch, aber grobe Weibersatire war natürlich auch den Nürnbergern nicht fremd[262].

1439 *de viff dogede* werden nun wirklich die fünf Tugenden zum Gegenstand gemacht, also ein moralisches Thema, es sei denn die Aufführung war parodistisch gemeint.

1440 *de smede* könnte natürlich jenen Stoff genutzt haben, den auch Schiller in seinem Gedicht *Der Gang zum Eisenhammer* zu Grunde legt[263]. Oder aber man stellte eine Schmiede dar, die alte Männer in junge verwandelt.

1441 *dat lucke radt* zeigt einen direkten Zusammenhang mit dem Nürnberger Spiel (Keller 20), in dem ebenfalls das Glücksrad erscheint.

Für das Spiel 1442 *de truwen schencken* weiß Walther (S. 25/26) nur, daß es wiederum das Thema der Treue herangezogen habe.

Für das Spiel 1443 *der schanden hovet* kennt Walther (S. 28) die Redensart von einem Schamlosen, der „aller Schande und Scham den Kopf abgebissen habe", also kein sehr moralisches Thema.

Ich glaube diese 14 Beispiele zeigen, daß die Lübecker Titel nur ein verschwommenes Bild von dem stofflichen Gehalt geben. Immerhin, in zwei Fällen ließ sich eine direkte Beziehung zu Nürnberg herstellen. Bei anderen möchte man zweifeln an dem moralisierenden oder selbst dem salonfähigen Charakter des Gehalts. Noch das Stück des Jahres 1552 *Deme wulve eyn wiff geven wolden* dürfte eine saftige weiberfeindliche Satire gewesen sein. So erscheint der Stoff wenigstens in der vermutlichen Quelle des Spiels[264]. Freilich, in der zweiten Hälfte des Jahrhunderts mehren sich die Titel, die Legende, Historie oder Moralität widerspiegeln. Hier mag

---

262 Siehe hierzu: H. Niewöhner, „Das böse Weib und die Teufel" *Zeitschrift für deutsches Altertum* LXXXIII (1951/52) 143—156.

263 Ein solches Spiel ist belegt für Dortmund 1502. Siehe A. Döring und H. Junghans, *Johann Lambach und das Gymnasium zu Dortmund* Berlin: Calvay und Co: 1895.

264 Siehe Robert Priebsch, „Aus deutschen Handschriften der königlichen Bibliothek zu Brüssel" *Zeitschrift für deutsche Philologie* XXXIX (1907) 156—179.

denn tatsächlich ein sekundärer Einfluß der Rederijker vorliegen. Hier mag man sich im Sinne Walthers der Vorstellung hingeben, daß die Lübecker Patrizier doch brave, tugendhafte Leute gewesen sein müssen.

Bei der Frage, ob wirklich Zusammenhänge zwischen Lübeck und Nürnberg bestanden, muß man natürlich auch die Bühnenform in Erwägung ziehen. Aus Lübeck selbst ist nur ein Dramentext überliefert und der ist spät[265]. Gerade dieses einzige Lübecker Spiel *Henselin oder Von der Rechtfertigkeit* zeigt eine abrupte Einfachheit, die man sich für ein Spiel im Freien kaum vorstellen kann. Auch in der Struktur erinnert es stark an die Nürnberger Spiele, nur ist es freilich durchaus moralisch und stubenrein. Dem Testament des Vaters folgend suchen die Söhne nach der Rechtfertigkeit. Von Platz zu Platz ziehen sie umsonst (das wird alles sehr rasch abgetan), bis sie schließlich vom weisen Narren die wahre Erkenntnis erhalten.

Wir besitzen ferner andere niederdeutsche Fastnachtspiele, alle zwar erst aus dem 16. Jahrhundert. Einige davon mögen auch Lübecker Herkunft sein oder sie mögen dem Lübecker Einflußbereich angehören[266]. Sie zeigen einen den Nürnberger Spielen ähnlichen Charakter. Sie sind kurz, haben wenige Personen, der Ton wird gelegentlich derb. Man kann sich die meisten von ihnen am besten wie die Nürnberger Spiele in einem Innenraum vorgestellt denken. Ist das nach dem wenigen, was wir aus den Titeln der Lübecker Spiele ersehen, nicht auch für diese der Fall? Dürften wir dann nicht einen Teil dieser Spiele als unter Lübecker Einfluß entstanden denken?

Nun wird in Lübeck eine „borch“ und „hovede“ genannt. Diese „borch“, so werden wir belehrt, müsse ein fahrbares Bühnengerüst gewesen sein, das von Zugtieren „hovede“ durch die Gassen geführt worden sei, und auf dem man die Spiele aufgeführt habe[267].

Das Wort „Burg“ wird tatsächlich in Dortmund im 16. Jahrhundert als Bezeichnung für Bühne benutzt, freilich nicht für einen

---

[265] C. Walther, „Das Fastnachtspiel Henselin oder Von der Rechtfertigkeit“ *Jahrbuch des Vereins für niederdeutsche Sprachforschung* III (1877), S. 9–36.

[266] W. Seelmann, *Mittelniederdeutsche Fastnachtspiele* (Drucke des Vereins für niederdeutsche Sprachforschung 1) Norden und Leipzig: Soltau: 1885.

[267] C. Wehrmann, „Das Lübeckische Patriziat“ *Zeitschrift des Vereins für Lübeckische Geschichte und Altertumskunde* V (1888) 293—392. Das Zitat ist auf Seite 315.

Bühnenwagen, sondern für feste Podien[268]. Der Ausdruck „hovede" könnte natürlich Zubehör, nicht notwendigerweise Zugtiere bedeuten. Wie dem auch sei, ich glaube nicht, daß die „borch" für die Aufführung der Spiele benutzt wurde. Neben den Aufführungen gab es nämlich auch das sogenannte „Schodüvel lopen". In Nürnberg hatte man ganz parallel dazu den sogenannten Schembart, einen Umzug durch die Stadt mit kostümierten und maskierten Figuren und mit einem Schiffswagen, der sogenannten Helle[269]. Diese Hölle stellte einen Drachen, oder in einem anderen Jahr ein Schloß, einen Turm, ein Schiff, den Venusberg, ja ein Gartenhaus dar. Die Nürnberger Höllen sind allerdings erst in der zweiten Hälfte des 15. Jahrhunderts belegt; sie können also nicht für die Lübecker Burg Vorbild gewesen sein. Der Schembartlauf als solcher ist jedoch zweifellos älter. Roller hat es wahrscheinlich gemacht, daß die Schembartläufer ursprünglich als Ordner beim Metzgertanz fungierten und daß dann erst ein selbständiger Umzug entstand. Der Metzgertanz reicht sicherlich ins 14. Jahrhundert zurück; wann der Schembart seine Eigenform gewann, wissen wir nicht. Jedenfalls existierte schon im frühen 15. Jahrhundert eine doppelte Form der Darstellung in Nürnberg: Umzüge wie der Metzgertanz und vielleicht auch schon der Schembart einerseits und Fastnachtspielaufführungen andererseits. Früher glaubte man, zwischen Schembart oder Metzgertanz und Fastnachtspielen bestünde ein Zusammenhang; man sah sogar den Schembart als möglichen Ausgang für die Fastnachtspiele. Catholy wie Roller haben diese Auffassung eindeutig widerlegt und die Doppelform bestätigt. Diese doppelte Form bestand auch in Lübeck. In einem Jahre fiel die Lübecker Burg um; wie durch ein Wunder blieben alle Insassen unverletzt. Unter den 24 Insassen, die alle bei Namen genannt werden, waren aber auch Mädchen und schwangere Frauen[270]. Die Burg kann also nicht die Bühne der Fastnachtspiele gewesen sein.

---

[268] Siehe zum Beispiel Arthur Mämpel, *Das Dortmunder Theater* I, II. Dortmund: Selbstverlag: 1935/36.

[269] Hans-Ulrich Roller, *Der Nürnberger Schembartlauf* Tübingen: Vereinigung f. Volksk.: 1965 gibt eine vorzügliche Behandlung des Stoffes. Siehe auch Samuel L. Sumberg, *The Nuremberg Schembart Carnival* New York: Columbia U. Press: 1941.

[270] E. Deecke, „Historische Nachrichten von dem lübeckischen Patriziat" *Jahrbücher des Vereins für meklenburgische Geschichte und Altertumskunde* X (1845) 50—96.

Wie kämen schwangere Frauen unter die Fastnachtsdarsteller? Sie kann auch wohl nicht als Zuschauertribüne gedient haben, sonst wären doch mehr als 24 Personen darauf gewesen. Dagegen mögen bei dem „Schodüvel lopen" wohl auch schwangere Frauen als Statisten auf der Wagenburg dabeigewesen sein. So wären wir bei derselben Doppelform der Fastnachtsdarbietungen wie in Nürnberg angekommen. Einerseits der Umzug vermutlich mit Kostümen und jedenfalls einem reich ausgestatteten Wagen, andererseits die dramatischen Spiele, die in einem Innenraum aufgeführt wurden. Dazu stimmt auch, daß von den vier „Dichtern", die jedes Jahr die Darbietung zu leiten hatten, zweien die Burg zugewiesen wurde, zweien die Spiele. „Dichter" hat hier natürlich nicht die moderne Bedeutung. Es sind ganz einfach Darstellungsleiter.

Über den Wert oder Unwert dieser Spiele wage ich nicht zu urteilen; dazu scheint mir die Dokumentation ungenügend. Immerhin läßt sich erkennen, daß der Stil der Spiele sich ändert. Die ersten Titel geben knapp und, wie wir gesehen haben, oft genug verschwommen das Thema an. Im dritten Drittel des Jahrhunderts dehnen sich die Titel, ja sie geben Inhaltsangaben des ganzen Stückes. Der tugendhafte Charakter kann nicht mehr in Zweifel gezogen werden. So sieht man die Lübecker Spiele von vermutlich einfachen und anspruchslosen Farcen zu komplizierten Moralitäten anwachsen. Auch die Nürnberger Spiele durchlaufen eine ähnliche Entwicklung. Übrigens haben wir für Lübeck einen indirekten Beweis, der uns für Nürnberg fehlt, daß die Spiele im 14. Jahrhundert nicht existierten. Wehrmann hatte schon angenommen: „Es ist nicht wahrscheinlich, daß diese Spiele schon vor 1430 bestanden.[271]" Den Beweis liefert er selbst. 1386 sollen Blinde um die Fastnachtszeit mit Keulen ein Schwein erlegen — ein Vorgang, der uns heute nicht komisch, sondern abstoßend erscheint. Seitdem zogen Blinde jedes Jahr zur Fastnacht von Haus zu Haus (Wehrmann, S. 297). Wenn es damals schon andere Fastnachtspieltraditionen gegeben hätte, wären sie sicher erwähnt worden.

b) Gengenbach und sein Kreis

Die Einwirkung der Nürnberger Fastnachtspiele auf die Lübekker war bisher umstritten; wir haben versucht diese Einwirkung

[271] C. Wehrmann, „Das Lübeckische Patriziat" *Zeitschrift des Vereins für Lübeckische Geschichte und Altertumskunde* V (1888) 293—392. Das Zitat ist auf Seite 314.

klarzulegen. Die Einwirkung Nürnbergs auf die Dramen Gengenbachs und damit indirekt auf andere Schweizer und Elsässer Dramatiker ist nahezu allgemein anerkannt. Einzig Catholy meint „Gengenbachs in Basel verfaßte Fastnachtspiele zeigen jedoch keine deutliche Verbindung zu Nürnberg."[272] Gewiß ist der Stoff der *zehn Alter* aus nichtdramatischer Quelle übernommen; dasselbe gilt von einer großen Anzahl Nürnberger Spiele. Gewiß hat das Stück eine „moralisierende Haltung"; dasselbe gilt zum Beispiel von Folzens *Die Alt und Neu Ee* (Keller 1). Gewiß hat es mehr als 800 Verse; Folzens *Salomo und Markolf* hat 725, sein *Spiel von Der Alten und Der Neuen Ee* gar 1100. Gegenbach hatte in Nürnberg mehrere Jahre als Buchdruckergeselle verbracht. Er muß also mit dem Nürnberger Fastnachtspiel um die Jahrhundertwende wohl vertraut gewesen sein[273]. Das kann man aber auch aus dem Charakter der drei Fastnachtspiele ableiten. Das erste: Die *zehn Alter,* läßt die Lebensalter wie eine epische Perlenschnur an uns vorüberlaufen. Der Einsiedler, der zusammen mit den Zuschauern diese merkwürdige Parade abnimmt und mit moralischen und moralisierenden Reden begleitet, faßt zugleich die losen Einzelreden zur Einheit zusammen. Mit anderen Worten, das Spiel von den *zehn Altern* entspricht einer ziemlich einfachen Form der Nürnberger Spiele, den sogenannten Reihenspielen. Es entbehrt jeder Handlung, es kennt weder Ort noch Zeit. Wenn man es liest, erinnert man sich unwillkürlich an Hans Sachsens erstes, nur wenig Jahre jüngeres Stück: *Hoffgesindt Veneris,* das ja auch ein streng moralisches Thema behandelt, obwohl auch dieses Stück durchaus in der Nürnberger Tradition steht. Dieser Zusammenhang erscheint noch deutlicher in Gengenbachs drittem Spiel: dem *Nollhart,* bei dem sogar wörtliche Übereinstimmungen bestehen. Man hat gemeint, Sachs sei von Gengenbach beeinflußt; aber

---

[272] Eckehard Catholy, *Fastnachtspiel* (Realienbücher für Germanisten, Abt. D, Literaturgeschichte) Stuttgart: Metzler: 1966, S. 75.

[273] Die beste Ausgabe bisher: Karl Goedeke, *Pamphilus Gengenbach.* Hannover: Rümpler: 1856 in Nachdruck Editions Rodopi Amsterdam: 1966. Eine neue Ausgabe ist in Vorbereitung. Von der reichen Literatur über Gengenbach seien hier nur genannt R. Lössl, *Das Verhältnis des Pamphilus Gengenbach und Niklaus Manuel zum älteren Fastnachtsspiel,* Programm des städtischen Realgymnasiums Gablonz: 1900 und Karl Lendi, *Der Dichter Pamphilus Gengenbach, Beiträge zu seinem Leben und seinen Werken* (Sprache und Dichtung 39) Bern: Paul Haupt: 1926.

Gengenbachs *Nollhart* ist erst 1517 entstanden. Ich halte es für das wahrscheinlichste, daß beide auf eine gemeinsame ältere Nürnberger Quelle zurückgehen[274].

Jörg Wickram, der bekannte Colmarer Meistersinger, Prosaerzähler und eben auch Dramatiker beginnt seine dramatische Tätigkeit mit einer Umarbeitung der *zehn Alter*[275]. Der Reihencharakter bleibt erhalten, aber freilich tritt bei Wickram hier und noch mehr in den späteren Spielen der didaktische Charakter völlig in den Vordergrund.

In ganz anderer Weise entwickelte sich aus Gengenbachschen Anregungen das Berner Fastnachtspiel. Niklaus Manuel, bedeutender Maler, Vorkämpfer des Protestantismus und führender Staatsmann in seiner Vaterstadt leitete 1523 (nicht 1522, wie die ältere Forschung will) zwei ausgesprochen religionspolitische Spiele[276]. In Bern gab es allerdings schon vor Manuel Spiele zur Fastnachtszeit[277]. Wir wissen zu wenig darüber, als daß wir sagen können, von wo sie ihren Anstoß nahmen, ober ob es sich überhaupt um regelrechte Dramen handelte. Jedenfalls beginnt mit Manuel eine neue Tradition[278]. Manuels Spiele drücken nun tatsächlich ein anderes dra-

---

[274] Über die komplizierten Verhältnisse zwischen Sachs, Gengenbach und Wickram siehe außer den schon genannten Werken: Wilhelm Wackernagel, *Die Lebensalter* Basel: Bahnmaier: 1862; Karl Drescher, „Studien zu Hans Sachs" *Acta Germanica* II³ (1891) 377—481; Günther Birkenfeld, *Die Gestalt des treuen Eckhart in der deutschen Sage und Literatur* Diss. Berlin, 1924 (Masch.) und P. B. Salmon, „‚Das Hofgesindt Veneris' and Some Analogues" *German Life and Letters* X (1956) 14—21.

[275] Die Ausgabe der Wickramschen Werke Johannes Bolte, *Georg Wickrams Werke* (Bibliothek des Literarischen Vereins in Stuttgart 222/23, 229/30, 232, 236/37, 241) Stuttgart: Literarischer Verein: 1901—1906 wird nun ersetzt durch die neuere Ausgabe Hans Gert Roloff, *Georg Wickram Sämtliche Werke* (Ausgaben deutscher Literatur des 15. bis 18. Jahrhunderts) Berlin: Walter de Gruyter: 1968ff. Auf die Sekundärliteratur über Wickram gehen wir nicht ein.

[276] Ferdinand Vetter, „Über die zwei angeblich 1522 aufgeführten Fastnachtspiele Niklaus Manuels" *Beiträge zur Geschichte der deutschen Sprache und Literatur* XXIX (1904) 80—117.

[277] Adolf Fluri, „Dramatische Aufführungen in Bern im XVI. Jahrhundert" *Neues Berner Taschenbuch auf das Jahr 1909*. Bern: Wyss: 1908, S. 133 bis 159.

[278] Jakob Bächtold, *Niklaus Manuel* (Bibliothek älterer Schriftwerke der deutschen Schweiz 2) Frauenfeld: J. Huber: 1878 wird ebenfalls durch

matisches Empfinden aus; sie entsprechen dem leidenschaftlichen Geiste dieses renaissancehaften Universalmenschen. Und doch besteht kein Zweifel, daß er von Gengenbach seine Anregung erhielt. Sein eines Spiel übernimmt einen Stoff, der, wenn er auch vielleicht nicht von Gengenbach selbst behandelt worden war, jedenfalls in seiner Offizin gedruckt wurde. Auch in diesem umfangreichen Fastnachtspiel, das sich in der Bühnenform wesentlich von den Nürnberger Spielen unterscheidet, klingen noch immer gewisse Nürnberger Töne nach: es fehlt eine eigentliche Handlung; Reihenspiel-Charakteristik bleibt bestehen. So ist auch hier die Abstammung zu erkennen.

Catholy hat gewiß mit Recht betont, daß im alemannischen Gebiet Form und Gehalt der Spiele sich ebensosehr wandelten wie auch in Lübeck und wie übrigens auch im Nürnberg des 16. Jahrhunderts namentlich bei Hans Sachs. Uns kam es vor allem darauf an zu zeigen, daß die Anregung auch im Südwesten von Nürnberg kam, daß Gengenbach erst das Fastnachtspiel in dieses Gebiet trug, daß es vorher dort kein Fastnachtspiel gab. Das wird auch Catholy kaum bezweifeln wollen.

Wir haben den selbstgesetzten Rahmen unserer Untersuchung überschritten. Wir wollten zeigen, wie im Südwesten des deutschen Sprachgebietes das Fastnachtspiel sich erst formte unter Nürnberger Einfluß. Dasselbe ließe sich weit später an Puschmann in ganz anderer Gegend ebenfalls nachweisen. Puschmanns Tätigkeit freilich, so sehr der Schulmeister auch der Nürnberger Tradition zugehörte, zeigt weit mehr als die Lübecker Spiele, als Gengenbach, als Wickram, als Manuel, wie sehr durch andere Zuflüsse der Strom eine völlig neue Richtung annehmen kann. In Luzern, in Fribourg, in anderen Städten der Schweiz, des Elsaß, des südwestdeutschen Gebietes entstehen im Laufe des 16. Jahrhunderts zahllose andere, zum Teil völlig neue Fastnachtspielformen. Sie sagen uns nichts mehr. Nun allerdings im 16. Jahrhundert wurde das Fastnachtspiel Gemeingut. Es war ausgesetzt der Kontamination durch viele

---

eine neue Ausgabe von Manuels Werken ersetzt. Aus der reichen Literatur über Manuel nennen wir nur Ferdinand Vetter, *Ein Rufer im Streit. Manuels erste reformat. Dichtungen.* Bern: G. Grunau: 1917, Ferdinand Vetter, *Niklaus Manuel Spiel der evangelischen Freiheit: Die Totenfresser* (Die Schweiz im deutschen Geistesleben 16) Leipzig: Haessel: 1923 und Paul Sinsli, *Niklaus Manuel Der Ablaßkrämer* (Altdeutsche Übungstexte 17) Bern: Francke: 1960.

andere Stoffe, Formen, Ideen, Traditionen. Es wurde ein Allerweltsspiel, das seinen eigentlichen Sinn, seinen eigentlichen Charakter völlig verloren hatte. Zu diesem eigentlichen Sinn und Charakter wollen wir nun vorzustoßen versuchen.

c) Der Südosten

Wir haben unseren Lesern bisher die beiden Gebiete der Fastnachtspieltätigkeit vorenthalten, die der wissenschaftlichen Behandlung in gleicher Weise anziehend und spröde entgegenstehen: Nürnberg und den Osten und Süden. Sie bieten reiche, wenn auch gerade an entscheidenden Stellen wieder lückenhafte Dokumentation. Die mancherlei Texte lassen sich selten genau datieren, ja nicht einmal dialektisch festlegen; auch die Frage Drama: Rezitationsstück oder Lesestück kann nicht immer sicher beantwortet werden. Endlich lassen sich die Beziehungen der Dokumente, der topographischen Einheiten untereinander in einigen Fällen schwer durchschauen.

Im Süden und Osten beginnt das weltliche Drama nicht als Fastnachtspiel, sondern als von dem Kalender unabhängiges, doch vielfach an das Frühjahr gebundenes, komisches Schauspiel. In unserer Betrachtung haben wir gesehen, wie das geistliche Drama in verschiedener Weise und zu verschiedenen Zeiten starker Verweltlichung ausgesetzt war, sei es in den komischen Auswüchsen des Osterspiels, wie dem Wettlauf der Apostel, der Emmausszene, den Maria-Magdalenen-Auftritten und vor allem dem Besuch beim Salbenkrämer; die Vaganten spielten hier in jedem Sinne des Wortes eine wichtige Rolle; die Schüler, die Schreiber werden vielfach besonders hervorgehoben. Sei es, daß die Freude am Stoffe des Abenteuers eigentlich religiöse Materie wie die Kreuzerfindung zur reinen Unterhaltung wandelte.

Außerdem liegen im Volksbrauch dramatische Keime. Samuel Singer veröffentlichte ein Stück, das er *Spiel vom Streit zwischen Herbst und Mai* nennt[279]. Der Herbst entführt die Tochter des Mai;

---

[279] Samuel Singer, „Ein Streit zwischen Herbst und Mai" *Schweizerisches Archiv für Volkskunde* XXIII (1920/21) 112—116. Dasselbe Spiel auch in „Germanisches Drama" *Germanisch-Romanisches Mittelalter* Zürich, Leipzig: Max Niehans: 1935, S. 185—198. Eine Neuausgabe mit wertvoller Einleitung: Friederike Christ-Kutter, *Frühe Schweizerspiele* (Alt-

der Mai sammelt zwölf Ritter, der Herbst zwölf andere. Der Streit endet offenbar mit dem Sieg des Herbstes. In 176 Zeilen ohne irgendwelche Bühnenanweisungen, ohne selbst Bezeichnung der Sprecher — diese stellen sich vielmehr selbst vor — rollt das Ganze ab. Christ-Kutter, die eine diplomatische Neuausgabe veranstaltete, meint:

> Die Vermutung, daß das Spiel nach einer von Strophe zu Strophe wiederkehrenden Melodie gesungen wurde, drängt sich bei den metrischen Untersuchungen besonders stark auf.

Und:

> Ob das Stück aufgeführt wurde, läßt sich kaum ausmachen.
>
> (Beide Zitate, S. 7)

Also den Charakter des Dramas, die Absicht der Aufführung, muß man mindestens stark bezweifeln. Wenn an eine Vorstellung überhaupt gedacht werden kann, dann sicherlich nicht zur Fastnacht, eher im Herbst etwa bei einer Art Erntedankfest.

Das sogenannte *St. Pauler Neidhartspiel* wurde ebenfalls mit einem Jahreszeitenbrauch in Verbindung gebracht.

> Am wiener Hofe war es zur Zeit Leopold VI., des Glorreichen Sitte, im März in den Donauauen das erste Veilchen aufzusuchen. Der Finder benachrichtigte sogleich den Herzog, der mit seinem gesamten Hofstaate auf den Anger zog, um das Zeichen des nahenden Frühlings zu begrüßen. Das sittsamste Mädchen durfte die Blume abpflücken und an den Busen stecken. Hier werden wir eine Quelle für die in unsern Gedichten behandelte Begebenheit zu finden haben[280].

Neuerdings wurde in brillanter und überzeugender Weise nachgewiesen, daß als Quelle für diesen angeblichen Wiener Volksbrauch eben das *St. Pauler Neidhartspiel* gedient hat; also ein Musterbeispiel eines Circulus vitiosus: aus dem Drama leitet man den Brauch ab, und aus dem Brauch dann wieder das Drama[281].

---

deutsche Übungstexte 19) Bern: Francke: 1963, S. 5—19. Siehe auch Werner Lynge, „Die Grundlagen des Sommer- und Winter-Streitspieles" *Österreichische Zeitschrift für Volkskunde* N. S. LI (1948) 113—147.

[280] Konrad Gusinde, *Neidhart mit dem Veilchen* (Germanistische Abhandlungen 17) Breslau: M. & H. Marcus: 1899, S. 12.

[281] Eckehard Simon, „The Origin of Neidhart Plays: A Reappraisal" *Journal of English and Germanic Philology* LXVII (1968), S. 458—474. Auch ich bin diesem Trugschluß früher zum Opfer gefallen.

Man sieht, wie vorsichtig man bei den Bräuchen die Echtheit der Überlieferung nachprüfen muß.

Die Form der beiden ebengenannten Dokumente erscheint uns als sonderbarer Zwitter zwischen wirklichem Drama, beziehungsweise dramatischem Rezitationsstück und reinem Lesestück. Gusinde und nicht er allein sieht eine Entwicklung von der vorgetragenen Literatur zum Drama:

> Daß lange vor den Fastnachtspielen Spielmannsaufführungen im Schwange waren, ist zweifellos. Man muß zunächst erwägen, daß die Volkspoesie an sich einen stark dramatischen Charakter hatte, besonders die altheimische Rätsel- und Streitdichtung, die man sich zum weitaus größten Teile von zwei Personen seit jeher vorgetragen denken muß. So hat auch die Spielmannsdichtung, die zwar nicht in den Stoffen, aber doch in der Behandlungsweise ganz und gar in den Bahnen der volkstümlichen Poesie wandelt, ein stark dramatisches Gepräge. Es wechseln darin oft durch ganze Versreihen die sprechenden Personen, ohne daß sie besonders eingeführt würden.
>
> Der Vortragende mußte dann, um überhaupt deutlich zu werden, die verschiednen Personen geschickt durch seine Kunst zum Ausdruck bringen. Hatte er nur eine Person wiederzugeben, so konnten ihm wohl Masken gute Dienste leisten, sonst aber war Mienen- und Gebärdenspiel das hauptsächlichste Mittel. Die vorhandnen kurzen epischen Verbindungs- und Einleitungsworte traten bei der Herausarbeitung der einzelnen Personen ganz zurück. Notgedrungen mußte man dabei auf den Gedanken kommen, solche Dichtungen wirklich auf zwei Vortragende zu verteilen. (Gusinde, S. 26—27)

Natürlich fällt es heute schwer zu unterscheiden. Einige Beispiele mögen diese Ungewißheit exemplifizieren.

Die Bibliothek der University of Pennsylvania bewahrt eine dialogische Behandlung des im Spätmittelalter beliebten Aristoteles-und-Phyllis-Stoffes auf[282]. Eine Art Proclamator fordert zum Schweigen auf und erklärt in langem Prolog: „Waß dit spiel beduden sal"; das heißt er gibt eine lange Inhaltsangabe. Dann folgt immer nur mit Zeilen wie „Allexander der konyg sprach" oder „die konegygnnen sprach" jener Schwank, in dem Alexander von

[282] Otto Springer, „A Philosopher in Distress: A Propos of a Newly Discovered Medieval German Version of *Aristotle and Phyllis*" *Germanic Studies in Honor of Edward Henry Sehrt* (Miami Linguistics Series 1) Coral Gables, Florida: University of Miami Press: 1968, S. 203—218. Springer bereitet eine kritische Ausgabe dieses Stückes vor. Der zitierte Artikel gibt viele interessante Einblicke in den gesamten Themenkomplex.

Aristoteles überredet die Königin, die er liebt, aufgibt; diese aus Rache Aristoteles dazu verführt, daß er sie auf sich reiten läßt und ihn so vor Alexander beschämt. Keinerlei Anweisungen, keinerlei Bezug auf Ort oder Art der Darstellung geben Einblick in den Charakter des Werkes. Einzig die ersten Zeilen

> Horent ir lude uber alle
> waß dit spiel beduden sal

lassen eine wirkliche Vorstellung vermuten. Zwei spätere *Aristotelesspiele* zeigen den dramatischen Charakter völlig unzweideutig; eines von ihnen verweist im Text auf die Fastnacht, wurde also vermutlich zur Fastnacht aufgeführt[283].

Ein anderes freilich vielleicht nur fragmentarisch überliefertes Stück (Keller 122): *Wie sieben Weiber um einen Mann streiten*, steht ebenfalls auf der Schwelle zum Drama. Ein Mann rühmt sich, sieben Frauen hätten ihn „irkoren". Es folgen die Reden der sieben, von denen jede natürlich die anderen auszustechen sucht, bis der unsympathische Protz schließlich die letzte erwählt. Nach Creizenach (I, S. 410) stammt dieses Fragment aus dem 14. Jahrhundert, wäre also neben dem *St. Pauler Spiel* und dem *Herbst-Frühjahr-Spiel* das früheste weltliche Drama. Auch hier besteht kein sichtbarer Zusammenhang zur Fastnacht. Allerdings diente dieses Thema zusammen mit seinem Gegenstück etwa anderthalb Jahrhunderte später 1518 in Zwickau zum Inhalt eines Fastnachtspiels[284]. Dieses Gegenstück ist auch aus älterer Zeit und zwar aus Breslau überliefert[285]. Man könnte es nennen: *Wie vier Männer um*

---

[283] Adelbert von Keller, *Fastnachtspiele aus dem fünfzehnten Jahrhundert Nachlese* (Bibliothek des litterarischen Vereins in Stuttgart 46) Stuttgart: Litterarischer Verein: 1858, S. 216—230. Das Stück stammt nicht aus Nürnberg, nennt sich nicht Fastnachtspiel, spricht aber (S. 217, Zeile 15) von „vasnacht". Das andere: Oswald Zingerle, *Sterzinger Spiele* (Wiener Neudrucke 9) Wien: Carl Konegen: 1886, S. 96—113 gehört zu der Raberschen Sammlung aus Sterzing und wurde 1511 niedergeschrieben.

[284] Reinhold Köhler, „Das Spiel von den sieben Weibern, die um einen Mann streiten" *Germania* XXII (1877) 19/20.

[285] Otto Günther, „Ein Bruchstück aus einem unbekannten Fastnachtsspiel des 15. Jahrhunderts" *Schlesische Gesellschaft für Volkskunde Mitteilungen* XXVI (1925) 189—196, Wolfgang Jungandreas, „Die Mundart des Breslauer Fastnachtspielbruchstücks" *Schlesische Gesellschaft für Volkskunde Mitteilungen* XXVI (1925) 196—199, und Wolfgang Jungandreas, „Die Grundlagen des Breslauer Fastnachtspielsbruchstücks" *Schlesische Gesellschaft für Volkskunde Mitteilungen* XXVII (1926) 151—179.

ein Mädchen werben. Erhalten ist nur die Rolle des Proclamators und Conclusors. Aber ähnlich wie der Proclamator des *Aristoteles-Stückes* erzählt auch dieser Proclamator in aller Ausführlichkeit den Inhalt des Spiels. Bauer, Ritter, Mönch und Schreiber bewerben sich um eine „schone mait". Natürlich siegt der Schreiber, aber nicht nur das, er wird von dem Proclamator so herausgestrichen, wie etwa die Schüler in den Salbenkrämerszenen der Osterspiele. So möchte man vermuten, daß auch hier Vaganten am Werke waren. Das Ding hat offensichtlich allgemein weitergewirkt. Eines der Fastnachtspiele in der Kellerschen Sammlung (70) *Die Vasnacht vom Werben umb di Junkfrau* gleicht dem Breslauer Text nicht nur im Gehalt, nicht nur wird auch hier der Schreiber besonders gelobt, sondern auch im Text finden sich Zeilen, die an den Breslauer Text anklingen. Das Breslauer Spiel darf also, wie auch schon Otto Günther annahm, als Vorbild für Keller 70 gelten. Der Dialekt des älteren Werkes weist es nach Schlesien, wenn nicht gar nach Breslau selbst. Dagegen besteht kein Grund, es als Fastnachtspiel zu bezeichnen[286]. Die Fastnacht wird nirgends erwähnt. In der Zeit von 1460—1470 — so datiert Günther das Werk auf Grund der Schrift — wäre ein Fastnachtspiel in Breslau mindestens ungewöhnlich. Bei der Zeile 13: „Dorumbe ist sy her komen off desen plan" denkt man an Aufführung im Freien. Eine ähnliche Zeile erscheint auch bei Keller 70 (S. 613, Zeile 13), dessen Nürnberger Herkunft mindestens umstritten ist. Die Zeile bei Keller 70 könnte natürlich gedankenlos aus Breslau übernommen sein.

Zwei andere nichtnürnbergische Stücke haben wir schon bei der Besprechung der Lübecker Spiele erwähnt: Keller 56 und 57. Beide behandeln das Thema der bösen Weiber. In 56 wird die Fastnacht überhaupt nicht erwähnt. Schon Michels meinte:

> An die grotesken Teufelszenen der geistlichen Spiele erinnert unser Stück, das merkwürdig heidnisch berührt[287].

Überhaupt klingt der derbe Humor mehr nach ausgeklügeltem Vagantenwitz als nach direkter plumper Handwerkerzote. Das Stück 57 nennt sich nun tatsächlich *Ain guot Vasnachtspil.* Auch

---

[286] Die Bezeichnung Fastnachtspiel stammt von Günther und Jungandreas. In *Frühformen* . . . habe ich sie gedankenlos übernommen.

[287] Victor Michels, *Studien über die ältesten deutschen Fastnachtspiele* (Quellen und Forschungen zur Sprach- und Culturgeschichte der germanischen Völker 77) Straßburg: Trübner: 1896, S. 32.

dieses Stück wie das andere mit Teufeln, mit denen die Weiber natürlich leicht fertig werden, läßt uns eher an Vagantenpossen denken, als an Fastnachtsübermut. Zwar erscheint das Wort „fasnacht" auch im Text (S. 511, v. 2/3):

> Sind das die neue klaider,
> Di du mir zu diser fasnacht gist?

Aber gerade diese Stelle macht den ganzen Fastnachtspielcharakter zweifelhaft. Die Stelle ist nämlich eine wörtliche Übernahme aus dem Salbenkrämerspiel zum Beispiel: *Erlau III*:

> sind das di neun chlaider,
> de du mir zu den ostern hast geben?[288]

Oder Innsbruck:

> sin daz dy^{e} nuven cleyder,
> dy^{e} du^{e} mir czu^{e} desen ostern hast gegeben[289]?

usw. Nur daß dort Ostern steht, wo hier „fasnacht" eingesetzt ist. War also dieses ganze Spiel ursprünglich zu anderer Jahreszeit gemeint und wurde nun ein wenig oberflächlich dem Fastnachtsgeist angepaßt?

Das umfassendste weltliche Drama des Spätmittelaltesr ist das sogenannte *große Neidhartspiel* (Keller 53). Es bildet den Höhepunkt in einer Entwicklung, die von dem schon kurz erwähnten *St. Pauler Neidhartspiel* zu späteren Nürnberger und Sterzinger Neidhartspielen führt und schließlich von Hans Sachs abgeschlossen wird. Samuel Singer führte in geistvoller Hypothese die Neidhart-Legende sozusagen in eine Zeit vor Neidhart zurück, ja er postuliert ein Fastnachtspiel im 12. Jahrhundert[290]. Den Lauf der Tradition von Vagantenpoesie, Minnesang, dörperlicher Dichtung zum komischen Drama und schließlich zum Fastnachtspiel will er sozusagen umkehren und das Fastnachtspiel an den Anfang der

---

[288] Karl Ferdinand Kummer, *Erlauer Spiele*. Wien: Hölder: 1882, S. 65, v. 838/39.

[289] Franz Joseph Mone, *Altdeutsche Schauspiele* (Bibliothek der gesammten deutschen National-Literatur 21) Quedlinburg und Leipzig: Gottfried Basse: 1841, S. 136, v. 928/29.

[290] Siehe hierzu: Samuel Singer, *Neidhart-Studien*. Tübingen: Mohr: 1920 und „Germanisches Drama" *Germanisch-Romanisches Mittelalter*. Zürich, Leipzig: Max Niehans: 1935, S. 185—198.

Entwicklung stellen. Die Dokumentation spricht gegen diese Hypothese. Vorsichtiger will Hilde von Anacker gewisse Neidhartmotive aus Dramen, aber nicht Fastnachtspielen ableiten[291]. Selbst dies klingt nicht recht überzeugend. Schließlich wird immer wieder lyrischer, epischer, theologischer Stoff dramatisiert. Für den umgekehrten Vorgang fehlt es an Beispielen. Man wird also auch bei der Neidharttradition das Drama als sekundär deuten. Das *große Neidhartspiel* stammt der Sprache nach aus Tirol, gehört seinem Charakter nach zu dem Corpus weltlicher Spiele, die dem Fastnachtspiele unabhängig gegenüberstehen, ja drückt den Unterschied zwischen diesen Spielen und den Fastnachtspielen am radikalsten aus. Wo die Fastnachtspiele, auch die entwickelteren sich wesentlich um eine Begebenheit, oder einen „Falken", oder mindestens eine Zentralfigur wie, sagen wir, Markolf konzentrieren, da zerflattert das *große Neidhartspiel* in eine Vielzahl aneinandergehängter Einzelepisoden, die kaum noch durch den Namen Neidhart, durch den Bauernhaß zusammengehalten werden. Zudem enthält das Werk, so merkwürdig das klingen mag, gewisse höfische Elemente. Der Tanz der Ritter und Jungfrauen kontrastierte gewiß mit dem Rüpeltanz der Bauern. Der Proclamator redet das Publikum an:

> Schweiget, hört und vernemet alle,
> Lat euch dise red wol gefalle!
> Fürsten, graven, wo die sind,
> Herren, ritter und ritterskind

Und erst dann wird fast entschuldigend hinzugefügt:

> Auch kaufleut, die mit hübschait
> Sich zieren künen in hohe klaid
>
> (Keller I, S. 392, v. 4—9)

Gewiß mag diese Anrede mehr den Mitspielern als dem Publikum gegolten haben.

Diese offene ausladende Form entwickelt sich aber erst aus dem noch sehr einfachen frühen *Neidhartspiel.* Die kurze Skizze dort begnügte sich, und auch das nur in allereinfachster Form, mit dem einen sogenannten Veilchenschwank. Die Herzogin will von Neidhart unterhalten sein. Neidhart verspricht für sie zu dichten und das erste Blümlein zu finden, dann müsse sie sein Maibuhle werden.

---

[291] Hilde von Anacker, „Zur Geschichte einiger Neidhartschwänke" *PMLA* XLVIII (1933) 1—16.

Neidhart findet auch gleich die „vialblume" und bedeckt sie mit seinem Hut. Aber als die Herzogin den Hut aufhebt, ist die Blume verschwunden. Der empörten Herzogin versichert Neidhart, es müsse ein Bauer gewesen sein, er werde ihm ein Bein abschlagen.

In 58 Zeilen rollt das Ding ab. Die Rede eines Proclamators gibt einen dramatischen Charakter. Die lateinischen Bühnenanweisungen, die ganze leichte Form lassen an Vagantenscherz denken. Ich glaube nicht wie Eckehard Simon, daß hier etwas ausgefallen ist. Wie andere Stücke aus der Frühzeit, ist die Form eben noch archaisch und einfach[292].

Das *große Neidhartspiel* beginnt mit einer Art psychologischer Begründung für den Schabernack der Bauern. Die Bauern wollen an dem Maitanz der höfischen Gesellschaft teilnehmen und werden schroff zurückgewiesen. Nun folgt erst der Rüpeltanz der Bauern, dann diesem parallel der Hoftanz. Im Grunde, ob Ritter oder Bauer, sie wollen alle dasselbe von den Jungfrauen oder Dirnen, nur daß eben die Ritter sich ein wenig feiner oder manierlicher und manirierter ausdrücken. Nichts ist übrigens unsinniger als zu behaupten, wie das immer wieder geschieht, während die Nürnberger Spiele bauernfeindlich seien, fehlte den Tiroler Spielen die satirische Spitze. Im Gegenteil, wo bei den Nürnberger Spielen der Bauerntölpel vielfach menschliche Torheit ganz allgemein symbolisiert, der Ackermann für uns alle steht, oder wo gar der schlaue, gerissene Bauer Markolfo eben gerade über den weltfremden weisen König den Sieg davon trägt, da kontrastieren im Neidhart die groben, derben, gernenobeln Bauernlümmel, zum Teil auch schon durch ihre komischen Namen charakterisiert, mit der feinen Hofgesellschaft, die freilich mit ihrem Hochmut auch nicht gerade angenehm gezeichnet ist[293].

---

[292] Eckehard Simon, „The Origin of Neidhart Plays: A Reappraisal" *Journal of English and Germanic Philology* LXVII (1968), S. 459 und anderswo. Siehe auch von demselben Autor: „The Staging of the Neidhart Plays With Notes on Six Documented Performances" *Germanic Review* XLIV (1969), S. 5—20. Text: Schönbach, A. E. „Ein altes Neidhartspiel" *Zeitschrift f. deutsches Altertum* XL (1896) 368—374.

[293] Wie Eckehard Simon und Hans Günther Sachs bei dem *Herbst-Frühjahrsspiel* — wenn wirklich es ein Drama war — und bei dem *St. Pauler Neidhart* von „remnants of an early form of courtly drama" (S. 472) zu sprechen, scheint mir völlig abwegig. Ich sehe keinen Zusammenhang zwischen den beiden Dokumenten außer ihrer archaischen Form. Diese

Im eigentlichen Veilchenschwank fehlt es an aller höfischen Finesse: nicht nur bricht ein Bauer das Veilchen ab, sondern er pflanzt sein eigenes Veilchen auf. Um so größer der Zorn der Herzogin. In einer ganzen Serie von Schwänken rächt sich Neidhart an den Bauern. Mehrere Motive sind literarisches Gemeingut, das in der deutschen Literatur etwa in den sogenannten Spielmannsepen auftaucht, allerdings auch schon in Pseudoneidhartliedern behandelt wurde. Im *großen Neidhartspiel* wandelt sich also der Minnesänger, dann Bauernfeind, schließlich in einen ritterlichen Possenreißer nicht unähnlich dem Eulenspiegel des 16. Jahrhunderts. Diese Entwicklung, die Neidhart zur legendären Figur werden läßt, zeigt sich auch in der epischen Dichtung wie in Wittenweilers *Ring* oder *Neidharts Fuchs* und natürlich auch in dem pseudonymen Liedgut.

Das *große Neidhartspiel* endet abrupt und ohne eigentlichen Abschluß. Zwar wird Neidhart von der Herzogin und übrigens auch vom Herzog verziehen. Aber ein halbes Dutzend weiterer Neidhartstreiche ließen sich ebensogut noch einfügen, wie man andererseits, auch ohne den Charakter zu ändern, den einen oder andern Streich auslassen könnte. Auch die Qualität der Schwänke bleibt nicht einheitlich. Manches scheint amüsant und lebendig, anderes schleppt sich durch unnötiges und albernes Detail.

Die eben behandelten nichtnürnbergischen und meist oberdeutschen Spiele zeigen ihren Eigencharakter. Die Abstammung von Volksbrauch oder Vagantenscherz, von Schwankmotiv oder komischer Szene des mittelalterlichen Dramas gibt ihnen ein eigenes Gesicht. Es sind nicht Fastnachtspiele, auch wenn sie sich, wie in dem einen Falle, so nennen. Nun gibt es aber ein Spiel, das in unsere Berechnungen nicht zu passen scheint, das *Spiel vom Tanawäschel* (Keller 54). Der Tanawäschel war eine Epidemie, die ganz Deutschland heimsuchte und zwar, wenn wir dem Text glauben wollen, im Jahr 1414: „der siechtag was in dem Monat Februario anno domini etc. quadringentesimo quarto decimo". Die Sprache des Spieles ist bayrisch-österreichisch und die Erwähnung des Ortes Mereberg (= Maremberg bei Marburg) läßt Michels (S. 29/30) vermuten, das Stück stamme aus der Steiermark. Eine Anzahl von Personen klagen vor einem Marschalk gegen den Tanawäschel. Zu

erlaubt an eine Weiterentwicklung zu denken, wie sie ja auch wirklich eintrat, aber nicht an Überreste einer vorangegangenen Blüte, für die nicht die geringste Dokumentation vorliegt.

Ende wird er hingerichtet. Michels meint dazu „das eigenartige Stück endet nach Art der Schwerttänze mit einer Hinrichtung" (Michels, S. 31). Ich sehe keinen Grund für solch einen Zusammenhang[294]. Es erscheint einfach ein Henker, der dem bösen Tanawäschel seinen „Kragen" abschlägt. Viel eher erkenne ich in dieser Schauerkomik eine Ähnlichkeit mit solchen Werken wie dem oben besprochenen Kreuzerfindungsspiel, wo in rascher Folge die Köpfe zur Unterhaltung der Zuschauer rollen müssen.

Da die Epidemie in dem Spiel selbst auf das Jahr 1414 angesetzt ist, hat Michels angenommen, daß kurz danach auch das Spiel selbst entstanden sein müsse. Das Spiel nennt sich *ain guot Vasnachtspiel.* Die Anklage vor Gericht dient häufig als Form für die Nürnberger Spiele und, soweit ich sehe, sonst nur noch bei Spielen wie zum Beispiel den späten Tiroler Spielen, die unter Nürnberger Einfluß stehen. Wie also sind diese widersprechenden Tatsachen zu erklären? Ein Spiel, das nach Sprache und Hinweis in die Steiermark gehört, das im frühen 15. Jahrhundert entstanden ist, nennt sich Fastnachtspiel und hat Nürnberger Form. Ich weiß keine Lösung für dieses Rätsel.

Soweit führen uns die erhaltenen Texte. Daneben liegen auch in vielen Städten verstreute archivalische Nachrichten vor, von denen einige schwer zu erklären sind. In Hall bei Innsbruck, im Spätmittelalter bedeutend wegen seiner Salzgruben, berichten die Ausgabebücher aus dem Jahre 1426: „Item von zwain pünn vnd gerüsten ze zwein spiln ze vasnacht in vn aws ze fürn, ze tragn, vnd ze machn". An Nürnberger Import ist bei diesen zwei Spielen kaum zu denken. Wenn wir auch nichts über das Thema dieser Spiele wissen, sie wurden offenbar auf komplizierter Bühne aufgeführt, konnten also kaum den anspruchslosen Charakter der Nürnberger Spiele gehabt haben. Dazu käme dann noch:

> unter dem „frewden Spil", das Herzog Sigmund bei seiner Anwesenheit in Hall während der Fastnacht 1454 ‚arm und reich begunt zu haben' wird man wohl auch eine derartige Belustigung zu verstehen haben[295].

Diese beiden Ereignisse, drei Jahrzehnte auseinander, gehören

[294] Ich habe allerdings früher selbst an den Zusammenhang mit dem Schwerttanz geglaubt (*Frühformen* . . ., S. 58); nach genauerer Lektüre scheint mir dieser Zusammenhang nicht mehr haltbar.

[295] Zitiert nach Max Straganz, *Hall in Tirol.* Innsbruck: Schwick: 1903, S. 391. Siehe ferner auch Walter Senn, *Aus dem Kulturleben einer süddeutschen Kleinstadt.* Innsbruck, Wien, München: Kerle: 1938.

nicht in eine Tradition wie die Nürnberger oder Lübecker Spiele. Man spricht auch nicht von Fastnachtspielen, sondern von „spiln ze vasnacht" oder gar von „frewden Spil". Das mag wie Haarspalterei klingen, hier liegt doch ein tiefer Unterschied. Ein Passionsspiel bleibt Passionsspiel, auch wenn es nicht mehr in der Osterzeit aufgeführt wird. Umgekehrt wandelt sich ein Spiel noch nicht zum Fastnachtspiel, nur weil man es zur Fastnacht darbringt. In Hall mag man zur Unterhaltung an Fastnacht auch einmal Spiele vorgestellt haben, ohne sie dem Fastnachtscharakter anzupassen. Nicht nur die andere Bühnenform spricht für diese Interpretation, sondern vor allem eben der Mangel an Tradition, der zu den Fastnachtspielen genau so gehört wie zu den Passionsspielen.

Ein anderes Beispiel eines solchen vereinzelten traditionslosen Fastnachtspiels ebenfalls auf einer Bühne im Freien aufgeführt ist aus Frankfurt am Main aus dem Jahre 1455 überliefert[296]. Auch hier wissen wir nicht, was das Thema des Spiels war.

Endlich müssen wir noch eine Nachricht aus Görlitz erwähnen. In den Ratsprotokollen des Jahres 1442 heißt es: „Item den schreibern alsz sie uff dem rathusze reymeten unde den reymern an der vastnacht 15 gr."[297]. Gondolatsch betont aber „die Ratsprotokolle der letzten Hälfte des 15. Jahrhunderts berichten nichts von Fastnachtspielen" (S. 110). Adam Puschmann habe das Fastnachtspiel aus Nürnberg in Görlitz eingeführt.

Für die Tradition bei den Fastnachtspielen existiert dagegen ebenfalls ein nichtnürnbergisches Beispiel. In Eger, etwa 75 Meilen von Nürnberg und von diesem wesentlich nur durch den Böhmer Wald geschieden, sind Fastnachtspiele fast jährlich seit 1442 belegt[298]. Urban sieht hier einen starken Einfluß Nürnbergs. Tat-

---

[296] E. Mentzel, *Geschichte der Schauspielkunst in Frankfurt am Main* (Archiv für Frankfurts Geschichte und Kunst n. F. 9) Frankfurt a. M.: Völcker: 1882, S. 3, 403.

[297] Max Gondolatsch, „Beiträge zur Görlitzer Theatergeschichte bis 1800" *Neues Lausitzisches Magazin* CIII (1927), S. 107—164.

[298] M. Urban, „Fassnacht in Alt-Eger" *Deutsche Arbeit* III (1904) 410—416. Ferner siehe auch Alois John, „Zur Kulturgeschichte des westlichen Böhmens" *Zeitschrift für deutsche Kulturgeschichte* n. F. III (1893), S. 176—193, 273—288 sowie Heinrich Gradl, „Fronleichnamsspiele. Deutsche Volksaufführungen. Beiträge aus dem Egerlande zur Geschichte des Spiels und Theaters Nr. 49" *Mitteilungen des Vereins für Geschichte der Deutschen in Böhmen* XXXIII (1895), S. 229—234.

sächlich werden hier wie in Nürnberg vor allem Handwerker, daneben allerdings auch Schreiber als Veranstalter genannt. Die Spielleute, die ebenfalls erwähnt werden, dürften wohl Musikanten gewesen sein. Titel der Spiele werden erst zu Anfang des 16. Jahrhunderts angegeben, so 1509 ein *pawrn Spill*, 1516 ein *Neidhartspiel*.

Im letzten Viertel des Jahrhunderts häufen sich dann die Nachrichten auch aus anderen Städten. Spätestens 1483 wird in Mößkirch (= Meßkirch) auf dem Markt *ein alter man den man erjungt* dargestellt, also ein typisches Thema der Fastnachtzeit[299]. Wir erwähnten diese Aufführung schon im Zusammenhang mit den Lübecker Spielen. 1488 wird in Burghausen ein *Neidharttanz* veranstaltet[300]. Dies muß nicht unbedingt ein Drama gewesen sein. Ein *Neidharttanz* ist auch aus Preßburg für das Jahr 1492 überliefert[301]. Andere Nachrichten aus dem 16. Jahrhundert, die häufiger und häufiger werden, haben kein Interesse mehr.

Was wir zuletzt betrachtet haben, gehört zwar durchaus zu der größeren Gattung komisches Drama, aber im engeren Sinne zu der Spezies Fastnachtspiele brauchen wir dieses Corpus oder mindestens den größeren Teil davon nicht zu rechnen. Es fehlt jenes lebendige Band, das in Nürnberg Darsteller und Publikum verknüpfte. Der Geist der Nürnberger Polis — und man kann von diesem Geist ebenso sprechen wie von dem der antiken Polis — belebte nicht nur Humanisten wie Pirkheimer oder Künstler wie Dürer, Vischer und Kraft, auch in den unteren Schichten schafft er eine gesellschaftlich selbstbewußte Atmosphäre, aus derem Überschwall die Fastnachtspiele hervorbrachen. Wie dieses einheitliche Lebensgefühl zunächst nur in anspruchslosester Form zum Ausdruck kommt, wie es dann kompliziertere Formen entwickelt, aber doch immer in diesem Geiste, in diesem Gefühle verhaftet bleibt, das hat uns Catholy meisterhaft gezeigt. Wir folgen wesent-

---

299 K. A. Barack hrsg., *Zimmersche Chronik* (Bibliothek des Literarischen Vereins Stuttgart 91) Stuttgart: Literarischer Verein: 1869, S. 461.

300 Hans Moser, „Archivalische Belege zur Geschichte altbayerischer Festbräuche im 16. Jahrhundert“ *Staat und Volkstum, Festgabe für Karl Alexander von Müller*. Diessen vor München: Joseph C. Huber: 1933, S. 185.

301 Josef Ernyey und Geiza Karsai (Kurzweil) in Verbindung mit Leopold Schmidt, *Deutsche Volksschauspiele aus den Oberungairschen Bergstädten* II, 1 Budapest: Ungarisches Nationalmuseum: 1938, S. 114.

lich seiner Route, wenn wir auch hier und da andere Pfade und Seitenwege einschlagen.

d) Nürnberg

Wir haben schon gelegentlich Beispiele anführen können, wo sich offenbar aus dem Schwank, aus der Erzählung, aus der Rezitation auch außerhalb Nürnbergs Drama oder mindestens Dramatisches entwickelte. Der Streit zwischen Herbst und Frühling, wahrscheinlich noch kein Drama, besitzt doch stark dramatische Züge. Das *St. Pauler Neidhartspiel* — wenn wirklich es ein Spiel war — wandelt einen Schwank in einen Dialog; und diesem Dialog kann dann eine lange Dramentradition entsprießen. In Nürnberg existierte um die Wende zwischen dem 14. und 15. Jahrhundert ein reiches Gut an solchen semidramatischen Formen[302]. Die parodistische Predigt, die Sprüche der Spruchsprecher, Klopfan und ähnliche Formen belebten den gesellschaftlichen Umgang. Wie in vielen anderen Städten des deutschen Sprachgebietes, für die wir zum Teil oben Belege gegeben haben, war es auch in Nürnberg Brauch, an Fastnacht verkleidet durch die Gassen zu streichen und allerlei Unfug anzustellen[303]. Aber nun bürgerte sich, mag sein schon im 14. Jahrhundert, sicher im frühen 15. Jahrhundert, die Gewohnheit ein, in die Häuser zu gehen und sich dort zu produzieren. Aus der Betrachtung einiger der sogenannten oder auch nicht sogenannten Fastnachtspiele aus Nürnberg ergibt sich die Urform dieser Darbietungen. Nehmen wir zum Beispiel Keller 28[304]. Einige „Bauern" ziehen ein. Sie seien auf dem Land „mechtig worden‘,

---

[302] Friedrich Lehr, *Studien über den komischen Einzelvortrag in der älteren deutschen Literatur. I: Die parodistische Predigt.* Diss. Marburg, 1907. Marburg: Johann August Koch: 1907.

[303] Theodor Hampe, *Die Entwicklung des Theaterwesens in Nürnberg.* Nürnberg: J. L. Schrag: 1900. Siehe hierzu auch Joseph Baader, *Nürnberger Polizeiordnungen* (Bibliothek des literarischen Vereins in Stuttgart 63) Stuttgart: Literarischer Verein: 1861.

[304] Noch immer bleibt Adelbert von Keller, *Fastnachtspiele aus dem fünfzehnten Jahrhundert* I—IV (Bibliothek des litterarischen Vereins in Stuttgart 28—30, 46) Stuttgart: Litterarischer Verein: 1853, 1858 die einzige Gesamtausgabe der Fastnachtspiele. Wir zitieren die Spiele nach der Nummer bei Keller. Daneben steht noch die Ausgabe von Schnorr von Carolsfeld, „Vier ungedruckte Fastnachtspiele des 15. Jahrhunderts"

und wollen wissen, ob sie in die Stadt passen. Es folgen jeweils zwei Reimpaare, in denen jeder Sprecher sich seiner geschlechtlichen Fähigkeiten rühmt, und zwar so, daß einer immer den andern zu übertrumpfen sucht in der bildhaften Umschreibung des sexuellen Vorgangs.

Ähnlich im Aufbau scheint Keller 9, nur daß hier die Namen der Sprecher fehlen. Das Ding beginnt harmlos genug, aber bald werden die phantastischsten Vorfälle erzählt: „Ich sach, das ein frosch ein storch verschlant". Sehr schnell gehen diese Witze ins Sexuelle oder ins Fäkale über. Wieder sucht ein Sprecher den andern auszustechen, in nahezu genialer Phantasie, was Vorgang oder Ausdruck betrifft. Beide Stücke zeigen ihren Geist und Zweck. Man will, wenn auch nicht bewußt, einzig durch die Kunst des Vortrags, des Stils das Publikum sozusagen nicht zu Atem kommen lassen. Von Drama kann hier natürlich nicht die Rede sein, selbst nicht in dem Sinne, in dem wir davon im geistlichen Drama gesprochen haben. Von zu lesendem Text unterscheiden sich diese Stücke doch dadurch, daß sie durch lebendigen Vortrag, durch Kontakt mit dem Hörer, durch die Reaktion zur vollen Geltung kamen. Das Prickelnde der ungezügelten Ausdrucksweise, der maßlosen Einbildungskraft entsprach ganz Zeit und Ort, wo man vor allem unterhalten sein wollte. „Die kurzweil die ist nu volpracht" heißt es bezeichnend am Schluß von Keller 9.

In Keller 14 dient ein ausgesetzter Preis, ein Apfel dazu, die Bewerber anzuspornen, ihre größte Narrheit, will sagen, die größte Demütigung im geschlechtlichen Verkehr zu berichten.

Wir wollen nicht fortfahren, andere Stücke aufzuführen desselben oder ähnlichen Charakters. Von den ersten 30 Stücken bei Keller sind besonders viele solche Rezitationstexte. In einigen Spielen wird der Akzent dadurch verschoben, daß der derbe Unterhaltungsstoff eingekleidet ist in eine Art Gerichtsverhandlung. Eheliche Untreue, eheliches Ungenügen, eheliche Überforderung oder andere Verfehlungen werden vor einem Schöffengericht abgeurteilt. Die Schöffen kommen mit den phantastischsten Strafen, die fast alle auch wieder das Sexuale oder Fäkale be-

---

Archiv für Literaturgeschichte III (1874), S. 1—25. Die Fastnachtspiele in Richard Froning, *Das Drama des Mittelalters* I—III (Deutsche National-Litteratur 14) Stuttgart: Union Deutsche Verlagsgesellschaft: 1895 sind Keller kritiklos nachgedruckt.

treffen. So also erreicht man zwar keine eigentliche Handlung, aber doch wenigstens eine Struktur. Noch ist die vollständige Narrenfreiheit im phantastischen, im derb sexuellen Ausdruck gewahrt.

Eine Sonderform dieses noch recht einfachen handlungslosen Spieles bilden Keller 49 und 50. Hier simuliert man recht realistisch einen Gemüsemarkt. Natürlich fehlt auch hier das Derbe nicht, obwohl es mehr in den Hintergrund tritt.

Bei den bisher genannten Stücken kann nach der Sprache, nach den Namen, nach anderen Anhaltspunkten die Nürnberger Herkunft mit ziemlicher Sicherheit abgeleitet werden. Die Entstehungszeit bleibt ungewiß, wenn auch rein formale Aspekte, die archaische Form, vermuten lassen, daß sie an den Anfang der Entwicklung gehören. Über die Autorschaft wissen wir nichts.

Auch bei dem ersten bekannten Autor Nürnberger Fastnachtspiele, Hans Rosenplüt, bleibt die Autorschaft bei vielen der ihm zugeschriebenen Stücke umstritten. In seiner nichtdramatischen Dichtung benutzt er häufig die Priamel als stilistisches Mittel, jene sich immer steigernde Weitung von Ereignis beschreibenden Sätzen, die schließlich nach einem krönenden Abschluß wie eine Seifenblase zerplatzt. So wurde jedes Fastnachtspiel mit einer Priamel gleich Rosenplüt zugeschrieben. Immerhin lassen sich einige Stücke mit ziemlicher Sicherheit als sein Eigentum erkennen. Die beiden interessantesten wollen wir kurz besprechen.

Rosenplüt wurde etwa 1400 oder etwas früher geboren[305]. Der letzte datierbare Beleg stammt aus dem Jahre 1460. Das eine Fastnachtspiel von Rosenplüt (Keller 100) *Des Künig von Engellant Hochzeit* besteht in nichts weiter als einer Einladung zur königlichen Hochzeit und einer Aufzählung der fabelhaften Preise, die ausgesetzt sind; wobei eigentlich jeder Preis den vorhergehenden übertrifft, obwohl der angeblich erste Preis zuerst genannt wird. Also in dieser Form gleicht dieses Spiel den vorhergenannten Fastnachtstücken. Jedoch enthält sich Rosenplüt jeder Laszivität. Das Stück ist 1441 entstanden.

Interessanter wirkt das sogenannte *Türkenfastnachtspiel* (Keller 39). Die Nürnberger haben dem türkischen Kaiser, also dem Erz-

---

305 Die beste Darstellung von Rosenplüts Leben und Werk: H. Niewöhner, „Rosenplüt, Hans" *Verfasserlexikon* III, S. 1092—1110, dort weitere Literatur.

feind der Christenheit, sicheres Geleit gegeben. Die verschiedenen Vertreter der Christenheit: ein Ritter, ein Edelmann, ein Bote des Papstes, ein Bote des Kaisers, ein Bote eines Fürsten, kritisieren den Türken aufs schärfste. Worauf die Räte des Türken und er selbst die christlichen Anklagen mit bitterem Hohn über die christlichen sozialen Zustände beantworten. Man könnte dies Stück also das erste politisch satirische Drama in deutscher Sprache nennen. Doch bleibt der Ton wesentlich allgemein ethisch, es ist keine Ständesatire. Auch hier fehlt im Stück selbst alle Laszivität, dafür ist die Schlußrede des Herolds gepackt mit sexuellen und anderen Anspielungen. Eine andere Eigentümlichkeit gab dem Drama eine gewisse Berühmtheit. Keller druckt den Anfang: „Das muos der Herolt sein und des Türken Wapentrager und ain gemalteu stub". Auf dieses „ain gemalteu stub" gründete man die phantastischsten Bühnenrekonstruktionen mit Kulissen, entgegen allem, was man über die Fastnachtspielaufführungen wußte. Bis man schließlich merkte, daß Keller sich verlesen hatte; es muß natürlich heißen: „Das muos der Herolt sein und des Türken Wapentrager und ain gemalten stab."

Eigentümlicher, vielseitiger und moderner wirkt auf uns der andere bekannte Nürnberger Fastnachtspieldichter des 15. Jahrhunderts, Hans Folz. Wir besitzen für ihn weit bessere Dokumentation und genauere wissenschaftliche Behandlung[306]. Folz stammt

---

[306] Wir geben hier nur die allerwichtigsten Behandlungen von Folz. Ausgaben: Ingeborg Spriewald, *Hans Folz* (Studienausgaben zur neueren deutschen Literatur 4) Berlin: Akademie-Verlag: 1960. Dies ist nur eine Auswahl aber namentlich für fünf Fastnachtspiele eine wertvolle Ergänzung zu Keller. Dietrich Huschenbett, „Von dem König Salomon und Markolf und einem Narren" *Zeitschrift für deutsche Philologie* LXXXIV (1965), S. 369—408. Hierin der Text der Druckfassung von Salomon und Markolf. Derselbe Text auch: Dieter Wuttke, „Die Druckfassung des Fastnachtspieles ‚Von König Salomon und Markolf'" *Zeitschrift für deutsches Altertum* XCIV (1965) S. 141—170. August L. Mayer, *Die Meisterlieder des Hanz Folz* (Deutsche Texte des Mittelalters 12) Berlin: Weidman: 1958. Ferner: Hanns Fischer hrsg., *Hans Folz: Die Reimpaarsprüche* (Münchener Texte und Untersuchungen zur Deutschen Literatur des Mittelalters 1) München: Beck: 1961. Sonstige Literatur: August Mayer: „Quellenstudien zu Hans Folz" *Zeitschrift für deutsches Altertum* L (1908), S. 314—328; Rudolf Henss, *Studien zu Hans Folz* (Germanische Studien 156) Berlin: Emil Ebering: 1934; hier ausführliche Besprechung der Echtheitsfrage. Ingeborg Spriewald, „Hans Folz — Dichter

aus Worms, ist also kein geborner Nürnberger. Früher glaubte man, er sei aus Worms fortgezogen, weil er sich mit den Wormser Meistersingern überworfen habe. Entgegen der traditionellen Auffassung habe er von jedem Meister neue Töne gefordert, um so das Nutzen und Abnutzen des immer wieder gleichen Tones zu vermeiden. Nun wurde erwiesen, daß die entscheidenden Lieder, aus denen diese Auffassung abgeleitet worden war, gar nicht von Folz sind[307]. Es bleibt möglich, ja wahrscheinlich, daß Folz bei der Begründung der Nürnberger Meistersingerzunft eine oder die entscheidende Rolle spielte. Spätestens in den frühen siebziger Jahren muß Folz seinen Wohnsitz in Nürnberg genommen haben; er starb 1513[308].

Folz als Zugewanderter zeigt einen überraschenden und besonders lehrreichen Wandel in der Fastnachtspieldichtung. Sein erstes Fastnachtspiel *Die alt und neu ee* (Keller 1) unterscheidet sich in Form und Gehalt von allen andern Nürnberger Spielen. In durchaus ernster Disputation, ohne jegliche Laszivität werden Vertreter des Judentums und Christentums gegenübergestellt. Das Ding endet nicht wie zu erwarten mit dem Sieg des Christentums, vielmehr wird das Publikum vertröstet:

Also piß jar, ob wir sein in leben,
Muß auch die kirch ir antwurt geben
Der sinagog nach irem willen,
Die sie desgleich auch meint zu stillen.
Itzund von der materi nit mer
Spricht Hans Folz zu Nurmberk balbirer.

---

und Drucker: Beitrag zur Folzforschung" *Beiträge zur Geschichte der deutschen Sprache und Literatur* (Halle) LXXXIII (1961), S. 242—277; Helmut Lomnitzer, „Das Verhältnis des Fastnachtspiels vom ‚Kaiser Constantinus' zum Reimpaarspruch ‚Christ und Jude' von Hans Folz" *Zeitschrift für deutsches Altertum* XCII (1964), S. 277—291.

307 Siehe Ingeborg Spriewald, „Hans Folz — Dichter und Drucker: Beitrag zur Folzforschung" und vor allem auch Hanns Fischer „Hans Folz Altes und Neues zur Geschichte seines Lebens und seiner Schriften" *Zeitschrift für Deutsches Altertum* XCV (1966) S. 212—236.

308 Siehe hierzu: Helmut Lomnitzer, „Das Verhältnis des Fastnachtspiels vom ‚Kaiser Constantinus' zum Reimpaarspruch ‚Christ und Jude' von Hans Folz" *Zeitschrift für deutsches Altertum* XCII (1964), S. 277—291 und für das Todesdatum siehe Dieter Wuttke, „Die Druckfassung des Fastnachtspieles ‚Von König Salomon und Markolf'" *Zeitschrift für deutsches Altertum* XCIV (1965), S. 168.

Der Hauptgehalt des Stückes muß das zeitgenössische Publikum ebenso gelangweilt haben, wie es den modernen Leser ermüdet. Interessant und lebendig an diesem Stück wirkt nur die Einführung und der Schluß, wo Folz auch uns heutige noch in direkter und persönlicher Form in das Treiben und den Geist der Nürnberger Fastnacht einzuführen versteht. Die Einleitung gibt zugleich dem Theaterhistoriker wie nirgend sonst ein deutliches Bild von den Aufführungsverhältnissen. Dem Publikum wird befohlen „Weicht ab, tret umbe und raumet auf" und

> Hebt von den penken polster und kussen,
> Das ir geschant werd mit den fußen

und

> Ruck stül und penk als auf ein ort,
> Und, das dest pas werd zugehort,
> So stet darauf und spitzt die oren
> Und seit still hinden, neben und foren.

und

> Darumb ge keiner zu nahet bei,
> Der nit zum spil gewidemt sei.
> Und hab niemant kein geschwetz da hinden,

Es scheint also, daß Folz sich und sein Vorhaben erstaunlich ernst nimmt, ja er spricht von „kunst und vernunft".

Die in Keller 1 versprochene Antwort erfolgt in Keller 106 *Kaiser Constantinus* wahrscheinlich ein Jahr später. Erst vor kurzem wurde dieses Stück eindeutig Folz zuerkannt[309]. Auch in 106 streiten Christen und Juden in langem und ermüdendem semitheologischem Disput. Aber diesmal werden die jüdischen Vertreter überzeugt und bekehren sich zum Christentum. Trotz eingelegten Tanzes wirkt das Stück ernst und unlebendig. Folz mag sich bewußt gewesen sein, daß er mit der Länge des Stückes. mit der formalen Diskussion — wenn sie auch in 106 nun auf eine größere Anzahl von Sprechern aufgeteilt ist — mit dem humorlosen Ton auch diesmal gegen den Geist der Nürnberger Fastnacht verstoßen hat. So klingt wenigstens das Schlußwort:

> Ir herrn, teilt uns euern segen mitt
> Und lat euch auch versmahen nicht
> Die kürzweil hie und auch den schimpf!

---

[309] Helmut Lomnitzer, „Das Verhältnis des Fastnachtspiels vom ‚Kaiser Constantinus' zum Reimpaarspruch ‚Christ und Jude' von Hans Folz" *Zeitschrift für deutsches Altertum* XCII (1964), S. 277—291.

Wann wir durch freüd und durch gelimpf
Zu euch her kumen sint in treuen,
Ob wir euch alle möchten erfreüen,
Und haben euch drüm ein geistlichs gemacht;
Des pübischen wirt sünst vil verpracht;
Desselbig leg wir heür dernider.
Aber hilft uns gott pis jar herwider,
So wöll wir euch ein frolichs machen,
Des ir villeicht pas mocht lachen.

Auch dieses Versprechen hat Folz eingelöst. Wir möchten gerne annehmen, daß sein drittes großes Fastnachtspiel *Von Konig Salomon und Markolfo* (Keller 60) — auch dieses noch weit umfangreicher als die andern Nürnberger Spiele — zur Erfüllung dieses Versprechens geschrieben wurde, doch entstand es erst in der Zeit zwischen 1482 (Druck der Quelle von Folz) und 1494 (Datum der Handschrift)[310].

In genialer Weise schweißt Folz das Volksbuch *Von Salomon und Markolf* zu einem Fastnachtspiel um. Catholy hat den Arbeitsprozeß und das Werk als solches so ausführlich und so treffend dargelegt, daß jede eingehendere Besprechung sich erübrigt und nur auf einige kurze Punkte hingewiesen werden, die in diesen Zusammenhang gehören. Wo die beiden ersten Stücke sich in ereignisloser Disputation erschöpften, fügt Folz nun Begebenheit an Begebenheit. Der Kontrast zwischen Bauernschläue und intellektueller Dummheit hält diese Begebenheit als Einheit zusammen. Alle Zurückhaltung im Sprachstil ist aufgegeben, vielmehr beruht die Wirkung des Spieles gerade auf dem Kontrast zwischen der edel gehobenen Sprache des Königs und dem derb gehäuften grotesken Schmutz des Bauern. Aber in aller grobkörnigen Phantasie fehlt das Sexuelle fast völlig. Das liegt zum Teil an dem Stoff, aber der Autor mag doch auch noch nicht willig gewesen sein, die Narrenfreiheit der Nürnberger Fastnachtspiele voll auszunutzen.

Die andern fünf Spiele, die Folz mit völliger Sicherheit zugehören, Keller 7, 38, 43, 44 und 112 stehen nach Form und Ton ganz in der Klasse jener einfachen Nürnberger Reihenspiele, die wir oben besprachen[311]. In 38 beichten neun Narren ihre geschlechtlichen Miß-

---

[310] Dieter Wuttke, „Die Druckfassung des Fastnachtspieles ‚Von König Salomon und Markolf'" *Zeitschrift für deutsches Altertum* XCIV (1965), S. 167.

[311] Diese Spiele sind alle neu herausgegeben von Ingeborg Spriewald, *Hans*

erfolge und werden daher von Frau Venus entsprechend beurteilt. Ähnlich erzählen auch in 43 und 44 eine Reihe von Bauern, was ihnen „auf der puolschaft gegent ist". Dagegen werden in 112 Klagen vor ein Gericht gebracht; worauf dann die Schöffen erst groteske Strafen erfinden, dann sich aber mit „ein weck vnd vier maß wein" zufrieden geben. Den saftigsten Ton findet Folz in 7: *Ein spil ein hochzeit zu machen.* Ob ein junger Mann seine „preut" heiraten soll oder nicht, wird von verschiedenen Bauern, die die „preut" intim zu kennen scheinen, durchdiskutiert. Die physische Tüchtigkeit wird überdeutlich bestätigt. Wie sie dann gegen einen Bauern handgreiflich wird, will der Bräutigam nichts mehr von ihr wissen, obwohl sie nun noch in drastischster Weise ihre verschiedenen körperlichen Fähigkeiten anpreist.

Diese Stücke sind also ganz in der ursprünglichen Nürnberger Form gehalten; doch weiß Folz dieser Form einen eigentümlichen persönlichen Stil zu geben. Die grandiose Phantasie des Ausdrucks stellt allen Grobianismus der andern Fastnachtspiele, der Salbenkrämerszenen, eines Wittenweiler in den Hintergrund. Zum Beispiel:

Die praut spricht

Zwar, Heinz, du wilt mich ie begeben.
Erfürstu recht mein ordlichs leben,
Ich waiß ie, du wurdest mich lieben,
Mein augen sint gespückt mit grüeben,
Dar zuo mein nas mit schwarzen putzen;
Und so ich einen an wil schmutzen,
So laß ich fein mein meulin wandren
Von ainem oren piß zuo dem andren,
Und scheint mir inwendig so liecht,
Als der in ein ruoßogs arsloch sicht;
Mein dütlein oben klein und schmal
Und ie größer hinab gen tal,
Geformet gleich zwen glockenschwenglen,
Solt ich dich umb dein maul mit denglen,
Ich weiß, du wurdest kurzweil sat;
Mein pauch gleich ainer pirsten glat;
Und so pald ich mich ab gezeuch
Und ploß under die deck gekreuch,

Folz (Studienausgaben zur neueren deutschen Literatur 4) Berlin: Akademieverlag: 1960. Wir behalten Kellers Nummern bei, zitieren aber nach Spriewald.

So ist mein pett gemalt vil reiner,
Dan unser küestall niendert keiner,
Und wisch ich stet den ars ans hembt,
Das wer dir von einr andren frembt.

(Spriewald, S. 37)

In seinen Anfängen mißverstand Folz, der erst kürzlich zugereiste, Form und Geist der Nürnberger Fastnachtspiele. Statt leichte anspruchslose Unterhaltung zu bieten, verwertete er eine Form des Dramas, die er vielleicht anderswo gesehen haben mag. Sein Stück ist gerade nicht leichtes Fastnachtstreiben, sondern „kunst und vernunft". Nur ein Nürnberger Neuling konnte vermutlich auch jene Einschreierrede in Keller 1 konzipieren, in der das Publikum genau angewiesen wird, was es tun und lassen soll. Für den Eingesessenen wäre das viel zu selbstverständlich gewesen, er hätte das Ganze niemals so ernst genommen. Ja, die scharfe Trennungslinie zwischen Darstellern und Zuschauern wäre ihm völlig fremd geblieben. Später weiß Folz die Stimmung der Fastnachtsmenge in den Einschreierreden voll zu erfassen, Darsteller und Publikum in geistvoller Fiktion zusammenzubringen. Am eindringlichsten gelingt ihm das in Keller 38:

Ein schreyer

pox grint, ich mein wir gen nit recht
get einher liben freünt vnd secht
dis ist nit meyer pülczans haus.
dret hinter sich wider hin aus.
ich sich das wir vnrecht sein gangen
wir wolten etwas an han gfangen
so hot vns gleich der ritt gefürt
an end do es sich nit gepürt
doch wöl wirs hinnen fahen an.

(Spriewald, S. 38)

Später vermag er auch das ganze Fastnachtstreiben mit einem einzigen kurzen prägnanten Satz zu erfassen: „Das spil ist aus: ain andres her!"[312].

Die knappe Fassung zeigt künstlerische Beherrschung. Aber daneben mag der nicht in Nürnberg beheimatete eben ein schärferes Auge gehabt haben für jene Nürnberger Art von Haus zu Haus

[312] So freilich nur in der von Keller abgedruckten Fassung, bei Spriewald statt dessen „also spricht hans folcz barwirer".

zu ziehen, so daß eine Truppe nach der andern sich produzieren konnte.

Von „spil ze vasnacht" zum Fastnachtspiel, so ließe sich in einfachster Formulierung Folzens Entwicklung charakterisieren. Zugleich demonstriert dieser Entwicklungsgang den einzigartigen Charakter der Nürnberger Spiele, der außerhalb nicht verstanden wurde. Wohl gab es anderswo weltliche Spiele zum Teil grandiosen Charakters, und diese mögen auch da und dort „spile ze vasnacht" geworden sein. Wo eine feste Tradition vorliegt wie in Eger, wie in Lübeck, da besteht der starke Verdacht Nürnberger Herkunft.

Folz bleibt freilich nicht der einzige, der das außernürnbergische weltliche Drama für das Nürnberger Fastnachtspiel verwertete. Das sogenannte *kleine Neidhartspiel* (Keller 21) zeigt eine solche Verwertung. Ein Vergleich mit dem Tiroler *großen Neidhartspiel* oder selbst dem späten *Sterzinger Spiel* und dem *Sterzinger Szenar* läßt diesen spezifischen Übergang als eine starke Verkümmerung erscheinen. Von der Vielfalt der Streiche und Schwänke bleibt nur ein dürres Gerippe. Natürlich liegt das zum Teil an den anderen Bühnenverhältnissen. Wo der Stoff auf der weiten Simultanbühne sich ungehemmt entwickeln konnte, da mußten nun in der engen Stube eine begrenzte Zahl von Spielern das Thema, so gut es ging, abhandeln. Übrig bleibt nur der eigentliche Veilchenschwank und der Kampf mit den Bauern. Eine Prahlerei der Bauern und Ritter vor dem Kampf erinnert an die Nürnberger Reihenmonologe. Dann „schlahen sie an einander." Die Bauern werden natürlich besiegt und entweder von einem Arzt Larein geheilt oder von dem Teufel in die Hölle getragen. Teufel wie Arzt werden enttäuschend kurz abgetan, ohne die reichen Möglichkeiten aus dem geistlichen Drama zu nutzen. Sie scheinen nur dazu zu dienen, die herumliegenden Leichen vom Spielplatz wegzuräumen. Der eigentliche Veilchenschwank wird in völlig witzloser und unnötiger Derbheit heruntergeleiert. Aber das Stück gehört zu den wenigen Nürnbergern, die so etwas wie eine Handlung besitzen. Durch die knappe Form übertrifft es in dieser Beziehung auch das *große Neidhartspiel.*

Für die Entwicklung von dem einfachen oder entwickelteren Reihenspiel zum Handlungsdrama bestehen weitere interessante Beispiele. Sie aber gehen auf literarische Quellen zurück statt auf nicht-Nürnberger Spiele. Keller 22 *Ein spil von einem keiser und eim apt* ist vielleicht das gelungenste. Michels Annahme (S. 214),

Folz sei der Autor, läßt sich nicht beweisen. Knapp und durchdacht wird der Stoff, uns allen wohlbekannt aus Bürgers Ballade, abgehandelt[313]. Freilich stellt dieses Stück Anforderungen, die in dem engen Raum der Nürnberger Stube kaum mehr zu erfüllen sind. Vom kaiserlichen Hof zum Kloster, zur Mühle und wieder zurück von der Mühle zum Kloster und zum kaiserlichen Hof verfolgen wir den fast telegrammstilartigen Dialog, der durch dauernde Reimbrechung etwas wie Atemlosigkeit erreicht. Zudem sind so viele Einzelheiten ausgespart, daß das Publikum mit dem Stoff wohl vertraut gewesen sein muß, sonst hätte es kaum der Behandlung folgen können. Gerade dadurch wird aber ein handlungsmäßiger, klarer Umriß erzielt, der beim ganzen Nürnberger Fastnachtsspiel des 15. Jahrhunderts einzigartig ist, der schon an Hans Sachs denken läßt. Knappe gelungene Form, Wirksamkeit der Sprache, Nutzung der Reimbrechung, kein Wunder, daß Michels Folz für den Autor hielt. Übrigens ist dieses Stück einzigartig auch darin, daß es durchaus salonfähig, oder wir sollten sagen, stubenrein bleibt.

Ein anderes Spiel: *vom Berner und Wunderer* (Keller 62) hat dazu verleitet, einen Volksbrauch als Quelle anzusehen[314]. Ein junges Mädchen flieht voller Schrecken an Etzels Hof, denn sie wird verfolgt von dem Wunderer, einem ungeheuerlichen Mann, der sie verschlingen oder aufhängen will. Der Berner kämpft für sie und tötet schließlich den Wunderer. Was alles könnte ein Freudianer aus dieser schönen Geschichte herausinterpretieren oder in sie hineininterpretieren: die Angst des Mädchens vor der Entjungferung gepaart mit dem geschlechtlichen Begehren nach dem edlen Helden usf. Doch auch der Volksbrauch diente nicht als Quelle, vielmehr liegt eine weitverzweigte literarische Tradition vor, der unser Fastnachtspiel angehört. Aus literarischen Quellen entsteht wieder-

[313] Walter Anderson, *Kaiser und Abt* (FF Communications 42) Helsinki: Academia Scientiarum Fennica: 1923 gibt eine Stoffgeschichte, die aber in der Aufhäufung von Material stecken bleibt und die dramatische Behandlung kaum berücksichtigt.

[314] So Hans Naumann, *Primitive Gemeinschaftskultur* Beiträge zur Volkskunde und Mythologie. Jena: Diederichs: 1921. Dagegen siehe Otto Warnatsch, „Die Sage vom Wunderer und der Saligen in ihrer literarischen Gestaltung" *Festschrift des germanistischen Vereins in Breslau* Leipzig: Teubner: 1902, S. 177—192 und Georges Zink, *Le Wunderer* Paris: Aubier: 1949.

um ein einigermaßen gerundetes Spiel mit einer knappen aber nicht unwirksamen Handlung. In diesen Zusammenhang gehört auch das *Spiel von den sieben Farben* (Keller 103). Die Darsteller erklären, warum sie grün, rot, blau, usw. gekleidet sind. Eine Frau Sunnenreich gibt einen Kommentar zu jeder Farbe. Also eine einfache Form des Reihenspiels? Gewiß, doch gerade dieses Stück verarbeitet nur ein literarisches Vorbild, einen Spruch, den das Spiel sehr weitgehend plündert[315]. Trotzdem oder gerade deswegen möchte ich das Spiel an den Anfang der Entwicklung stellen. Ein dialogisierter, wenn auch noch nicht recht dramatisierter Spruch, das bedeutet die Übergangsform von der dialogischen Erzählform zum erzählenden Dialog. Die Nürnberger Herkunft dieses Spieles ist freilich zweifelhaft, zumal es vielleicht im Freien aufgeführt wurde. Dreimal wird der Spielplatz „Plan" genannt; die Darsteller verabschieden sich nicht von Wirt und Gästen, aber sie sprechen doch von „ander Kürzweil" „zu der vasnaht".

Wir wollen nicht fortfahren mit der Aufzählung solcher Stücke. Wir können auf Werner Lenk verweisen, der verdienstvoll literarische Quellen und Fastnachtspielbehandlungen zusammengestellt hat.

Die Bühnenform der Nürnberger Fastnachtspiele ist leicht zu rekonstruieren. Während die Aufführungen der weltlichen Spiele in Tirol im Freien stattfanden und, falls man das *große Neidhartspiel* als Muster heranziehen kann, in Anlehnung an das geistliche Drama die weitgedehnte Simultanbühne verwendeten, beschränkten sich die Nürnberger ausschließlich auf Wirtshäuser und Privathäuser. Nur für das Jahr 1517 existiert ein Beleg für eine Aufführung im Freien (Hampe, S. 230). Das scheint aber ein ganz vereinzelter Fall. Keiner der Fastnachtspieltexte, auch nicht der späteren von Peter Probst oder Hans Sachs, erlaubt, auf Aufführungen im Freien zu schließen. Wenn erst nur derbe Witze vorgetragen wurden oder im besten Falle aneinandergereihte Monologe, so stellt sich natürlich noch kein eigenes Ortsempfinden ein. Man ist, wo man ist, im Wirtshaus, im Privathaus. Auch die entwickelteren Reihenspiele, die einfacheren Handlungsspiele erfordern noch keine wirkliche Vorstellung des Ortes. Ich habe diesen Mangel an Ortsempfinden „ortlose Bühne" genannt[316]. Erst in entwickelteren

[315] Walther Gloth, *Das Spiel von den sieben Farben* (Teutonia 1) Diss. Königsberg: 1902. Königsberg: Gräfe & Unzer: 1902.

[316] *Frühformen der deutschen Bühne*, S. 63—66.

Handlungsspielen wie zum Beispiel dem *vom Kaiser und dem Abt* werden einzelne Örtlichkeiten: Hof des Kaisers, Kloster, Mühle, wahrscheinlich nur als gesprochene Szenerie primitiv simuliert. An irgendwelche Attrappen ist nicht zu denken, höchstens, daß Stuhl, Tisch, Bank, oder was sonst gerade zur Hand war, herangezogen wurde.

Man nimmt gewöhnlich an, daß die Fastnachtspiele der Zensur des Rates unterlagen. Wenn es eine Zensurvorschrift überhaupt gab, so scheint sie für die Fastnachtspiele durchaus nicht konsequent durchgeführt worden zu sein. So werden 1497 „der geselschaft von Rafenspurg diener", weil sie einen gewissen Hansen Zamasser „mit einem fassnachtspil als einen narren gehont haben" scharfe Strafen zuerkannt (Hampe, S. 229). Oder 1533 wird ein Fastnachtspiel ganz abgestellt (Hampe, S. 230). In beiden Fällen kann der Rat also nicht im voraus von den anstößigen Spielen gewußt haben. Ebenso wird 1495 zwar zwei Rotten verboten, in der Fastnacht umzulaufen, aber dann ganz summarisch erlaubt:

> wo imant mit spilen oder reimen in die heuser zuchtiglich geen wolten, das sol inen unverboten sein. (Hampe, S. 228/229)

Die einzelnen Spiele wurden offenbar mehrere Tage von Haus zu Haus dargestellt; nur so wird es verständlich, daß man ein Stück „abstellen" kann, nämlich nachdem es eben einige Aufführungen erlebt hat; das passiert noch Hans Sachs mit seinem Fastnachtspiel *vom Wildbad.*

e) Sterzing

Hatten in Tirol weltliche Dramen existiert vielleicht schon vor, sicherlich gleichzeitig mit den Nürnberger Fastnachtspielen, so gibt es noch eine Sammlung von Spielen in Sterzing, die mindestens teilweise auf Nürnberger Vorbilder zurückgehen, teilweise freilich auch einheimische ältere oder auch andere Behandlungen benutzt haben mögen. Diese Sammlung wurde von Vigil Raber, dem vielseitigen Maler, Regisseur, Schauspieler zusammengestellt. Ich vermute, daß Rabers guter Freund und Mentor, der Schulmeister Benedikt Debs die Nürnberger Vorbilder aus seiner Heimat Ingolstadt, rund 12 alte Meilen von Nürnberg, mitgebracht hat, wenn Debs sie nicht gar in Nürnberg selbst kennengelernt hatte[317].

---

[317] Oswald Zingerle hrsg., *Sterzinger Spiele* (Wiener Neudrucke 9, 11) Wien:

Die Sammlung enthält einiges, was sich nicht direkt auf das uns bisher aus Nürnberg bekannte Material zurückführen läßt. Der Neidhartstoff ist mit einem *Szenar,* d. h. einer Dirigierrolle vertreten. Ein neugefundenes *Tiroler Neidhartspiel* ist eng mit diesem *Szenar* verwandt[318]. Beide Texte verraten keine direkten Beziehungen zu dem Nürnberger *kleinen Neidhartspiel.* Der neugefundene Text scheint kein Fastnachtspiel gewesen zu sein. Hier läuft also die alte Tradition des Tiroler Neidhartspiels unabhängig von Nürnberg weiter.

Ein anderer Stoff, der, so viel wir wissen, nicht in Nürnberg behandelt wurde, ist das *Consistorium Rumpoldi* oder *Mareth und Rumpolt.* Mehrere, allerdings nahezu identische Fassungen dieses Themas liegen vor[319]. Diese Materie ist später noch einmal aufgegriffen worden in dem Berner Spiel *Elsli Tragdenknaben,* das gelegentlich Niklaus Manuel zugeschrieben wurde. Rumpolt wird von Mareth verklagt, weil er sich weigert, sie zu heiraten, obwohl er ihr ein Eheversprechen gegeben habe und sie von ihm verführt und geschwängert worden sei. Er leugnet dies alles, bis er sich schließlich selbst verplappert. Trotz aller vorangegangenen wilden Beschimpfungen auch von Seiten der Eltern werden Rumpolt und Mareth nun ein glückliches Paar. Hier rundet sich die Handlung schon durchaus zu einem gelungenen geschlossenen Lustspiel. Im pointierten, häufig freilich auch recht grobkörnigen Dialog erinnert das Spiel an *den Zerbrochenen Krug,* mit dem es ja auch thematisch vieles gemein hat. Wenn die Bühnenanweisungen auf Lateinisch gehalten sind, wenn mit dem Latein auch allerlei gerichtlicher Hokuspokus getrieben, ja das Gerichtswesen satirisiert wird, so vermutet man Debs am Werke; die Lateinkenntnisse von Raber waren nachweislich recht schwach. Zu anderen besonderen Themen der Sterzinger Sammlung gehört auch ein *Aristoteles Spiel,* ein *Spiel von Mai und Herbst,* Spiele also, deren Themen uns schon aus den Anfängen des weltlichen Dramas bekannt sind.

Trotz der genannten Stücke zeigt der Grundtenor der Sterzinger Sammlung starke Abhängigkeit von der Nürnberger Form. Die

---

Carl Konegen: 1886 I, II. Über die Spiele siehe auch: Harw. Arch. *Die Sterzinger Fastnachtsspiele Vigil Rabers* Diss. Innsbruck, 1948 (Masch.)

[318] Text des neugefundenen Spieles: Anton Dörrer, ,,Sterzinger Neidhartspiel aus dem 15. Jahrhundert" *Schlern: Monatschrift für Heimat- und Volkskunde* XXV (1951) S. 103—126, 185. Siehe ferner: Anton Dörrer, ,,Neidhartspiel-Probleme" *Carinthia I* CXLI (1951), S. 160—171.

Aufführungen, offensichtlich in der Stube, lassen wie in Nürnberg kein klares Ortsempfinden aufkommen. Man ist einfach im Wirtshaus, im Haus. Eine Reihe von Stücken entpuppen sich einfach als mehr oder weniger genaue Übernahmen Nürnberger Vorbilder. So ist das *Reckenspiel* eine etwas unbeholfene Verarbeitung des Spiels *vom Berner und Wunderer*[320]. Eine Zeile aus Folz (Keller 1) ,,Ruckht auß dem weg stuell vnd penckh" wird wörtlich genutzt, ein weiterer Beweis für den Zusammenhang mit Nürnberg auch in der Aufführungsform.

6. Rückblick

Wir können nun im Rückblick versuchen, den Charakter der Fastnachtspiele und der anderen weltlichen Spiele zu umreißen. Wenn man die Fastnachtspiele in mehr oder weniger gleichem Charakter nicht spontan und simultan an verschiedenen Orten entstanden denken will, eine Entstehungsart, die historisch nur schwer vorstellbar ist, so muß ein bestimmtes Ausgangsgebiet gefunden werden. Nürnberg schien dieses Ausgangsgebiet zu verkörpern.

In weiten Teilen Deutschlands können Fastnachtspiele vor dem Ende des 15. Jahrhunderts nicht nur nicht nachgewiesen werden, sondern es existieren Zeugnisse, die gegen das Vorhandensein der Fastnachtspiele in diesen Gebieten: in Mitteldeutschland, in weiten Teilen von Norddeutschland, im Südwesten, am Rhein usw. sprachen. Dagegen stammt die große Masse der erhaltenen Fastnachtspiele eben aus Nürnberg. Aus Nürnberg ist bei weitem die reichste und vielseitigste Dokumentation überliefert. Die Nürnberger Tradition geht sicherlich bis ins frühe 15. Jahrhundert zurück. Eine frühere Entstehung der Tradition etwa im späten 14. Jahrhundert (in Lübeck, wie wir gesehen haben, widerlegbar) bliebe für Nürnberg mindestens möglich. Nürnberg ist einer der drei Orte, die eine feste Fastnachtspieltradition schon im 15. Jahrhundert besaßen. Eger, wo eine solche Tradition einzig durch Einträge in den städtischen Büchern, nicht durch Texte, und erst von

---

[319] Siehe hierzu: Adolf Kaiser, *Die Fastnachtspiele von der Actio de sponsu* Göttingen: Vandenhoeck und Ruprecht: 1899.

[320] Das Spiel wurde zuerst herausgegeben von G. Obrist ,,Ain Vasnacht Spill von den Risn oder Reckhn" *Germania* XXII (1877), S. 420—429.

1442 an belegt ist, dürfen wir zu dem Nürnberger Einflußgebiet rechnen.

Für Lübeck haben wir versucht das alte, zum Teil auf Lokalpatriotismus begründete Vorurteil von der moralischen Überlegenheit der Stücke dort zu erschüttern. Wir sehen keinen Grund mehr, warum nicht auch die Lübecker ihre Anregung in Nürnberg erhalten haben können; zu viele Anzeichen sprechen dafür, wenn auch gewiß später die dortigen Spiele, soweit das aus den Titeln geschlossen werden kann, einen anderen Charakter annahmen.

Die Spiele aus dem Süden und Osten waren überwiegend keine Fastnachtspiele. Das *große Neidhartspiel*, das *Sterzinger Neidhartspiel*, das *Breslauer Bruchstück*, das *frühe Aristotelesspiel* (dieses allerdings aus Mitteldeutschland: „southern variety of Middle Franconian" Springer, S. 212), wenn sie auch alle als Stoffquelle oder Vorbilder für Fastnachtspiele dienten, sie selber bleiben ihrem Charakter nach den Fastnachtspielen unverbunden. Einzig für das *Spiel von Tanawäschel*, ein Fastnachtspiel aus der Steiermark im frühen 15. Jahrhundert entstanden, ließ sich keine Erklärung finden. Dieses Spiel zeigte Form und Charakter der Nürnberger Spiele, gehörte aber, soviel wir wissen, nicht zu einer festen Fastnachtspieltradition.

Dieser Mangel an Tradition wird besonders deutlich in Hall bei Innsbruck. Wenn 1426 und wieder 1454 Spiele zur Fastnacht aufgeführt werden, so bleibt das Datum Fastnacht gleichgültig. Man hätte sie vermutlich ebensogut zu Weihnachten oder Pfingsten aufführen können. Es waren nicht dem Wesen nach Fastnachtspiele.

Eine Wesensbestimmung der Nürnberger Fastnachtspiele und damit wohl der Fastnachtspiele schlechthin zu versuchen, das wäre soviel, wie das Gewicht einer Seifenblase erfassen. Vielmehr bemühten wir uns, aus der Entstehung den Charakter zu entwickeln. Truppen, die von Haus zu Haus zogen, suchten sich zu übertrumpfen mit derben Witzen, die in vierhebige Reimpaare gesetzt waren. Solange eine solche wesentlich undramatische Form überwog, solange jede Fabel, jede Handlung, ja fast jede Struktur fehlte, mußte grotesk grobianische Sexual- und Fäkalphantasie das Publikum in gewünschter Weise unterhalten. Freilich, sobald die Reihung der Sprecher in einen Rahmen eingesetzt wird, sobald sich eine gewisse Ordnung einstellt, kann das Derbe zurücktreten. In seinem *Des Künig von Engellant Hochzeit* (Keller 100) kann Rosenplüt auf alle zweifelhaften Anspielungen verzichten, denn hier wird ein durchlaufendes Grundthema angegeben. In seinem *Turken Vasnachtspil* (Keller 39) holte er die im Text vermiedene Derbheit in dem Schlußwort des Herolds umso ausdrücklicher nach.

Folzens erste Spiele zeigen, wie der Zugewanderte das Phänomen Nürnberger Fastnachtspiel zunächst gar nicht verstand. Langatmige theologische Diskussionen über den christlichen Glauben, wie man sie aus dem geistlichen Drama, insbesondere aus den Prophetenspielen kennt, dürften sicherlich das Nürnberger Publikum wenig befriedigt haben. Dann aber findet Folz mit dem *Spiel von Salomon und Markolfo* erfolgreich eine Synthese zwischen dem Nürnberger derb grotesken, kurzen Reihenspiel und stoffgefüllter, nicht-Nürnberger, weltlicher Darbietung, die nicht an die Fastnacht gebunden ist. Wenn Folz auch schließlich mindestens noch fünf Spiele in der alten Nürnberger Form verfaßte, es wäre wohl möglich, daß der Übergang zum komplizierten Reihenspiel mit literarischen Vorbild, ja zum Handlungsspiel auf Folzens Tätigkeit zurückzuführen wäre, besonders wenn man das *Spiel vom Kaiser und dem Abt* ihm zuschreiben darf. Sowie der Stoff oder gar die Handlung an Bedeutung gewinnt, tritt gewöhnlich, wenn auch nicht immer, der derbe Witz in den Hintergrund oder verschwindet gänzlich. In dieser abgetönten und geänderten Form kann die Nürnberger Spielware ihren Siegeszug durch das ganze deutsche Sprachgebiet antreten. In Südtirol kann sie sich mit der alten einheimischen Tiroler Tradition mischen und dort die offene Form, die Darstellung im Freien im Stubenspiel zu wirksam gerundeter Einheit bringen. Im Südwesten kann sie durch Gengenbach zunächst die durch Folz zuerst geübte moralische Tendenz noch im Rahmen des Reihenspiels weitertragen. Durch Manuel kann aus dieser Didaktik die religionspolitische Polemik werden. Die feste Tradition freilich geht dabei verloren und damit auch die feste Form. Nun dient, über ganz Deutschland verstreut, das Fastnachtspiel zu allen möglichen Zwecken. Es wird zum Chamäleon, das sich in Gehalt, in Struktur, in Aufführungsweise jeweils dem Milieu, der Absicht des Autors, dem Geist des Publikums anpassen kann.

Nur in der Heimat des Spieles, in Nürnberg bleibt die ursprüngliche Tradition bestehen und erreicht durch Peter Probst und vor allem durch Hans Sachs letzte und schönste Blüte. Freilich erhält dieses Fastnachtspiel der fünfziger und sechziger Jahre des 16. Jahrhunderts eine durchaus neue Gestalt. Aus dem Schaum des Fastnachtsüberflusses geboren, zunächst ohne Form und nur durch den Überschwang ungezähmter Phantasie von Wirkung, durch Rosenplüt und Folz in gemäßigtere Bahnen gelenkt, wird durch den einen Hans Sachs das frivole Spiel zum durchgebildeten komischen Drama. Der potentielle Eigencharakter ist ganz ausgestaltet; aber damit ist auch die Entwicklung abgeschlossen. Hans Sachs ist Erfüllung und Ende des Fastnachtspiels.

III. DAS HUMANISTENDRAMA

Man mag zweifeln, ob das dritte Genre des Dramas der Zeit, das Humanistendrama, überhaupt noch dem Mittelalter zugerechnet werden darf. Der Geist der Renaissance und des Humanismus durchzieht, wenn auch in Deutschland recht bescheiden, schulmeisterlich, dieses Phänomen. Wenn auch Vorformen dieses Dramas bis in die Mitte des 15. Jahrhunderts zurückreichen, zu seiner eigentlichen Verwirklichung kommt es erst in den zweieinhalb Jahrzehnten vor der Reformation. Aber andererseits findet gerade durch die Reformation dieses Drama wie auch der Humanismus selbst sein abruptes Ende. Die tragische Einsamkeit des alten Erasmus ist bekannt. Trotz allen Eifers für die Reform der Kirche konnte er niemals jene Einschränkung der persönlichen Willensfreiheit zugestehen, die Luther forderte. Aber auch im Lager der alten Kirche wurde er nun wegen seiner Reformfreudigkeit verdächtig. Schließlich hatte er noch in der späten Fassung seiner *Colloquia* im Gedenken an den toten Freund Reuchlin die schwarzen Raben des Dominikanerordens in bitterster Weise satirisiert. Führende deutsche Humanisten teilten das Schicksal des Erasmus. Der genialste unter ihnen, der große Lyriker und Stilist Conrad Celtis war längts ein Opfer seines wilden Lebens geworden. Aber jener Meister der mimischen Satire Crotus Rubeanus, auch er ein heimlicher Feind jener schwarzen Raben, wenn auch seine Satire in Ironie und Parodie schon fast ins Liebenswürdige abgetönt war, blieb einsam und fast vergessen dem neuen Glauben fremd. Am tragischsten aber scheint das Geschick des größten deutschen Wissenschaftlers der Zeit Johann Reuchlins. Er, der mutige Streiter, ja Märtyrer für die Freiheit der Forschung, dem noch kurz vor seinem Tode von seiner Kirche eine demütigende Strafe auferlegt wurde, er blieb dieser Kirche doch treu. Mit fast schon kleinlicher und sicherlich recht schmerzlich berührender Leidenschaft trennte er sich von seinem Großneffen, seinem geistigen Sohn, Melanchthon, ja er enterbte ihn, eben weil dieser sich dem neuen Glauben angeschlossen. Melanchthon war nicht der einzige Humanist, der ins neue Lager überging. Vadian, ein Glanzschüler des Celtis, Ulrich von Hutten, einst ein besonderer Liebling des Erasmus, liehen ihre Stimme, ihre Arbeitskraft dem Protestantismus. Aber gerade damit hörten sie auf, Humanisten zu sein. Die humanen Studien, wenn sie nicht von Radikalen wie Karlstadt als irrelevant verdächtigt wurden, dienten im besten Falle nur mehr als Werkzeug für die Sache des neuen oder alten Glaubens; sie hatten ihren Eigenwert verloren. Auch als später Männer wie Johannes Sturm, wie Sixt Birck die humanen Studien neu belebten und dabei sogar eine gewisse konfessionelle Überparteilichkeit zu wahren verstanden, blieben diese Bestrebungen doch schulmeisterlicher Natur. Das Drama und Theater, das aus diesen Bestrebungen hervorging, zeigte rein zweckmäßig pädagogische Bindung. Kurz, in Deutschland beschränkte sich der eigentliche Humanismus, die Nachfolge der Antike und damit auch das Humanistendrama auf das Vierteljahrhundert vor der Reformation. Es ist völlig widersinnig, wie das gelegentlich geschieht, Reuchlin und Frischlin, Jakob Locher und Thomas Naogeorg zusammenzustellen. Gehalt und Form, die ganze Lebensanschauung haben sich grundsätzlich geändert.

Wir haben schon in der Einleitung dieses Buches darzulegen gesucht, warum die „Komödien" der Hrotsvita, so interessant, so originell sie auch sein mögen, in einer Geschichte des Dramas übergangen werden können. Es sind nicht nur keine Bühnendramen, es sind nicht einmal Lesedramen im eigentlichen Sinne. Der Autor eines Lesedramas glaubt zwar vielleicht nicht an die Aufführbarkeit seines Werkes, aber er weiß doch von den Notwendigkeiten dramatischer Behandlung; wenn er sie mißachtet, so entweder aus reinem Unvermögen oder weil er gewisse andere Wirkungen vorzieht. Hrotsoitha sah in Terenz nicht Lesedramen, sondern Konversationsübungen. Sie steht in der Nachfolge des Terenz nur insofern, als sie seinen Stil imitiert; die Struktur, der Gehalt der terenzischen Komödien blieb unerkannt. Verständnis für diese Struktur beginnt sich erst einzustellen, als man Terenz wieder als wirklichen Dramatiker sieht, im 15. Jahrhundert.

1. Vorformen

Bevor die Humanisten sich mit ihren dramatischen Bestrebungen auf die Bühne wagten, gab es einige Vorformen des Humanistendramas. Deutsche Studenten in Padua verfaßten in den sechziger Jahren des 15. Jahrhunderts einen dramatischen Dialog, der interne Universitätsangelegenheiten zum Thema hatte[321]. Zwar ist der Stoff vollkommen in Dialog aufgelöst, aber dennoch würde man das Ganze kaum für ein Drama, selbst nicht ein Lesedrama halten, lautete das Ende nicht im Stile der Palliata „Valete et plaudite, ego recensui". Eine Aufführung war natürlich nicht beabsichtigt.

Einen etwas anderen Versuch zeigt der *Codrus* des Johann Kerckmeister[322]. Kerckmeister war Schullehrer in Münster und sein Drama, wenn wir es so nennen dürfen, soll den Unterschied darstellen zwischen dem guten Latein Kölner Studenten und dem angeblich miserablen Latein eines Schullehrers namens Codrus. Bevor Codrus in den Dialog eingreift, fragen sich die Studenten, ob ein „monstrum" oder ein „homo" vor ihnen stehe. Brutal werden die Lateinkenntnisse des armen Kerl verhöhnt; dann wird er mit allerlei Hokuspokus angeblich zum Baccalaureus gemacht; schließlich wird er derb verprügelt. Das Ding endet mit einem „valete, valete", also nicht einmal dem plautinisch-terenzischen „plaudite". Am Schluß wird der Name des Autors und das Entstehungsjahr 1485 genannt. Wenn auch hier nicht an Aufführung gedacht war, wenn auch hier wiederum modernes Universitätsmilieu den Stoff bot, immerhin hat der Dialog wenigstens eine gewisse Lebendigkeit.

Ein wenig interessanter wirken die dramatischen Bemühungen eines recht bekannten Mannes, Jakob Wimpfelings. 1480 trat er mit einem Werk an die Öffentlichkeit, das man oft als erstes Humanistendrama bezeichnet hat, seinem *Stylpho*[323]. Während einer

---

[321] Johannes Bolte, „Ein Schwank des 15. Jahrhunderts" *Vierteljahrsschrift für Literatur und Kultur der Renaissance* I (1886), S. 484—486.

[322] Ausgabe des Stückes: Lothar Mundt hrsg., *Johannes Kerckmeister Codrus.* Ferner: Wilhelm Schulze, „*Codrus.* Lateinische Schulkomödie aus dem Jahre 1485" gibt einen Teilabbruck. Siehe auch: Josef Bernhard von Nordhoff, *Denkwürdigkeiten aus dem Münsterischen Humanismus.* Mundt hält eine Aufführung des Dramas für möglich. Die völlig vage Form scheint mir dem zu widersprechen. Mundts Ausgabe ist recht hilfreich, sein Hinweis auf die humanistischen Dialoge als Vorläufer des Dramas sehr berechtigt.

[323] Ausgabe des *Stylpho*: Hugo Holstein, *Iacobus Wimphelingius Stylpho* (Lateinische Litteraturdenkmäler des XV. und XVI. Jahrhunderts 6) Berlin: Weidmann: 1892. Die beste Gesamtdarstellung noch immer: Joseph Knepper, *Jakob Wimpfeling* (Erläuterungen und Ergänzungen zu Janssens Geschichte des deutschen Volks 3, Heft 2—4) Freiburg i. B.: Herder: 1902. Wir gehen nicht auf die übrige Wimpfeling-Literatur ein.

Promotionsfeier wurde das Werk vorgetragen, und zwar mitten in der Rede Wimpfelings, der als Dekan der Artistenfakultät — wir würden heute sagen: Dekan der philosophischen Fakultät — die promovierten Studenten ehrte. Wimpfelings Stück zeigt, wie ein fleißiger Student zu Erfolg und Ansehen kommt, während ein fauler Pfründenjäger, der Latein nicht gut beherrscht, als Schweinehirt endet. Auch hier also die pedantische Betonung des guten Lateins. Immerhin gelingt es Wimpfeling, seinen Stoff einer Art von Handlung einzuverleiben. Doch wurde das Stück 1480 sicherlich nicht als Drama aufgeführt. Sehen wir davon ab, daß Wimpfeling keinerlei Vorbild für eine solche Aufführung gehabt hätte, daß er also wirklich völlig originell vorgegangen sein müßte. Aber das Opus ist in sonderbarer Weise in die Dekanatsrede eingebaut. Ohne Einschnitt, ohne Bezeichnung geht es von der Rede in das Argumentum, von dem Argumentum in den Prologus, von hier wieder in die Prima Scaena, endlich am Ende des Dialogs ebenso unvermittelt in die Conclusio Vatis. Nun erst folgt: „Valete et plaudite, ego ipse recensui". Dann fährt Wimpfeling fort in seiner Rede. Nicht also eine dramatische Aufführung wurde veranstaltet, sondern der Dialog wurde in der Rede von Wimpfeling persönlich rezitiert. Das ist durchaus nichts Einzigartiges. Holstein VIII/IX nennt zwei Leichenpredigten, die 1481 in Heidelberg gehalten wurden, in die auch semidramatische Dialoge eingeflochten waren. Auch bei diesen Predigten wurde der Dialog von dem Prediger rezitiert. Allerdings fand 1505 tatsächlich in Heidelberg eine regelrechte Aufführung des *Stylpho* statt (Holstein XIII/XIV). In der Heidelberger Bibliothek ist ein Exemplar des *Stylpho* erhalten mit den Namen der Spieler. Inzwischen hatten sich dramatische Bühnendarstellungen in Deutschland eingebürgert, und so ist es nichts Unerhörtes, daß man auch das Werk Wimpfelings neu heranzog. Wimpfeling hat später noch zweimal 1497 und 1498 seine Schüler mit verteilten Rollen vortragen lassen. Dramen kann man diese Stücke nicht nennen. Wimpfeling selbst bezeichnet die von 1498 als *Philippica* und die kurzen Einzelstücke als *Dialogus*. So wird über die „sapiencia principibus necessaria", über die „sapiencia veterum principum", über „de bello in Thurcos instituendo" diskutiert. Auswendig gelernte Argumente werden heruntergeleiert. Am Schluß des ersten Monologs werden bezeichnenderweise die Fürsten gewarnt: „rapiuntur a literis ad equos, a libris ad arma, a scholis ad theatra et spectacula". Das heißt, für Wimpfeling bedeuteten die „theatra" eine gefährliche Versuchung für den Fürsten. Natürlich hat der Ausdruck für Wimpfeling noch wesentlich die mittelalterliche Bedeutung von öffentlichen Unterhaltungsplätzen. Die Zusammenstellung mit „spectacula" deutet das an. Aber trotzdem, diese „Theaterfeindlichkeit" zeigt doch, daß Wimpfeling selbst nach den ersten Humanistenaufführungen das Wesen des antiken Theaters nicht verstanden hatte.

Die eigentlichen deutschen Humanistenaufführungen begannen im Sommer 1495 mit einer Darbietung von Jakob Lochers *Historia de Rege Francie* im Hof der Universität in Freiburg i. B. Doch bevor wir uns mit diesem Ereignis befassen, müssen wir kurz zurückgreifen und die Entwicklung in Italien verfolgen; denn die deutschen Humanisten erhielten nachweislich ihre dramatische Anregung auf ihren Studienreisen über die Alpen.

In der Einleitung sprachen wir davon, wie im Mittelalter der Zugang zum antiken Drama, auch dem der Palliata völlig verschüttet war, wie die Auffassung sich durchsetzte, ein Freund des Terenz namens Calliopius habe die Komödien rezitiert, während die Schar der Histrionen den rezitierten Text mit ihren Pantomimen begleitete. Zwei wiederentdeckte Bücher halfen diesen Irrtum zu beseitigen: der Terenzkommentar des Donatus und Vitruvs Buch über die Architektur[324]. Indem durch diese Werke ein deutlicheres Bild vom antiken Drama, vom antiken Theater sich formte, war es möglich geworden, Terenz und Plautus auch wieder auf die Bühne zu bringen. In den siebziger Jahren des 15. Jahrhunderts veranstaltete ein Kreis von Humanisten unter der geistigen Führerschaft des Pomponius Laetus Aufführungen von Terenz und Plautus in Rom. Hohe geistige Würdenträger interessierten sich für dieses ein wenig ephemere Unternehmen, ja unterstützten es. Etwas später, 1486 führte man in Ferrara Stücke der Palliata in italienischer Übersetzung auf. Andere italienische Städte folgten diesen Vorbildern. Den Charakter dieser Aufführungen hat man zu rekonstruieren versucht aus Illustrationen in Terenzausgaben der Zeit, die, so meinte man, die römischen Aufführungen, wenn auch stilisiert, wiedergaben[325]. Die sogenannte Lyoner Terenzausgabe, eine Ausgabe, die der Humanist Jodocus

[324] Siehe hierzu: Hans Heinrich Borcherdt, *Das europäische Theater im Mittelalter und in der Renaissance* Leipzig: J. J. Weber: 1935, S. 71—76.

[325] Siehe hierzu besonders: Max Herrmann, *Forschungen zur deutschen Theatergeschichte des Mittelalters und der Renaissance* Berlin: Weidmann: 1914.

Badius 1493 in Lyon veranstaltete, und ihr wesentlich folgend eine spätere Venetianer Ausgabe zeigen einen Bühnenabschluß, der aus Vorhängen besteht, die durch Türrahmen in vier oder fünf verschiedene Häuschen — Badezellen nennt sie Creizenach — abgeteilt sind. Selbst wenn Laetus und andere italienische Humanisten kein solches stilisiertes Bühnenbild nutzten, selbst wenn sie, wie neuerlich vermutet wurde, mit größerem Aufwand arbeiteten, oder, wie ich den Verdacht habe, weniger pedantisch konsequent vorgingen, jedenfalls die Bühnenvorstellung in diesen Illustrationen zeigt, daß man ein in großen Zügen richtiges Bild vom Theater der Antike besaß[326].

Neben diesen Aufführungen der Palliata wurden in Italien ganz gelegentlich auch eigene neolateinische Dramen aufgeführt. Das wichtigste von diesen Dramen ist die *Historia Baetica* des Verardi[327]. Granada, die letzte maurische Festung auf der iberischen Halbinsel war 1492 von den Spaniern erobert worden. Die jahrhundertelange maurische Herrschaft in Spanien war damit zu Ende gekommen. In der ganzen Christenheit wurde dieses Ereignis gefeiert, besonders aber auch in Rom. Das gab Verardi den Stimulus, den Stoff zu einem Drama zu verwenden. Aber das Resultat, die *Historia Baetica*, war ein recht kümmerliches Machwerk. Erst Gespräche der Mauren in der Stadt, dann Gespräche der Christen außerhalb, dann wieder innerhalb und außerhalb. Die Einheit des Ortes, die man von einem Pomponianer erwarten würde, ist nicht gewahrt. Vor allem aber rollt der ganze Stoff in langweiligen Reden und Botenberichten ab. Immerhin spielt alles an einem Tage. Gelegentlich werden Formulierungen aus der Palliata genutzt wie etwa: „I prae; nos te sequimur" (Barrau-Dihigo, S. 347) oder: „Sed rex foras exit" (ebenda, S. 351), während die Erwähnung des vorahnungsvollen Traumes (ebenda, S. 359) eher an Seneca gemahnt. Die Form des Ganzen erscheint jedoch alles andere als klassisch.

2. Die Anfänge unter Locher

Für die Bestrebungen der deutschen Humanisten war es entscheidend, daß dieses eigentlich doch recht armselige Machwerk

[326] Das Theater des Pomponius wird vorzüglich behandelt in Margaret Dietrich, „Pomponius Laetus' Wiedererweckung des antiken Theaters" *Maske und Kothurn* III (1957), S. 245—267.

[327] L. Barrau-Dihigo, „Historia Baetica" *Revue Hispanique* XLVII (1919), S. 319—382.

vorbildlich wurde. 1494 erschien in Basel bei Bergmann von Olpe ein Neudruck des Werkes. Gerade um diese Zeit war Jakob Locher aus Italien zurückgekehrt. Ein Jahr später führte er in Freiburg i. B. seine *Historia de Rege Francie* auf[328]. Ich halte es für recht wahrscheinlich, daß Locher eine Aufführung von Verardis *Historia* in Italien gesehen hatte. Jedenfalls brachte er den Text seinem Lehrer Brant mit, der ihn dann in Basel veröffentlichte. Locher erhielt durch dieses Werk seine dramatische Anregung. In beiden Dramen findet sich die Bezeichnung Historia für ein dramatisches Werk, weil, wie Locher sagt, wirklicher ereigneter Stoff, nicht Legende oder dichterische Erfindung dargeboten wurde. Beide Werke nutzen eine zeitgenössische, politische Begebenheit als Gegenstand, und zwar eine, in der das Publikum eindeutig Partei nimmt. Der Unterlegene, der tragische Held also, steht auf der Gegenseite. Dennoch, oder vielleicht gerade darum, wird er durchaus nicht unsympathisch behandelt. Auch Locher benutzt das Motiv des vordeutenden Traumes, er gibt ihm aber weit größere Bedeutung. Locher zeigt hier wie auch später starke Anlehnung an Seneca.

Kam auch die Anregung von Verardi, trotzdem entwickelte Lorcher etwas Eigenes; mir will seine *Historia* weit wirkungsvoller erscheinen als die Verardis. Von Anfang an besteht er darauf:

> Ad similitudinem igitur veteris tragedie: hancce historiam hocque tragicum argumentum conteximus: Continet enim potentissimi francorum regis tragicam historiam: quam simplici pompa: tenuique stilo confecimus: non ut quisquam dulce aut iucundum auribus tersis ex hac

---

[328] Das grundlegende Werk über Locher noch immer Hehle, *Der schwäbische Humanist Jakob Locher Philomusus* (Programm des königlichen Gymnasiums in Ehingen 1872—1875) Ehingen: Carl Louis Feger: 1873, 74, 75. Die Ausgabe des *Ludicrum Drama*: Karl von Reinhardstoettner, *Plautus* Leipzig: Wilhelm Friedrich: 1886, S. 240—246. Ausgaben von Josephine Reischl, *Die Tragedia de Thurcis et Soldano des Jakob Locher Philomusus* Diss. Wien, 1951 (Masch.) und Martha Lethener, *Das „Judicium Paridis de pomo aureo" des Jacobus Locher Philomusus* Diss. Wien, 1952 (Masch.) bieten nichts mehr als eine Wiedergabe des Textes. Mit der neueren Literatur sind sie nicht vertraut. Besser: Josef Kärtner, *Des Jakob Locher Philomosus „Stultifera Navis" und ihr Verhältnis zum „Narrenschiff" des Sebastian Brant* Diss. Frankfurt, 1924 (Masch.). Siehe auch: Wolfgang F. Michael, *Die Anfänge des Theaters zu Freiburg im Breisgau* Freiburg im Breisgau: Joseph Waibel: 1934.

actione nostra infundi queat: sed ut optimus quisque fortune ac rerum humanarum imbecillitatem plane cognoscat.

Lochers Werk darf nicht beurteilt werden nach den üblichen Form- und Strukturbegriffen des antiken Dramas, die von Aristoteles, die von der griechischen Tragödie abgeleitet sind. Wenn Locher diese überhaupt kannte — und das ist höchst unwahrscheinlich — so sagten sie ihm nichts. Für eine Zeit, in der Ciceronianische Wortkunst einen ethischen Begriff bildete, in der Rhetorik, die schöne Überzeugungsgabe, das wichtigste Talent des Staatsmannes ausmachte (das wenigstens glaubte man an den Artisten-Fakultäten der Universitäten noch spät ins 16. Jahrhundert hinein), in der also Handlung, Ideengehalt, Struktur im besten Falle eine sekundäre Rolle spielte, da wendete man sich nicht der großen klassischen Triade der Griechen zu, sondern eben der wesentlich undramatische Rhetoriker Seneca wurde der Lehrer des deutschen neulateinischen ernsten Dramas. Sein Latein war verständlich, Griechisch beherrschte man damals noch kaum. Das zeigt sich gleich bei Locher und seinem ersten Versuch. Wie Verardi beginnt Locher sein Drama mit langatmigen Unterhaltungen. Der französische König spricht erst mit seinem Vertrauten, dann mit dem Herzog von Mailand. Dazwischen schiebt Locher, und hierin ist er völlig originell, Chöre ein und markiert so um so deutlicher die Akteinteilung, die übrigens bei Verardi noch fehlte. Der Rest des Geschehens wird durch Botenberichte übermittelt, jedoch durchbricht Lochers persönliches Temperament die mühselige Form. In gewisser Weise mag uns das erinnern an Folzens Art, der langweiligen Rezitation durch eine persönliche Note ein eigenes Interesse zu geben. Der eine Bote unterhält sich direkt mit den Zuschauern:

Attendite spectatores iucundissimi; missus sum a longinquis regionibus, ut vobis res praeclare gestas pangerem.

und er schließt:

valete et siquid deinceps praeclare gestum fuerit: istuc in vestro theatro uti mimus aliquis argutissimus edicam.

Ein anderer Bote sieht seinen Kollegen aus der Ferne herankommen:

sed eccum venetorum nuntium tamquam alterum mercurium deorum velocissimum: ad me transeuntem video celeri gradu properat: . . . adest.

iam salvum advenisse dicam. salve divi marci signifer: unde venis: aut a quo pergis tanta correptis hilaritate . . . .

Nun, das ist ein alter Trick, den Locher aus der Palliata übernommen hat, den die Neulateiner im 16. Jahrhundert immer wieder verwenden werden. Aber damals war es etwas Neues, etwas Überraschendes, das seine Wirkung tat.

Erschien schon bei Verardi der Ortsbegriff nicht klar, immerhin, man konnte sich die Vorgänge als Hin-und-Her von einem Ort zum anderen vorstellen, bei Locher fehlt überhaupt jede klare Ortsvorstellung. Wir wissen nicht, wo der König von Frankreich im ersten und zweiten Akt sich befindet. Wenn dann der Bote einfach die Zuschauer „in vestro theatro" anspricht, so ist man versucht, auch die anderen Szenen so vage zu denken. Dieser Mangel an Ortssinn, der an die Nürnberger Fastnachtspiele erinnert, findet sich nicht nur bei den späteren Dramen von Locher, er kennzeichnet nahezu das gesamte Humanistendrama. Erst eine spätere Generation lernt dem Spielorte klare Bedeutung zu geben.

Das zweite Drama Lochers zwei Jahre später aufgeführt: *Spectaculum de Thurcorum rege et Suldano rege Babyloniae more tragico effegiatum*, unterscheidet sich im Charakter wenig von dem ersten. Wieder wählte sich Locher einen zeitgemäßen Stoff, aber einen der damals ein weit stärkeres und allgemeineres Interesse fand: Türke und Türkenkrieg. Locher war unmittelbar vorher, wenn nicht sogar im Zusammenhang mit dieser Aufführung von Kaiser Maximilian zum „poeta laureatus" gemacht worden, der zweite Deutsche, dem diese Ehre zuteil wurde, nur Lochers Lehrer Celtis war vorher von Maximilians Vater so ausgezeichnet worden. Maximilian wohnte auch selbst der Vorstellung bei. Mehrfach noch wird Maximilian, werden andere Fürstlichkeiten Humanistendarbietungen mit ihrer Gegenwart auszeichnen. Die eitlen Gelehrten legten großen Wert auf solche Auszeichnungen, und die guten Fürsten spielten natürlich auch gerne mit.

Doch der Gehalt des zweiten Stückes bleibt recht mager: Akt I Klage der Fides; Akt II Hilferufe des Christianum Vulgus; Akt III Papst, Kaiser und Legat der christlichen Fürsten diskutieren den Türkenkrieg, wobei der Papst von einer Traumerscheinung, nämlich der Fides berichtet, am Schluß des Aktes kündet endlich ein Bote der christlichen Fürsten den Türken den Krieg an, und zwar in metrischer Form; Akt IV Kriegsdekret des Kaisers, darauf folgend Beratung bei den Türken; Akt V Das christliche Heer ist versammelt, „loquitur dux et vexillifer“ (sollen beide gleichzeitig sprechen oder nur einer von ihnen?), sie bemerken die Nähe der Türken, mit dem Ruf „Theutona terra vale. tetros penetramus in hostes“ endet der Sprecher die Szene, die übrigens wiederum metrisch gehalten ist; dann erfahren wir von der Fama in kurzer prosaischer Rede, daß die Türken besiegt worden seien; nun folgt ein Triumphzug, oder sollten wir sagen, ein Triumphgesang in metrischer Form, der mit einem mehrfachen „plaude“ abschließt. Dann kommt aber doch noch ein Epilogus ad Spectatores, der zusammenfaßt, was alles vorgeführt wurde. Natürlich werden die Akte wiederum durch Chorgesänge abgeschlossen. Dieses *Türkenspiel* mehr noch als das erste Drama ermüdet durch lange Rede, durch reine Rezitation. Einzig der Übergang zur Schlacht klingt ein wenig lebendiger. Möglich, daß auch der Triumphzug gewisses Interesse erregte. Dieses wie auch alle späteren Dramen Lochers versah der Drucker Grüninger mit Illustrationen. Aber das sind natürlich nicht Abbilder der Aufführung, die etwa theaterhistorischen Wert hätten. Grüninger, bekannt für seine vielfachen Raubdrucke, benutzte billige Klischees, die er wieder und wieder verwendete, die also reines Ornament sind.

1502, inzwischen an der Universität Ingolstadt, führte Locher ein weiteres Türkenschauspiel auf: *Spectaculum Jacobo Locher more tragico effegiatum. In quo Christianissimi Reges. adversum truculentissimos Thurcos consilium ineunt. expectionem que belliacm instituunt. In ibi salubris pro fidem tuenda exhortatio.* Dieses Drama unterscheidet sich wenig von dem früheren *Türkenschauspiel.* Allerdings ist jetzt der gesamte Text in metrische Form gebracht und, um Creizenach II, 32 zu zitieren:

> der erwünschte Sieg wird nicht, wie dies bei der Freiburger Tragödie der Fall war, schon auf Vorschuß dargestellt.

Die metrische Form war offenbar nichts Zufälliges, denn ein anderes Drama Lochers aus demselben Jahr: *Judicium Paridis de pomo aureo, de tribus deabus et triplici hominum vita,* zeigt ebenfalls metrische Behandlung. Das Drama folgt zunächst wesentlich dem Lauf der Legende. Nachdem Discordia den Apfel geworfen, schickt Juppiter Mercur nach Paris aus. Die Bühnenanweisung nennt Paris „sub arbore iacentem“. Ich habe früher übrigens Creizenach folgend (*Frühformen,* S. 76) „noch gewisse Überbleibsel der Simultanbühne zu bemerken“ geglaubt. Mir scheint jetzt auch dies nur ein Zeichen des vagen Locherschen Ortsbegriffs. Nachdem Paris sein Urteil gegeben und mit Beihilfe Cupidos, der Helena mit seinem Pfeil durchbohrt, Helena entführt hat, und nachdem Menelaus und Agamemnon zum Trojanischen Kriege sich vorbereiten, werden zum Schluß den Zuschauern die drei Lebensweisen: die Vita voluptativa (Venus), die Vita activa (Juno), die Vita contemplativa (Pallas) — diese natürlich die beste Lebensweise — vorgeführt. Locher hat die Chöre ins neolateinische Drama eingeführt; er weiß sie in dem *Judicium Paridis* besonders geschickt zu benutzen. Nach dem Parisurteil kämpfen zwei Gladiatoren um einen Kranz der Venus; nach der Entführung der Helena singen und tanzen Schäfer und ihre Mädchen. Diese Verlebendigung des Chores mag dem Ganzen eine besondere Wirkung verliehen haben.

Noch in einem anderen Drama behandelt Locher einen antiken Stoff. Sein *Ludicrum drama: plautino more fictum* ist wesentlich eine Fortsetzung der *Asinaria* des Plautus. Der alte Gerontius wird von seiner Frau bei einem Abstecher in ein Bordell ertappt. Staphilus, Servus, stellt den Frieden wieder her, der den Alten völlig unter die Herrschaft seiner Frau bringt. Das Stück ist eines der ganz wenigen deutschen neulateinischen Dramen, die sich tatsächlich an die Palliata anschließen. Doch fehlt jede wirkliche Handlung, und statt galantem Witz im Stil steht schwülstige Monotonie.

Noch ist ein späteres historisches Drama handschriftlich erhalten[329]. Der Papst, entsetzt über das Blutvergießen in christlichen Landen, sucht die Fürsten zum Frieden zu bringen. Und er scheint erfolgreich. Ein Sueuus Lanciger und ein Helveticus äußern sich ganz entsetzt über diese Friedensaussichten. Hier erreicht Locher frischen Dialog; und so wirken eingestreute deutsche Flüche wie „Da schlag der Teuffel zu, O lieber Heine“ oder „Sammerpotzleychnam“ durchaus echt.

Man kann Locher nicht als großes dramatisches Genie feiern. In der Rezitation blieben auch fast alle anderen Neulateiner der Zeit behaftet. Schließlich sah man diese Form auch in Senecas Tragödien. Hrotsvithas Komödien in ihrer epischen Struktur vermit-

[329] Die Handschrift in der Bibliotheque National in Paris trägt keinen Titel. Die Handschrift befindet sich in der Bibliotheque National cod. lat. 11347, S. 66—75. Siehe hierzu: Ludwig Geiger, „Ein ungedrucktes humanistisches Drama“ *Zeitschrift für vergleichende Litteraturgeschichte und Renaissance-Litteratur* n. F. I (1887/88), S. 72—77.

telten auch nicht ein heilsames Vorbild. Auch das Fastnachtspiel durchläuft das dramatische Embryostadium des Vortragsdramas, nur daß dieses volkstümliche Genre zu Vor- oder Nachteil mit Sex und Schmutz gesalzen und gepfeffert war. Lochers Verdienst besteht nicht allein darin, daß er das Humanistendrama überhaupt in Deutschland eingeführt hat, er wirkt vorbildlich auch in der Verwendung des Chores. Er zuerst greift, wenn auch recht unbeholfen, auf antiken Stoff und antike Form zurück.

3. Die Weiterwirkung

In den fünfzehn Jahren nach der Locherschen Erstaufführung beginnt eine ganze Flut von neulateinischen Dramen den humanistischen Markt zu überschwemmen. Gleich für das Jahr 1497 können wir nicht weniger als fünf solche Darstellungen nachweisen. Eine davon wurde von Wimpfeling veranstaltet. Reine Rezitation läßt hier wie bei Wimpfelings Übungen im nächsten Jahr am dramatischen Charakter zweifeln. In Augsburg wurden von dem Schulmeister, später kaiserlichen Secretarius, Joseph Grünpeck, zwei Komödien verfaßt und aufgeführt: *vtilissime omnem latini sermonis elegantiam continentes e quibus quisque optimus latinus evadere potest*[330]. Der rein pädagogische, völlig undramatische Charakter kommt also schon im Titel zum Ausdruck. In der ersten Komödie beklagt eine Alte den leichten Lebenswandel der Mädchen und Jungen und diese antworten. Die zweite Komödie wurde in Anwesenheit des Kaisers aufgeführt und behandelt eigentlich denselben Stoff, wenn auch etwas umständlicher. Eine Fallacicaptrix überredet Mädchen und Jungen zu leichter Lebensweise. Die Tugend, einsam und verlassen, findet Zuflucht beim Kaiser, der sich natürlich für die Tugend entscheidet. Beide Dramen sind in Prosa,

[330] Der Text ist abgedruckt mit deutscher Übersetzung in Ernst Werner, *Der Humanist Joseph Grünpeck und seine Comoedial utilissimae* Diss. Wien, 1949 (Masch.). Werners Kommentare bieten nichts. Die beste Biographie noch immer: Albin Czerny, „Der Humanist und Historiograph Kaiser Maximilians I. Joseph Grünpeck“ *Archiv für österreichische Geschichte* LXXIII[2] (1888), S. 315—364. Siehe auch Paul Joachimson, „Augsburger Schulmeister in vier Jahrhunderten“ *Zeitschrift des historischen Vereins für Schwaben und Neuburg* XXIII (1896), S. 199—247 und Erwin Panofsky, *Hercules am Scheidewege und andere antike Bildstoffe in der neuern Kunst* (Studien der Bibliothek Warburg 18) Leipzig, Berlin: Teubner: 1930.

ohne Chor, ohne Akteinteilung. Das zweite Drama hat trotzdem so auf Maximilian eingewirkt, daß er den Autor in seine Dienste nahm und ihn ein Jahr später zum poeta laureatus krönen ließ. Diese Auszeichunng wird immer häufiger verliehen, so daß sie schließlich an Bedeutung verliert. Grünpeck wirkte aber auch auf die weitere Entwicklung des Dramas. Das Thema: Tugend versus Lebensgenuß wird mehrfach abgehandelt von unseren manchmal gar nicht so tugendhaften Kollegen aus dem 15. und 16. Jahrhundert. Lochers *Judicium Paridis* gehört auch hierher.

Lochers und letztlich Verardis Verherrlichung des zeitgenössischen politischen Ereignisses wird wieder aufgenommen in Johann von Kitzschers *Tragicomedia de iherosolomitana profectione Illustrissimi principis pomerani* 1501[331]. Kitzscher scheint die Einheit des Ortes, wenigstens im weiteren Sinne durchführen zu wollen, während er sich über die Einheit der Zeit hinwegsetzt. Die Fahrt wird also selbst nicht gezeigt, sondern der Entschluß zur Fahrt, das Warten der Zurückgebliebenen, die durch böse Gerüchte beängstigt sind, schließlich der Bote mit der frohen Nachricht. Kitzscher weiß aber durch kleine Details — zum Beispiel der Türhüter will den Boten erst nicht einlassen — den Dialog lebendig zu machen.

4. Celtis

In eine andere Richtung führt Celtis das reine Rezitationsstück[332]. Sein Drama *Ludus Diane*, auf der Reise des Kaisers in Linz aufgeführt, hat den Charakter des höfischen Festspiels. Die Darsteller, alle Humanisten aus der Entourage des Kaisers, feiern,

---

[331] Gustav Bauch, „Johann von Kitzscher" *Neues Archiv für sächsische Geschichte und Altertumskunde* XX (1899), S. 286—321 und Wilhelm Bethke, *Die dramatische Dichtung Pommerns im 16. und 17. Jahrhundert* Diss. Berlin, 1938. Stettin: o. V.: o. J.

[332] Wir können hier natürlich keine erschöpfende Bibliographie von Celtis geben. Das eine seiner Dramen ist bequem zugänglich und verläßlich herausgegeben: Virginia Gingerick,, ,The Ludus Diane of Conrad Celtis" *Germanic Review* XV (1940), S. 159—180. Beide Dramen etwas schwerer zugänglich: Felicitas Pindter, *Celtis Conradus Ludi Scaenici* (Bibliotheca Scriptroum Medii Recentisque Aevorum saeculorum XV—XVI) Budapest: Eggeteni Nyomda: 1945. Ziemlich wertlos: Alfred Schütz, *Die Dramen des Konrad Celtis* Diss. Wien, 1948 (Masch.). Die berühmte, alte Gesamtdarstellung: Friedrich von Bezold, „Konrad Celtis, der deutsche

als antike Götter oder Legendenfiguren verkleidet, den Kaiser in lobtriefenden Versen. Dazwischen tanzt und singt das jeweilige Gefolge der antiken Figur als Chor. Gewiß kann ein Stilist wie Celtis auch solch primitiver Form einen gewissen Glanz verleihen, zumal er mit lauter Stardarstellern operierte. Kürze und eine gewisse Sachlichkeit, die Freude an Impromptu und Überraschung mögen den Kaiser zu jenem Wohlgefallen gebracht haben, daß er alle Darsteller am nächsten Tag bei einem Diner ehrte.

Celtis' zweites Drama: *Rhapsodia*, kehrt zurück zur Feier eines politischen Ereignisses. Der Sieg Maximilians über die Böhmen 1503 wird verherrlicht. Aber statt das wirkliche Ereignis, sei es

---

Erzhumanist" *Historische Zeitschrift* XLIX (1883), S. 1—45, ist in den Tatsachen überholt und wirkt auch sonst reichlich verstaubt. Statt dessen am besten: Lewis W. Spitz, *Conrad Celtis The German Arch-Humanist* Cambridge: Harvard University Press: 1957. Interessante Einzelheiten auch: Kurt Leopold Preiss, *Konrad Celtis und der italienische Humanismus* Diss. Wien. 1951 (Masch.). Sowie von demselben: ,,Konrad Celtis und Kaiser Maximilian I" *Unsere Heimat*. Monatsblatt des Vereins für Landeskunde von Niederösterreich und Wien XXX (1959), S. 101—109. An Literaturgeschichten und Gesamtdarstellungen wäre zu nennen: John W. Nagl und Jakob Zeidler, *Deutsch-Österreichische Literarurgeschichte* I, II. Wien: Carl Fromme: 1899, 1900; und Jakob Zeidler, ,,Das Wiener Schauspiel im Mittelalter" *Geschichte der Stadt Wien* III, 1, S. 109—147 Wien: Gilhofer und Rauschburg: 1903. Ferner bietet der Briefwechsel: Hans Rupprich, *Der Briefwechsel des Konrad Celtis* (Veröffentlichungen der Kommission zur Erforschung der Geschichte der Reformation und Gegenreformation/Humanistenbriefe III) München: Beck: 1934, wichtige Einzelheiten über das Leben von Celtis sowie seine Beziehung zu anderen Humanisten. Karl Hartfelder, *Fünf Bücher Epigramme von Konrad Celtes* Berlin: 1881 enthält ebenfalls wertvolle Details namentlich über die Aufführungen. Leonhard Forster, *Selections from Conrad Celtis 1459 bis 1508* Cambridge: University Press: 1948 ist eine handliche Auswahl mit guter Bibliographie und englischer Übersetzung. Über die Bedeutung der Chorgesänge unterrichtet Rochus von Liliencron, ,,Die Horazischen Metren in deutschen Kompositionen des 16. Jahrhunderts" *Vierteljahrsschrift für Musikwissenschaft* III (1887), S. 26—92 und ,,Die Chorgesänge des lateinisch-deutschen Schuldramas im 16. Jahrhundert" *Vierteljahrsschrift für Musikwissenschaft* VI (1890), S. 309—387. Freilich hätte Liliencron die Entwicklung zu den ersten Humanistenaufführungen namentlich auch zu Locher zurückverfolgen sollen. Über unser Thema besonders Heinz Kindermann, ,,Der Erzhumanist als Spielleiter: zum 500. Geburtstag von Conrad Celtis" *Maske und Kothurn* V (1959), S. 33—43.

auch nur wie bei Locher und Kitzscher durch Botenberichte zu vermitteln, wird der Kaiser (Apollo) von den neun Musen verhimmelt. Dies Mal spielen keine hervorragenden Humanisten, sondern einfach die Schüler oder Kollegen des Celtis. Kein Kaiser beehrt die Aufführung mit seiner Gegenwart; es bleibt reine Schulübung.

Celtis veranstaltete auch Aufführungen der Palliata, ja Senecas. Zwar führte er diese Tradition nicht in Deutschland ein; sein Schüler Laurentius Corvinus ließ zuerst — wir erwähnten dies in dem Kapitel über die Fastnachtspiele — Terenz und Plautus von seinen Schülern in Breslau aufführen[333]. Kurz darauf folgte Celtis in Wien. Noch sind die Gedichte erhalten, mit denen Celtis zu diesen wichtigen akademischen Ereignissen einlud. Ferner haben wir sogar Beschreibungen dieser Aufführungen. Man hat angenommen, Celtis habe im Anschluß an Pomponius auch eine bemerkenswerte szenische Dekoration genutzt[334]. Mir scheint das wenig glaubhaft. Für die Aufführungen in Breslau ist der einzig negative Kommentar: „sed locus aliquibus videtur inconueniens"[335]. Auch in dem Eintrag des Rector Wilhelm Pülinger in die Rectoratsakte wird bei allem Lobe kein Wort über die Inszenierung verloren[336]. Später wurden Terenz- und Plautus-Aufführungen allgemeine Schultradition, aber gerade sie behielten den Charakter der Rezitation. Noch fünfzig Jahre später in Johannes Sturms pädagogischer Programmschrift ist dieser Charakter deutlich zu erkennen.

Dasselbe politische Ereignis, das Celtis in seinem zweiten Drama verherrlichte, wurde etwas später in einer anderen österreichischen Stadt gefeiert. In Freiburg i. B. dichtete der junge Hieronymus Veus *Boemicus Triumphus* und führte es wahrscheinlich auch auf[337]. Veus erhielt seine Anregung offenbar von Celtis. Apollo, die neun

---

[333] Gustav Bauch, „Laurentius Corvinus" *Zeitschrift des Vereins für Geschichte und Altertum Schlesiens* XVII (1883), S. 230—302 und „Beiträge zur Literaturgeschichte des schlesischen Humanismus" *Zeitschrift des Vereins für Geschichte Schlesiens* XL (1906), S. 140—184 sowie *Geschichte des Breslauer Schulwesens vor der Reformation* (Codex Diplomaticus Silesiae 25) Breslau: Ferdinand Hirt: 1909.

[334] So Heinz Kindermann in dem oben genannten Aufsatz.

[335] Bauch, „Beiträge . . .," S. 184.

[336] Siehe Bauch, *Geschichte des Breslauer Schulwesens* . . ., S. 234/235.

[337] Siehe hierzu: Gerhard Kattermann, *Markgraf Philipp I. von Baden (1515 bis 1533) und sein Kanzler Dr. Hieronymus Veus* Diss. Freiburg, 1932. Düsseldorf: G. H. Nolte: 1935.

Musen lobpreisen auch hier den Kaiser, nur wird von Veus das Ganze in fünf Akte eingeteilt und mit Chören versehen. Nikolaus Gerbel, zur Zeit der Celtischen Aufführung noch in Wien, von Veus aber in der Einführung genannt, brachte vermutlich Stoff und Idee von Wien nach Freiburg. Locher, der damals noch in Freiburg weilte, war so erbost, daß er den Kollegen vor dem Fakultätszimmer in wildester Weise verprügelte.

5. Extreme Rezitationsstücke

Die extremste Form des Rezitationsdramas — aber man sollte nicht von Drama sprechen — zeigt die *Silvula* des Georg Sibutus, der sich übrigens auch stolz poeta laureatus nennt[338]. Ein reicher Apparat an antiken Figuren, an Lobhudelei, an Humanistengenossen dient einzig, eine Lobeshymne des Dichters einzurahmen. Stolz bemerkt Sibutus, daß er 600 Verse auswendig gesungen habe. Wir bedauern nicht, daß uns dieser Genuß entgangen ist.

Ganz undramatisch, aber auch wohl nicht für eine Aufführung gedacht, sind die dreizehn „Dramen", die der Locherschüler Johann Stamler unter dem Titel *De Diversarum Gencium Sectis et Mundi Religionibus* 1508 veröffentlichte[339]. Nach langer theologischer Diskussion werden Juden zum Christentum bekehrt. Wie so oft bei den Humanisten wird ein moralisches Wunschbild gegeben.

Die Moral wird nun direkt zum Thema in den Dramen, die im Gefolge von Lochers *Judicium Paridis* und Grünpecks Dramen Tugend und Lust einander gegenüberstellen. Johannes Pinicianus, Augsburger Schulmeister wie einst Grünpeck, so daß man also direkte Tradition erkennen kann, läßt in seiner *Virtus et Voluptas* den jungen Prinzen Karl, den späteren Kaiser, sich bei der Jagd verirren[340]. Voluptas malt ihm die Vorzüge des genußreichen

---

[338] Neben Karl Hartfelder „Sibutus Georgius Dasipanus" *Allgemeine deutsche Biographie* XXXIV, S. 401—402, Leipzig: Duncker & Humblot: 1892 vor allem auch Gustav Bauch, *Die Universität Erfurt im Zeitalter des Frühhumanismus* Breslau: M. & H. Marcus: 1904, S. 157—162.

[339] Die einzige Behandlung Stamlers: Elisabeth Nugent, „Johannes Stammler's (sic) Dyalogus" *PMLA* LIII (1938), S. 989—997 ist recht oberflächlich und unbefriedigend.

[340] Franciscus Antonius Veith, „Pinicianus" *Bibliotheca Augustana* I Augsburg: o. V.: 1785, S. 139—148 und Paul Joachimson, „Augsburger

Lebens. Schon will er ihr folgen, doch die Tugend ruft ihn zurück und überzeugt ihn, daß ihr Weg „optabile iter illud iucundum esse debet". Er werde diesen Weg immer verfolgen. Also, Prinz Karl verwandelt sich in den Hercules am Scheidewege. Das Drama wirkt doch wesentlich lebendiger als Lochers frostige Allegorie und Grünpecks unbeholfenes Rededuell.

Fünf oder sechs Jahre später wird das Thema mit weit größerem Apparat von dem Benediktiner Benedictus Chelidonius wieder aufgenommen[341]. In drei Akten, getrennt durch Chöre, stehen Venus, Satan, Cupido, Epicurus, Cacus auf der einen, Pallas und Hercules, dessen Taten gefeiert werden, auf der anderen. Vor jedem der drei Akte erklärt ein Preco kurz auf Deutsch, was nun kommt. Auch hier ist Prinz Karl wieder der iudex.

Die Tradition führt aber nicht nur von Locher und Grünpeck über Pincianus zu Chelidonius, sie geht weiter. Der Schweizer Funckelin, sowohl wie Hans Sachs übersetzten Chelidonius ins Deutsche. Sachs läßt sowohl die Chöre, wie auch die deutschen Heroldsprüche aus. Endlich gehört hierher auch Brants verloren geglaubtes, jetzt wieder gefundenes Drama[342]. Man mag zweifeln, ob Brants Werk noch zum Humanistendrama zu rechnen ist. Brant schreibt Deutsch und in ganz demselben bieder pedantischen Ton, den wir aus seinem Narrenschiff kennen. Freilich zeichnen sich die meisten lateinischen Humanistendramen auch nicht gerade durch ein Übermaß an revolutionärem Avantgardismus aus. Dennoch möchte ich Brants Werk zusammen mit dem sogenannten Münchner Spiel von 1510 und mit Gengenbach-Wickrams zehn Altern zu den Vorläufern der Moralitäten des 16. Jahrhunderts rechnen.

Schulmeister in vier Jahrhunderten" *Zeitschrift des historischen Vereins für Schwaben und Neuburg* XXIII (1896), S. 177—247.

[341] Marcus Reiterer, *Die Herkulesentscheidung von Prodikos und ihre frühhumanistische Rezeption der „Voluptatis cum Virtute Disceptatio" des Benedictus Chelidonius* Diss. Wien, 1957 (Masch.) und Margret Dietrich, „Chelidonius Spiel: ‚Voluptatis cum Virtute disceptatio' Wien 1515: Versuch einer Rekonstruktion der Inszenierung" *Maske und Kothurn* V (1959), S. 44—59.

[342] Friedrich Wilhelm Thon, *Das Verhältnis des Hans Sachs zu der antiken und humanistischen Komödie* Diss. Halle. Halle: Colbatzky: 1889 und Erwin Panofsky, *Hercules am Scheidewege und andere antike Bildstoffe in der neueren Kunst* (Studien der Bibliothek Warburg 18) Leipzig, Berlin: Teubner: 1930. Das Brantsche Werk wurde gefunden und veröffentlicht:

6. Engere Anlehnung an die Antike

Nun existieren auch einige wenige Stücke, die sich in der äußeren Form an die Antike, oder vielmehr genauer, an die Palliata anlehnen. Wir haben gesehen, auch hier ist Locher führend, wenn auch sein *Ludicrum Drama* recht begrenzt bleibt. Ein wenig selbständiger ist der *Gryllus* des Bartholomaeus Panonus[343]. Ein durch Zufall verlorener Sohn wird nach Jahren auch durch Zufall wieder gefunden. Das antike Kolorit ist sorgfältig gewahrt, ebenso die Einheit des Ortes. Dafür springt Panonus mit Leichtigkeit über ein Dutzend Jahre hinweg.

Ein wenig genauer noch imitiert Hegendorffinus Geist und Gehaben der Palliata[344]. Freilich schreibt er seine beiden Komödien 1520 und 1521. Zwillinge, der eine brav, der andere ausschweifend, erregen die Besorgnis des Vaters. Natürlich hat der ausschweifende eine Dirne geschwängert, die sich von ihm verlassen glaubt. Der kluge Sklave weiß es so einzurichten, daß der brave Sohn als schuldig erscheint. Nun heiratet der andere das Mädchen, angeblich nur dem Bruder und Vater zu Gefallen. Wenn auch die Einheit des

Hans-Gert Roloff hrsg., *Sebastian Brant Tugent Spyl* (Ausgaben deutscher Literatur des 15. bis 18. Jahrhunderts Reihe Drama 1) Berlin: Walter de Gruyter: 1968. Roloffs Arbeit widerlegt die frühere Auffassung, Pangratz Bernhaupt habe Brants Werk ins Deutsche übertragen. Siehe hierzu: Dieter Wuttke, *Die Histori Herculis des Nürnberger Humanisten und Freundes der Gebrüder Vischer Pangratz Bernhaupt genannt Schwenter* Köln, Graz: Böhlau: 1964. Wir hatten freilich erwartet, daß Wuttke seinen verständlichen Irrtum eingestehen würde; statt dessen sucht er noch immer seine These wenigstens teilweise aufrecht zu halten: „Zu den Tugendspielen des Sebastian Brants" *Zeitschrift für deutsches Altertum* XCVII (1968), S. 235—240.

[343] Eugen Abel und Stephanus Hegedüs, „Bartholomaei Panoni Comoedia Gryllus et eiusdem inter Vigilantiam et Torporem Dialogus" *Analecta ad historiam renascentium iu Hungaria literarum* Budapest: Hornyansky: 1903, S. 21—33.

[344] A. Henschel, „Christophorus Hegendorf" *Zeitschrift der historischen Gesellschaft für die Provinz Posen* VII (1892), S. 337—343 und Stanislaus Kossowski, *Christophorus Hegendorphinus in der bischöflichen Akademie zu Posen 1530—1535* (Jahresbericht des K. und K. II Obergymnasiums in Lemberg, 1903) Lemberg: Piller: 1903. Siehe auch: Otto Günther, *Plautuserneuerungen in der deutschen Litteratur des XV.—XVII. Jahrhunderts und ihre Verfasser* Leipzig: Carl Marquart: 1886 und Richard Sachse, *Die ältere Geschichte der Thomasschule zu Leipzig* Leipzig: Teubner: 1912.

Ortes nicht streng gewahrt wird — bald sind wir auf der Straße, bald im Haus der Dirne — ein recht klares Ortsempfinden, die Typenfiguren, die im Grunde harmlose Intrige mit glücklichem Ausgang und Heirat, das führt doch schon recht weitgehend zur Palliata zurück. Hegendorffinus' zweite, wenig gelungene Komödie behandelt das Thema des liebestollen Alten, der von einer Dirne geprellt wird.

7. Vadian

Schreiben die meisten Humanistendramatiker ihre kleinen Opuscula mit einem pedantischen, didaktischen Ernst, mit alberner Wichtigtuerei, so entsteht in der einzigen Nachahmung griechischer Literatur: des *Froschmäusekriegs*, eine übermütig verspielte Farce, die in ironischem Glanz an das *Lob der Torheit* erinnert: der *Gallus Pugnans* des Joachim Vadianus[345]. Die Hühner, vertreten durch ihren Anwalt, beklagen sich über die Hahnenkämpfe, die ihre Gatten, die Hähne zu ehelicher Betätigung unfähig machten; die Hähne verteidigen sich wieder durch einen Anwalt. Die Kapaunen raten zum Ausgleich und zur Liebe. Aber der Parasit Lichenor will alle einfach schlachten und auffressen. Die Plädoyers der beiden Anwälte sind freilich so langgezogen, daß sie trotz allem Witz, trotz aller Anspielungen undramatisch wirken, mag auch die immer wiederholte Anrede an die Zuschauer, als das eigentliche Tribunal den direkten Kontakt aufrecht erhalten. Schrieb Vadian für die Aufführung? Wurde der *Gallus Pugnans* je dargestellt? Wir wissen es nicht. Wenige Jahre später war Vadian als Bürgermeister, als Reformator seiner Heimatstadt St. Gallen ein „Gallus pugnans" in ganz anderem Sinne.

8. Einzelbemühungen

Griechische Kenntnisse versucht auch die *Teratologia* Thilonini Chunradi Philymni Syasticani 1507 zu demonstrieren[346]. Wie bei

---

[345] Grundlegend über ihn: Werner Näf, *Vadian und seine Stadt St. Gallen* I, II St. Gallen: Fehr: 1944, 1957.

[346] Siehe hierzu Carl Krause, *Euricius Cordus* Diss. Marburg: Marburg: o. V.: 1863. Von demselben Autor: *Helius Eobanus Hessus* Gotha: Friedrich Andreas Perthes: 1879, S. 149/152. Ferner: Gustav Bauch, „Wolfgang Schenck und Nicolaus Marschalk" *Centralblatt für Bibliothekswesen* XII (1895), S. 353—409. Von demselben Autor: „Die Anfänge des Studiums

vielen frühen deutschen Humanisten sind die Kenntnisse aber nur sehr oberflächlich. Der Autor stand mit dem Erfurter Kreis in bitterer Fehde; sein Drama ist ein recht unbeholfenes, geistloses Lesedrama.

Das einzige Drama unter dem Einfluß der Hrotsvitha, Kilian Reuters *Dorotheendrama,* zeigt ebenfalls völligen Mangel an dramatischem Empfinden[347]. Neben Hrotsvitha dient auch die Palliata als Quelle für die Ausdrucksweise.

Vielleicht das sonderbarste Drama, eigentlich schon aus einer späteren Periode, aber doch in der Art eng verwandt mit den bisher besprochenen Dokumenten, ist der *Ludus Martius* des Hermann Schottenius[348]. Der Autor behandelt wiederum ein Zeitereignis: den Bauernkrieg. Aber zum erstenmal werden die Ereignisse nicht von Boten berichtet, sondern in Handlung umgesetzt. Recht unbeholfen wirkt das Vorrücken der Bauern, ihre Niederlage und eine schließliche Versöhnung, die natürlich ganz unhistorisch ist. Der Autor nimmt eine erstaunlich sachliche, jedenfalls nicht bauernfeindliche Haltung ein. Wie Locher, von dem er überhaupt beeinflußt ist, benutzt er allegorische Figuren: pax, bellona. Sie treten aber bei Schottenius mehr in den Hintergrund. So bühnenfremd das Drama auch erscheinen mag, es wurde tatsächlich von Schottenius und seinen Schülern aufgeführt.

9. Bebel

Eigenartig in ganz anderer Weise erscheint das einzige Drama des Tübinger Humanisten und als Facetisten bekannten Heinrich

der griechischen Sprache und Literatur in Norddeutschland" *Mitteilungen der Gesellschaft für deutsche Erziehungs- und Schulgeschichte* VI (1896), S. 75—98.

[347] Franz Spengler, „Kilian Reuter von Melrichstadt" *Forschungen zur neueren Literaturgeschichte Festgabe für Richard Heinzel* Weimar: Emil Felber: 1898, S. 121—129 und Wilhelm Schachner, „Das Dorotheenspiel" *Zeitschrift für deutsche Philologie* XXXV (1903), S. 157—196.

[348] Text: Edward Schroeder, *Hermanni Schottenii Hessi Ludus Martius* (Marburger Universitätsprogramm 1902 zur Feier von Kaisers Geburtstag) Marburg: Robert Friedrich: 1902 sowie Johannes Bolte, „Schottenius, Hermann" *Allgemeine deutsche Biographie* XXXII, S. 412. Leipzig: Duncker & Humblot: 1891 und Carl Niessen, Die *dramatischen Dar-*

Bebel *De optimo studio iuuenum* 1501[349]. Ein beginnender Student erscheint mit seinem Vater auf der Universität und wird in die Mysterien des Universitätslebens eingeführt. Am Schluß sind wir Zeugen eines wilden Rededuells zwischen einem Skotisten und einem Okkamisten. Der Poeta — offenbar Bebel selbst, denn er spricht zum Schluß: „Valete et plaudite. Bebelius recensui" — schiebt alle Argumente und Schimpfereien beiseite: „Nemo enim vnus . . . omnia scire potest". Das ist also die charakteristische Einstellung des Humanisten, der sich gelangweilt über die Besserwisserei oder Alleswisserei der Scholastiker hinwegsetzt. Immerhin erklärt der Poeta höflich genug, aber vielleicht mit einem ironischen Unterton: „Existimo tamen ambos doctissimos fuisse". Das Opus unseres Bebels stellt also so etwas dar wie ein Merkbüchlein für Füchse, aber eben in der appetitlichen, pädagogisch ansprechenden Form einer Bühnenvorführung.

10. Reuchlin

Zum Schluß bleibt uns die bedeutendste interessanteste Bühnendichtung des deutschen Humanismus Reuchlins *Scenica progymnasmata*[350]. Reuchlin hatte aus politischen Gründen seine Arbeitsstätte Stuttgart verlassen müssen und fand auf einige Jahre bei dem großartigen Mäzen der Humanisten, dem Bischof Dalberg, in Heidelberg Unterkunft. Hier entstand schon ein Jahr nach Lochers *Historia de rege francie* Reuchlins erstes Stück *Sergius*. Recht äußerlich teilte Reuchlin die Materie in drei Akte. Einigen jungen Männern wird ein geschrumpfter Kopf gezeigt, den diese wie eine Reliquie verehren, bis sie erfahren, daß es der Kopf eines brutalen Verbrechers gewesen sei. Verherrlichung des Humanismus und ver-

stellungen in Köln von 1526—1700 (Veröffentlichungen des Kölnischen Geschichtsvereins 3) Köln: Kölnischer Geschichtsverein: 1917.

[349] Gustav Bebermeyer, *Tübinger Dichterhumanisten* Tübingen: Laupp: 1927, von demselben Autor: *Heinrich Bebels Facetien drei Bücher, historisch-kritische Ausgabe* (Bibliothek des literarischen Vereins in Stuttgart 276) Leipzig: K. W. Hiersemann: 1931 und endlich Johannes Haller, *Die Anfänge der Universität Tübingen* I, Stuttgart: Kohlhammer: 1927.

[350] Text: Hugo Holstein, *Johann Reuchlins Komödien* Halle a. S.: Waisenhaus: 1888. Wir können natürlich keine erschöpfende Reuchlin-Bibliographie geben. Wir verweisen einzig auf die noch immer grundlegende Biographie Ludwig Geiger, *Johann Reuchlin* Leipzig: Duncker & Humblot 1871.

schiedene politische Anspielungen machten das Werk den Zeitgenossen anziehend, aber verhinderten zugleich die Aufführung. Denn dieser Dalberg, wie der 300 Jahre jüngere, fürchtete sich doch vor möglichen politischen Konsequenzen. Das Neue dieses Stückes besteht vor allem in der metrischen Form, die einheitlich durchgeführt ist. Es fehlen die Chöre: schließlich handelt es sich ja angeblich um eine Komödie. Es fehlt aber auch die Thematik, ich möchte sagen, die Atmosphäre der Palliata, obwohl einzelne Ausdrücke und Idiome aus ihr übernommen sind. Später wurde übrigens der *Sergius* gelegentlich aufgeführt, wenn er auch völlig in den Schatten gestellt wurde von Reuchlins zweitem Stück den *Scenica progymnasmata* oder *Henno*.

Reuchlin hatte in früheren Jahren längere Zeit in Frankreich studiert. Er muß hier die bekannte und damals außerordentlich populäre Juristenfarce *Maître Pathelin* gesehen haben. Wir wollen den Inhalt kurz rekapitulieren. Maître Pathelin, ein Anwalt, will sich Stoff für neue Kleidung kaufen, aber er hat kein Geld. Er geht zu dem Tuchhändler; als ob er nur zufällig an seinem Laden vorbeikomme, bewundert er dessen Ware. Dieser fordert ihn auf, doch das Bewunderte auch gleich mitzunehmen, wenn er auch kein Geld bei sich trage, der Tuchhändler würde das Geld bei ihm zu Hause abholen. Als aber dann der Händler zum Haus des Pathelin kommt, simuliert der gewitzte Advokat eine schwere Erkrankung, und die Frau behauptet, er liege schon seit Monaten. Verwundert sieht schließlich der Händler von seiner Forderung ab. Aber zu Hause erwartet ihn neuer Ärger. Sein Schäfer hat offensichtlich aus der Herde des Händlers hintenrum durch Verkauf sich einen Verdienst gemacht, so daß also der Händler ihn vor Gericht verklagen will. Der Schäfer wählt sich als Anwalt eben jenen Pathelin, der dem Schäfer anrät, sich dumm zu stellen und auf alle Fragen nur mit „Be Be" zu antworten. Nun stelle man sich die chaotische Gerichtsverhandlung vor. Des „Schäfers Be Be", des Tuchhändlers: „aber sie sind gar nicht krank, sie schulden mir Geld für das Tuch" und des Richters verzweifeltes „Bitte wir wollen doch von dem Hammel sprechen (revenons à ce mouton"). Schließlich schickt der Richter, der alle für verrückt hält, verzweifelt Kläger und Beklagten nach Hause.

Dieser Juristenscherz muß natürlich dem Juristen Reuchlin, der gerade zum Rechtsstudium in Frankreich weilte, doppelt zugesagt haben. Schon in seinem *Sergius* verwendet er das „Ble". In dem zweiten Stück wird der französische Stoff sehr viel stärker herangezogen, aber zugleich doch sehr weitgehend umgearbeitet[351]. Der *Maître Pathelin* war wesentlich ein mittelalterliches Stück, das auf der Simultanbühne des geistlichen Dramas aufgeführt wurde; Reuchlin macht daraus ein Humanistendrama mit Akteinteilung, Chören, Auf- und Abtreten der Personen.

Der Bauer Henno hat im Kuhstall einen Beutel gefunden, in dem seine Frau heimlich abgespartes Geld verborgen gehalten hat. Er schickt den Knecht Dromo zur Stadt, damit er mit dem Geld Tuch für ihn kaufe. Der Frau gibt er vor, daß er dieses Tuch auf Kredit holen lasse. Dromo will das Geld behalten, das Tuch sich auf Kredit geben lassen und dann verkaufen und sich so ein doppeltes Einkommen sichern. Die Frau entdeckt den Raub des Geldes; ihre Nachbarin rät, durch einen Wahrsager in der Stadt den Schuldigen herauszufinden. Im zweiten Akt beschreibt der Wahrsager den Dieb in sehr allgemeiner Weise, dennoch glaubt die Frau, ihr guter Henno sei gemeint. Als der Wahrsager behauptet, der Dieb sei geschlechtlich besonders tüchtig, beginnt die gute Frau wieder zu zweifeln. Inzwischen erklärt Dromo, der Tuchhändler habe Geld wie Tuch behalten. Im dritten Akt zieht die ganze Familie zur Stadt. Der wütende Tuchhändler will Dromo verklagen. Im vierten Akt sichert sich Dromo die Hilfe des Advokaten Petrucius, auf dessen Rat er dann vor Gericht nur mit „Ble" antwortet, sodaß der Richter Dromo laufen läßt. Im fünften Akt wendet Dromo das „Ble" auch gegen den Advokaten erfolgreich an. Dromo gesteht Henno und der Bäuerin, daß er das Geld unterschlagen hätte, weil sie beide im Unrecht seien. Den Tuchhändler und den Advokaten habe er geprellt, weil sie Wucherer und Betrüger seien. Nun erhält Dromo Hennos Tochter zur Frau und das erschwindelte Geld zur Mitgift.

---

[351] Seit Hermann Grimm hat man immer wieder versucht Reuchlins *Henno* von einer Comedia del arte Aufführung abzuleiten, die auch für den *Maître Pathelin* die Quelle gewesen sei. Siehe hierzu: Ernst Beutler, *Forschungen und Texte zur frühhumanistischen Komödie* (Mitteilungen aus der Hamburger Staats- und Universitäts-Bibliothek n. F. 2) Hamburg: Staats- und Universitäts-Bibliothek: 1927, S. 105—106. Meine Gründe gegen diese Auffassung habe ich in *Frühformen*, S. 84 dargelegt. Man hat manchmal den Eindruck, daß diese ganze Hypothese, die sich so hartnäckig gehalten hat, unbewußt auf nationalen Gefühlen beruht. Der *Maître Pathelin* ist wirkungsvoller als der *Henno*, also kann er nicht die Quelle gewesen sein, Reuchlin hätte es gewiß besser gemacht.

Wo also in der französischen Juristenfarce der Advokat die Zentralfigur bildete, steht bei Reuchlin der schlau intrigierende Knecht, der servus, im Mittelpunkt. Wo das französische Spiel mit dem höhnischen selbstgefälligen Gelächter der Fachleute, der Juristen endete, ein interner Spaß, der freilich doch auch allgemeinen Anklang fand, da gab Reuchlin seinem Stück das traditionelle Palliata-Ende: die geglückte Intrige wird aufgelöst in einer Heirat.

In genialer Weise gelang es Reuchlin, nicht nur die Form, auch den Geist der Palliata einzudeutschen. Aus dem Servus wird der Knecht. Die komischen Alten und Parasiten erhalten in dem Wahrsager, dem Advokaten, ja selbst dem Kleiderhändler, wenn auch vielleicht nicht individuelle Züge, so doch bunte Farben der erlebten Alltagswelt. Dieser Alltagswelt gehört natürlich auch der Bauer Henno, seine Frau, die Nachbarin an. Mit den Bauerntypen des Fastnachtspiels verglichen, wirken sie wie gerundete Gestalten. War es ironische Spielerei, also beabsichtigt, daß Reuchlin in den Chören den bei den Humanisten so verpönten Reim benutzte?

In der Bühnenform endlich begann Reuchlin etwas mindestens in Deutschland völlig Neues. Der Wechsel des Ortes — denn bei Reuchlin gibt es ein klares Ortsempfinden — wird durch völliges Räumen der Bühne durch alle Personen zum Ausdruck gebracht. Das ist die Sukzessionsbühne, die dann in Reuchlins Nachfolge durch Hans Sachs Allgemeingültigkeit bekommt und alle anderen Bühnenformen verdrängt.

Der grandiose Erfolg des Werkes zeigt sich freilich, soweit wir wissen, weniger auf der Bühne — nur vereinzelte Aufführungen sind belegt — als in der Schullektüre. In den nächsten Jahrzehnten wurde durchschnittlich alle zehn Monate eine Neuauflage veranstaltet[352].

Reuchlins *Henno* wirkte zugleich auch auf die spätere Dramendichtung weiter wie kein anderes Werk. Der Holländer Macropedius erkannte in ihm allein seinen geistigen Vorfahr; für Hans Sachs bedeutete der *Henno* das entscheidende Bildungserlebnis, aus dem er die Form des Dramas nicht nur seiner Komödien und Tragödien, sondern auch seiner Fastnachspiele erst ableitete. Und endlich findet man seine Spuren noch in der einfachsten volkstümlichen Form des Fastnachtspiels in dem *Luzerner Spiel vom klugen Knecht.*

---

[352] Siehe hierzu Beutler, S. 108/109.

Es bleibt merkwürdig, daß Reuchlin sich nicht weiter auf dem Gebiete des Dramas versuchte. Aber schließlich war Locher der einzige Humanist, der mehr als zwei Dramen verfaßte. Die Dramendichtung bedeutete für Reuchlin nur eine kleine Extrabeschäftigung neben seinen ernsten und gewiß auf Jahrhunderte nachwirkenden Forschungen in der griechischen und hebräischen Sprache. Die übermütig freundschaftliche Atmosphäre bei Reuchlins kurzem Aufenthalt in Heidelberg stellt sich nicht wieder ein. Mag Reuchlin seinem Werk auch den pedantischen Titel *szenische Übungen* gegeben haben, mit Vadians *Gallus pugnans* bleibt es das einzige Humanistendrama, das durch Witz und Leichtigkeit aus der muffigen Luft von Burse und Hörsal hinausführte.

SCHLUSSBETRACHTUNG

Wenn man rückschauend das Genre der dramatischen Bemühungen des Mittelalters betrachtet, so fragt man sich, ist dies wirklich ein Genre, sind dies nicht eigentlich drei Genres, ja wenn man den starken Unterschied zwischen dem lateinischen liturgischen Drama und dem geistlichen Drama in der Volkssprache in Betracht zieht, sollte man nicht von vier Genres sprechen, oder gar von fünf Genres, wenn man noch die leichtlebigen, traditionslosen Osterspiele heranzieht? Solche Fragen sind gewiß berechtigt; und doch, man mag nur einmal die mittelalterlichen Bemühungen vergleichend gegen die Werke des 17. und 18. Jahrhunderts halten, ja selbst gegen die des 16., und wird sofort eine Einheit in der Vielheit gegen die andere erkennen.

Trotz *Regularis Concordia*, trotz *Tegernseer Antichrist*, trotz ungezogen begabter Vaganten, trotz Vigil Raber und Renward Cysat, trotz Rosenplüt und Folz, trotz Reuchlin und seinem *Henno*, das mittelalterliche dramatische Werken und Wirken bleibt wesentlich in Schillers Sinne naiv.

Keiner wird wohl bezweifeln, daß das späte geistliche Drama recht eigentlich Volksdrama ist, daß es den Gesetzen der Volkskunst unterliegt. In seiner langen Tradition — in Frankfurt wird das am deutlichsten — erkennt man die Zusammenarbeit nicht nur vieler Generationen, sondern gewiß auch vieler sozialer Schichten. Aber auch das liturgische Drama untersteht der Bindung der Tradition. Man mochte im einzelnen die Form ausweiten, die Teile umstellen; die Form zerbrechen konnte man nicht. Wie war es mit jenen liebenswerten schwarzen Schafen, die aus der geistigen Freiheit einen Beruf machten, unbehaust und ungebunden gegen die kirchliche und menschliche Ordnung revoltierten in ihrer Rücksichtslosigkeit in Ausdruck wie Form? Oder so mag es wenigstens uns heute erscheinen. Denn in Wahrheit revoltierten sie gar nicht. Der Archipoeta blieb schließlich trotz aller Ausschweifung ein reuiger Sohn der Kirche, der höchstens die Scheinheiligen verspottete. Auch im Drama ist es nicht anders, auch hier kehrte man nach allen Krämerszenen, nach allem Maria-Magdalenen-Überschwang, doch immer wieder zum heiligen Ernst des christlichen Geschehens zurück. Auch hier existierte schließlich die Tradition, nicht eine lokale Tradition, nicht einmal eine Tradition einer gewissen Gegend, vielmehr eine Tradition der Walze. Dieselben frechen Witze, dieselben frechen Redensarten, dieselben funkelnden Rubine, dieselben Lasterbälge einer genußfrohen Welt. Dramatische Planung ist auch in diesem bunten Charivari nicht zu erwarten.

Aus diesem Treiben heraus, wenigstens war dieses Treiben mit beteiligt, entsteht dann ein frühes rein weltliches Drama. Mit Volksbräuchen, mit alter mimischer Tradition, mit semiliterarischen Stoffen, wie dem von Aristoteles, verquickt, bewegt sich eine buntgescheckte Welt, doch auch diese in planlosem Durcheinander. Selbst ein Bühnenwerk wie das *große Neidhartspiel* erscheint so zusammengestückt aus Motiven von hier und dort, daß man nicht den Eindruck durchdachter Organisation erhält.

In Nürnberg wird die traditionelle Form, die rezitierend übertrumpfende Erzählung grotesk sexueller Begebnisse abgewandelt durch die Kontamination mit von außen eindringendem Gut, wahrscheinlich durch Folzens Wirken. Doch blieb die reine Unterhaltung so sehr der Grundton, daß selbst ein Werk wie Folzens *Salomon und Markolfo*, mag es auch ausgearbeitet und durchdacht sein, noch immer den traditionellen, spontanen, anspruchslosen Geist widerspiegelt. Einzig im *Kaiser und Abt* bahnt sich etwas an wie ein gerundet abgeschlossenes Werk. Aber auch hier bleibt noch immer die Grundhaltung, die Stimmung dieselbe.

Das Humanistendrama jedoch scheint geboren aus einer bewußten Erkenntnis einer älteren Kunstform, deren Nachahmung man erstrebte. Zum erstenmal seit dem Verfall des römischen Theaters war man sich bewußt, daß Drama ein Literaturwerk für die Bühne ist. Reuchlin zum Beispiel weiß von der Verwandtschaft der Osterspiele und der antiken Tragödie. Aber die Produkte dieses neuerrungenen Wissens beweisen, wie begrenzt dieses Wissen noch blieb. In unglücklicher Anlehnung an Verardi, an Seneca erschöpft man sich in plumpen Rezitationsübungen. Oder man meint, den Ton der Palliata getroffen zu haben, wenn man Sprachstil, Milieu, Typen genau nachbildet. Diese Anfängerübungen darf man aber nicht nur als Vorarbeiten für etwa den *Hecastus* des Macropedius, den *Pammachius* des Naogeorgus, die *Susanna* des Sixt Birck ansehen. Manche von ihnen haben doch auch ihren eigenen archaisch begrenzten Charme. Wenn etwa das persönliche Temperament bei Locher durchbricht oder Bebel die Scholastik verspottet oder Vadian seine Ironie spielen läßt. Vor allem aber gelingt es Reuchlin, indem er mehr den Geist der Antike als die Form zum Vorbild nimmt, indem er zugleich den Stoff einer populären Juristenfarce überblendet in deutsch-bäuerliches Geschehen, ein wirkliches Lustspiel zu schaffen. Doch auch dieses wurzelt im Boden des Mittelalters. Nicht nur folgt Reuchlin der von Locher übernommenen Technik mit Akt und Chor. Die spontane Form, gefordert durch die anspruchslose Aufführung am Hofe des Bischofs, besser vielleicht an der Tafel des Bischofs, läßt eine voll durchgearbeitete Struktur nicht erstehen.

Es fehlt dem mittelalterlichen Drama an echter Tragik — im 16. Jahrhundert versteht der Sophocles-Übersetzer Thomas Naogeorgus seinem *Hamanus*, seinem *Judas Iscariotes* wirklich Tragik zu verleihen — es fehlt dem Mittelalter wesentlich auch echte Komik. Das Leiden Christi bedeutet eine Erfüllung des Heilsgeschehens; es kann also nicht eigentlich tragisch wirken. Es kann und soll uns mit tiefem Mitgefühl ergreifen, zur tragischen Befriedigung fehlt die Katastrophe. Eher schon könnte man bei den *Zehnjungfrauenspielen* von dieser Katastrophe sprechen. Aber sie entwickelt sich nicht aus Handlung und Gegenhandlung, sondern es ist der Ablauf eines determinierten Geschehens.

All dies hat mit ästhetischer Wertung des Dramas natürlich nichts zu tun. Ein Kunstwerk befriedigt, wenn es die in ihm liegende Potentialität erfüllt, wenn es seinen selbstgeschriebenen Gesetzen folgt. Zu diesen Gesetzen gehört die Tragik des Barock, des 18., des 19. Jahrhunderts nicht.

Noch auch eigentlich die Komik. Schon Hans Sachsens Fastnachtspiele, die der späteren Periode wenigstens, enthalten etwas, was man im Mittelalter in Deutschland vergebens suchen würde. Das Komische der Salbenkrämerszenen kann zu genialer Rabelaiserei werden, ein übersprudelnder Ausdruckswitz, der bei Günter Grass in die Schule gegangen zu sein scheint. Ähnliches läßt sich auch von dem *großen Neidhartspiel*, von den Nürnberger Fastnachtspielen sagen. Bei Reuchlin beginnt so etwa wie Situationskomik, wie komische Handlung. Reuchlin war ja auch der Lehrmeister des Hans Sachs. Komik als Lebenshaltung wie im ersten Teil der *Epistolae Obscurorum Virorum* oder in Wittenweilers *Ring* entsteht auch hier nicht.

Das mittelalterliche Drama, darum mag es uns heute wieder weit verständlicher sein als dem 19. Jahrhundert, besteht wesentlich in dokumentarischem epischem Nacherzählen. Das Tragische, nicht die Tragik beruht auf dem ergreifenden Augenblick, der Klage, dem Mitempfinden der Leiden. Als Ausgleich aber wirkt die frohe Botschaft des Glaubens, das Miterleben der Auferstehung, der Wundertaten Christi. Realismus und Komisches drängen sich als schmückendes Ornament in diese Welt, formen schließlich im weltlichen Drama, im Fastnachtspiel ihre eigene Welt. Das Humanistendrama, so pedantisch es auch gelegentlich scheinen mag, bringt doch neue Formen, neue Möglichkeiten.

Alle diese Werke sehen wir heute durch den Schleier nicht nur der historischen Ferne, sondern vor allem verführt uns der ans rein Literarische gewöhnte Geschmack. So begreifen wir nur schwer die Grundtatsache: Theater mehr als Drama steht vor uns. Die volle Wirkung der Bühnenwerke können wir nur ahnen. In diesem Genre mehr als in allen anderen bleibt unsere Sicht kümmerlich einseitig und beschränkt.

Das Drama des 16. Jahrhunderts als großer Schmelztiegel wandelt eine reiche Vielfalt der Formen, die doch einer Einheit entstammt, zu neuen künstlerischen Gebilden. Diese Vielfalt in der Einheit aus vielen Möglichkeiten entwickelt zu haben, alle diese Formen von der tiefernsten, statischen *Bordesholmer Marienklage* zu dem aktionsgefüllten *Tegernseer Ludus*, zu den weitausladenden Passionsspielen, zu dem ausschweifenden Vagantentreiben, zu dem Lebensüberschwang der Nürnberger Fastnachtspiele, zu dem gelehrten, schmunzelnden Unternehmen eines Reuchlin — alle diese Formen dem 16. Jahrhundert, der späteren Zeit als gewaltige Potentialität überliefert zu haben, ist die Tat des mittelalterlichen Dramas.

LITERATURNACHWEIS

Im Folgenden wird natürlich keine erschöpfende Bibliographie gegeben, sondern nur ein Verzeichnis der zitierten Titel, so fehlen zum Beispiel die meisten allgemeinen Literaturgeschichten oder Theatergeschichten, die das Thema behandeln. Dagegen finden sich oft auch ältere Publikationen, so weit sie eine originelle Darstellung von Einzelfragen bieten.

Abel, Eugen und Stephanus Hegedüs, ,,Bartholomaei Panoni Comoedia Gryllus et eiusdem interVigilantiam et Torporem Dialogus". *Analecta ad historiam renascentium in Hungaria literarum* . Budapest: Hornyansky: 1903, 21—23.

Abeles, Wilhelmine (Iggers), *Studies in the Vocabulary of the Egerer Fronleichnamsspiel, with Special Reference to the Egerländer Dialect.* Chicago: Thesis: 1943 (ms.).

Abert, Anna Amalie, ,,Das Nachleben des Minnesangs im liturgischen Spiel". *Die Musikforschung* I (1948), 95—105.

Albrecht, Otto E., *Four Latin Plays of St. Nicholas.* Diss: University of Pennsylvania; Philadelphia: University of Pennslylvania Press: 1935.

Anacker, Hilde von, ,,Zur Geschichte einiger Neidhartschwänke". *PMLA* XLVIII (1933), 1—16.

Anderson, Walter, *Kaiser und Abt, die Geschichte eines Schwankes* (FF Communications 42). Helsinki: Suomalainen Tiedeakatemia: 1923.

Arch, Harw., *Die Sterzinger Fastnachtsspiele Vigil Rabers.* Diss.: Innsbruck: 1948 (ms.).

Baader, Joseph, *Nürnberger Polizeiordnungen* (Bibliothek des literarischen Vereins in Stuttgart 63). Stuttgart: Literarischer Verein: 1861.

Bächtold, Jakob, *Geschichte der deutschen Literatur in der Schweiz.* Frauenfeld: J. Huber: 1892, 1919².

Bächtold, Jakob, hrsg. *Niklaus Manuel* (Bibliothek älterer Schriftwerke der deutschen Schweiz 2). Frauenfeld: J. Huber: 1878.

Bäschlin, Alfred, *Die Altdeutschen Salbenkrämerspiele.* Diss.: Basel: 1929. Mulhouse: Imprimerie Centrale: 1929.

Barack, K. A. hrsg. *Zimmersche Chronik* (Bibliothek des Literarischen Vereins Stuttgart 91). Stuttgart: Literarischer Verein: 1869.

Barnstein, Aenne, *Die Darstellungen der höfischen Verkleidungsspiele im ausgehenden Mittelalter.* Diss.: München: 1940; Würzburg-Aumühle: Konrad Triltsch: 1940.

Barrau-Dihigo, L., ,,Historia Baetica". *Revue Hispanique,* XLVII (1919) 319—382.

Bauch, Gustav, ,,Die Anfänge des Studiums der griechischen Sprache und Literatur in Norddeutschland". *Mitteilungen der Gesellschaft für deutsche Erziehungs- und Schulgeschichte* VI (1896), 47—98.

—, ,,Beiträge zur Literaturgeschichte des schlesischen Humanismus". *Zeitschrift des Vereins für Geschichte Schlesiens* XL (1906), 140—184.

—, *Geschichte des Breslauer Schulwesens vor der Reformation* (Codex Diplomaticus Silesiae 25). Breslau: Ferdinand Hirt: 1909.

—, ,,Johann von Kitzscher". *Neues Archiv für sächsische Geschichte und Altertumskunde* XX (1899), 286—321.

—, ,,Laurentius Corvinus der Stadtschreiber und Humanist". *Zeitschrift des Vereins für Geschichte und Altertum Schlesiens* XVII (1883), 230—302.

—, *Die Universität Erfurt im Zeitalter des Frühhumanismus*. Breslau: M. &. H. Marcus: 1904.

—, ,,Wolfgang Schenck und Nicolaus Marschalk". *Centralblatt für Bibliothekswesen* XII (1895), 353—409.

Bebermeyer, Gustav, hrsg., *Heinrich Bebels Facetien, drei Bücher, historisch-kritische Ausgabe* (Bibliothek des literarischen Vereins in Stuttgart 276). Leipzig: K. W. Hiersemann: 1931.

—, *Tübinger Dichterhumanisten*. Tübingen: Laupp: 1927.

Bechstein, Reinhold, ,,Das Spiel von den zehn Jungfrauen". *Beilage zur Allgemeinen Zeitung*. Nr. 316, S. 5005—5007 (12. November 1870).

—, *Das Spiel von den zehn Jungfrauen, ein deutsches Drama des Mittelalters*. Rostock: Ernst Kuhn: 1872.

Beckers, Otto, *Das Spiel von den zehn Jungfrauen und das Katharinenspiel* (Germanistische Abhandlungen 24). Breslau: M. &. H. Marcus: 1905.

Beemelmans, Wilhelm, ,,Bilder aus dem Kölner Volksleben des 16. Jahrhunderts; Aufführung des verlorenen Sohns". *Jahrbuch des Kölner Geschichtsvereins* XV (1933), 135—152.

Behaghel, Otto, ,,Beiträge zur deutschen Syntax". *Germania. Vierteljahrsschrift für deutsche Alterthumskunde* XXIV (1879), 24—46.

Bernheimer, Richard, *Wild Men in the Middle Ages*. Cambridge: Harvard University Press: 1952.

Bethke, Wilhelm, *Die dramatische Dichtung Pommerns im 16. und 17. Jahrhundert*. Diss.: Berlin: 1938. Stettin: o. V.: o. J.

Beutler, Ernst, *Forschungen und Texte zur frühhumanistischen Komödie* (Mitteilungen aus der Hamburger Staats- und Universitäts Bibliothek, n. F. 2). Hamburg: Selbstverlag der Staats- und Universitäts Bibliothek: 1927.

Bezold, Friedrich v., ,,Konrad Celtis, der deutsche Erzhumanist". *Historische Zeitschrift* XLIX (1883), 1—45.

Binz, Gustav, ,,Ein Basler Fastnachtsspiel aus dem 15. Jahrhundert". *Zeitschrift für deutsche Philologie* XXXII (1900), 58—64.

Birkenfeld, Günther, *Die Gestalt des treuen Eckart in der deutschen Sage und Literatur*. Diss.: Berlin: 1924 (ms.).

Bolte, Johannes, *Georg Wickrams Werke* (Bibliothek des Literarischen Vereins in Stuttgart 222/223, 229/230, 232, 236/237, 241). Stuttgart: Literarischer Verein: 1901—1906.

—, ,,Der Jesusknabe in der Schule". *Jahrbuch des Vereins für niederdeutsche Sprachforschung* XIV (1888), 4—8.

—, ,,Kleine Beiträge zur Geschichte des Dramas". *Zeitschrift für deutsches Altertum* XXXII (1888), 1—24.

—, ,,Schottenius, Hermann". *Allgemeine Deutsche Biographie* XXXII 412. Leipzig: Duncker & Humblot: 1891.

—, ,,Ein Schwank des 15. Jahrhunderts". *Vierteljahresschrift für Literatur und Kultur der Renaisance* I (1886), 484—486.

Borcherdt, H. H., *Das europäische Theater im Mittelalter und in derReanissance*. Leipzig: Weber: 1935.

Brandstetter, Renward, ,,Die Figur der Hochzeit zu Kana in den Luzerner Osterspielen". *Alemannia* XIII (1885), 241—262.

—, ,,Die Luzerner Bühnenrodel". *Germania* XXX (1885), 205—210; XXXI (1886), 249—272.

—, ,,Musik und Gesang bei den Luzerner Osterspielen". *Geschichtsfreund* XL (1885), 145—168.

—, *Die Regenz bei den Luzerner Osterspielen*. Programm Luzern 1886; Luzern: Räber: 1886.

—, *Renwart Cysat, 1545—1614, Der Begründer der schweizerischen Volkskunde* (Renward Brandstetters Monographien 8). Luzern: Haag: 1909.

—, ,,Zur Technik der Luzerner Osterspiele". Sonderabdruck aus *Allgemeine Schweizerzeitung*. Basel (1884).

Braune, W., ,,Untersuchungen über Heinrich von Veldeke". *Zeitschrift für deutsche Philologie* IV (1873), 249—304.

Brethauer, Karl, ,,Bruchstücke eines hessischen Passionsspiels". *Zeitschrift für deutsches Altertum* LXVIII (1931), 17—31.

Breuer, Hans-Hermann, *Das mittelniederdeutsche Osnabrücker Osterspiel* (Beiträge zur Geschichte und Kulturgeschichte des Bistums Osnabrück I). Osnabrück: Ferdinand Schöningh: 1939.

Brinkmann, Hennig, ,,Werden und Wesen der Vaganten". *Preußische Jahrbücher* CVC (1924), 33—44.

Brooks, Neil C., ,,Fastnacht- und Osterspiel" *Modern Language Notes* XXXIII (1918), 436/437.

—, ,,An Ingolstadt Corpus Christi Procession and the Biblia Pauperum". *Journal of English and Germanic Philology* XXXV (1936), 1—16.

—, *On the Frankfurt Group of Passion Plays*. Diss.: Harvard: 1898 (ms.).

—. ,,Processional Drama and Dramatic Procession in Germany in the Late Middle Ages". *Journal of English and Germanic Philology* XXXII (1933), 141—171,

—, ,,Robert Stumpfl: Kultspiele der Germanen". *Journal of English and Germanic Philology* XXXVII (1938), 300—305.

Brooks, Neil C., *The Sepulchre of Christ in Art and Liturgy* (University of Illinois studies in Language and Literature VII, 2). Urbana: U. of Illinois Press: 1921.

Browe, Peter, *Die Verehrung der Eucharistie im Mittelalter*. München: J. Hueber: 1933.

Bühler, Curt and Car. Selmer, ,,The Melk Salbenkrämerspiel: An Unpublished Middle High German Mercator Play". *PMLA* LXIII (1948), 21—63.

Butler, Sister Mary, Marguerite, *Hrotsvitha, the Theatricality of her Plays*. New York: The Philosophical Library: 1960.

Carlen, Albert, ,,Das Ordinarium Sedunense und die Anfänge der geistlichen Spiele im Wallis". *Blätter aus der Walliser Geschichte* IX 4, (1943), 349—373 (Festschrift zum 75. Geburtstag von Mgr. Dr. Dionys Imesch).

Catholy, Eckehard, *Das deutsche Lustspiel*. Vom Mittelalter bis zum Ende der Barockzeit (Sprache und Literatur 47). Stuttgart, Berlin, Köln, Mainz: W. Kohlhammer: 1969.

—, *Fastnachtspiel* (Realienbücher für Germanisten, Abt. D, Literaturgeschichte). Stuttgart: Metzler: 1966.

—, *Das Fastnachtspiel des Spätmittelalters*, Gestalt und Funktion (Hermaea n. F. 8). Tübingen: Tübinger Habilitationsschrift: 1958; Tübingen: Niemeyer: 1961.

Christ-Kutter, Friederike, *Frühe Schweizerspiele* (Altdeutsche Übungstexte 19). Bern: Francke: 1963.

Coffman, George R., ,,A Note Concerning the Cult of St. Nicholas at Hildesheim". *The Manly Anniversary Studies in Language and Literature* 269—275. Chicago: The University of Chicago Press: 1923.

Coussemaker, Edmond de, *Drames liturgiques du moyen age*. Rennes: Vator: 1860.

Craig, Hardin, ,,The Origin of the Old Testament Plays". *Modern Philology* X (1912—1913), 473—487.

Creizenach, Wilhelm, *Geschichte des neueren Dramas* I—V. Halle: Max Niemeyer: 1893—1916, I², II², III² 1911—1923.

Czerny, Albin, ,,Der Humanist und Historiograph Kaiser Maximilians I. Joseph Grünpeck". *Archiv für österreichische Geschichte* LXXIII² (1888), 315—364.

de Boor, Helmut, *Die Textgeschichte der lateinischen Osterfeiern* (Hermaea, germanistische Forschungen, n. F. 22). Tübingen: Max Niemeyer: 1967.

Deecke, E., ,,Historische Nachrichten von dem lübeckischen Patriziat". *Jahrbücher des Vereins für meklenburgische Geschichte und Altertumskunde* X (1845), 50—96.

Dietrich, Margret, ,,Chelidonius Spiel: ,Voluptatis cum Virtute disceptatio' Wien 1515: Versuch einer Rekonstruktion der Inszenierung". *Maske und Kothurn* V (1959), 44—59.

—, ,,Pomponius Laetus' Wiedererweckung des antiken Theaters". *Maske und Kothurn* III (1957), 245—267.

Dinges, Georg, *Untersuchungen zum Donaueschinger Passionsspiel* (Germanistische Abhandlungen 35). Breslau: M. &. H. Marcus. 1910.

Döring, A. und H. Junghans, *Johann Lambach und das Gymnasium zu Dortmund.* Berlin: Calvary & Co: 1875.

Dörr, Kaspar, *Die Kreuzensteiner Dramenbruchstücke. Untersuchungen über Sprache, Heimat und Text* (Germanistische Abhandlungen 50). Breslau: M. &. H. Marcus: 1919.

Dörrer, Anton, *Bozner Bürgerspiele,* Alpendeutsche Prang- und Kranzfeste (Bibliothek des literarischen Vereins in Stuttgart 291). Leipzig: Hiersemann: 1941.

—, „Debs, Benedikt". *Verfasserlexikon* I, 405—408, III 951—992.

—, „Fronleichnamsspiel Bozner,". *Verfasserlexikon* I, 698—730, V 239.

—, „Fronleichnamsspiel, Freiburger". *Verfasserlexikon* I, 732—768.

—, „Mariahimmelfahrtspiel, Neustifter (Innsbrucker)". *Verfasserlexikon* V, 650—651.

—, „Neidhartspiel-Probleme". *Carinthia* I CXLI (1951), 160—171.

—, „Passionsspiel, Egerer". *Verfasserlexikon* III, 738—741.

—, „Passionsspiele, Tiroler". *Verfasserlexikon* III, 741—835, V, 870.

—, „Raber, Vigil". *Verfasserlexikon* III, 951—992.

—, „Schernberg, Dietrich". *Verfasserlexikon* IV, 56—62.

—, „Sterzinger Neidhartspiel aus dem 15. Jahrhundert". *Schlern: Monatsschrift für Heimat- und Volkskunde* XXV (1951), 103—126, 185.

—, *Tiroler Umgangsspiele* (Schlern-Schriften 160). Innsbruck: Wagner: 1957.

—, „Die Ursprünge der Tiroler geistlichen Spiele". *Das neue Reich* XIV (1931/1932). 929—931.

—, „Weihnachts-(Kindelwiegenspiel) Niederhessisches und Eisacktaler". *Verfasserlexikon* IV, 871—883.

Dreimüller, Karl, „Die Alsfelder Marienklage". *Zeitschrift für Kirchenmusik* (Köln) XVII (1949), 35—38.

—, „Die Musik im geistlichen Spiel des späten deutschen Mittelalters dargestellt am Alsfelder Passionsspiel". *Kirchenmusikalisches Jahrbuch* XXXIV (1950), 27—34.

Drescher, Karl, „Studien zu Hans Sachs". *Acta Germanica* II³ (1891), 377—481.

Duriez, Georges, *Les apocryphes dans le drame religieux en Allemagne au moyen age* (Mémoires et Traveaux publiés par les Professeurs des Facultés Catholiques de Lille, Fascicule 10). Lille: René Giard: 1914.

—, *La théologie dans le drame religieux en Allemagne au moyen age* (Mémoires et Traveaux des Facultés Catholiques de Lille, Fascicule 11). Lille: René Giard: 1914.

Ebbecke, Franz, *Untersuchungen zur Innsbrucker Himmelfahrt Mariae.* Diss.: Marburg: 1924; Marburg: Friedrich: 1929.

Eberle, Oskar, „Die Muottaler Moosfahrt einst und jetzt". *Schweizerisches Archiv für Volkskunde* XXIX (1929), 33—40.

Eberle, Oskar, *Theatergeschichte der inneren Schweiz* (Königsberger Deutsche Forschungen 5). Königsberg: Gräfe und Unzer: 1929.

Eggers, Hans, ,,Aggsbacher Marienklage". *Verfasserlexikon* V, 655—656.

—, ,,Berner Marienklage". *Verfasserlexikon* V, 656—657.

—, ,,Böhmische Marienklage". *Verfasserlexikon* V, 657.

—, ,,Breslauer Marienklage". *Verfasserlexikon* V, 658.

—, ,,Docens Marienklage". *Verfasserlexikon* V, 658.

—, ,,Erlauer Marienklage". *Verfasserlexikon* V, 659.

—, ,,Lichtenthaler Marienklage". *Verfasserlexikon* V, 660—661.

—, ,,Marien Himmelfahrt". *Verfasserlexikon* V, 651—653.

—, ,,Münchener Marienklage". *Verfasserlexikon* V, 661—662.

—, ,,St. Galler Marienklage". *Verfasserlexikon* V, 659—660.

—, ,,Simson, niederdeutsches Drama". *Verfasserlexikon* IV 220/221.

—, ,,Trierer Marienklage". *Verfasserlexikon* V, 664—665.

Ernyey, Josef und Geiza, Karsai (Kurzweil) in Verbindung mit Leopold Schmidt, *Deutsche Volksschauspiele aus den Oberungarischen Bergstädten* I, II. Budapest: Ungarisches Nationalmuseum: 1932, 1938.

Evans, M. Blakemore, ,,Beteiligung der Luzerner Bürger am Passionsspiel". *Der Geschichtsfreund* LXXXVII (1932), 304—335.

—, ,,Gundelfingers Grablegung and the Lucerne Passion Play". *Germanic Review* IV (1929), 225—236.

—, ,,A Medieval Pentecost — A Note on Foreign Languages in the Lucerne Passion Play". *Monatshefte* XXX (1938), 153—156.

—, *The Passion of Play of Lucerne*, A Historical and Critical Introduction (The MLA of America Monograph Series 14). New York: The MLA: 1943.

—, ,,The Passion Play of Lucerne". *Germanic Review* II (1927), 93—118.

—, ,,Zur Geschichte des Luzerner Passionsspiels". *Innerschweizerisches Jahrbuch für Heimatkunde* II (1937), 15—23.

Fischer, Ernst H., *Lübecker Theater und Theaterleben* in frühester Zeit bis zur Mitte des 18. Jahrhunderts. Diss.: München: 1931 (Veröffentlichungen der Gesellschaft der Lübecker Theaterfreunde 2). Lübeck: Quitzow: 1932.

Fischer, Hanns, ,,Hans Folz. Altes und Neues zur Geschichte seines Lebens und seiner Schriften". *Zeitschrift für deutsches Altertum* XCV (1966), 212—236.

—, (hrsg.) *Hans Folz. Die Reimsparprüche* (Münchener Texte und Untersuchungen zur Deutschen Literatur des Mittelalters 1). München: Beck: 1961.

Fischer, Ottokar, ,,Die mittelalterlichen Zehnjungfrauenspiele". *Archiv für das Studium der neueren Sprachen und Literaturen* CXXV (1910), 9—26.

Fluri, Adolf, ,,Dramatische Aufführungen in Bern im XVI. Jahrhundert". *Neues Berner Taschenbuch auf das Jahr 1909*. Bern: Wyss: 1908, 133—159.

Forster, Leonhard, *Selections from Conrad Celtis 1459—1508*. Edited with Translation and Commentary. Cambridge: University Press: 1948.

Freybe, Albert, „Das Spiel von den zehn Jungfrauen". *Allgemeine evangelisch-lutherische Kirchenzeitung* XL (1907), 1082—1091, 1109—1113.

Freytag, Gustavus, *De initiis scenicae poesis apud Germanos*. Diss.: Berlin; Berolini: Nietacker: 1838.

Froning, Richard, *Das Drama des Mittelalters* (Deutsche National-Litteratur 14). Stuttgart: Union Deutsche Verlagsgesellschaft: 1895; Nachdruck 1964.

Geering, Arnold, „Die Nibelungenmelodie in der Trierer Marienklage". *Internationale Gesellschaft für Musikwissenschaft. Kongreßbericht*, 118—121. Basel: Bärenreiter Verlag: 1949.

Geiger, Ludwig, *Johann Reuchlin*, sein Leben und seine Werke. Leipzig: Duncker & Humblot: 1871.

—, „Ein ungedrucktes humanistisches Drama". *Zeitschrift für vergleichende Literaturgeschichte und Renaissanceliteratur* n. F. I (1887/1888), 72—77.

Gierach, „Fronleichnamsspiel, Egerer". *Verfasserlexikon* I, 730—732.

Gingerick, Virginia, „The Ludus Diane of Conrad Celtes". *Germanic Review* XV (1940), 159—180.

Gloth, Walther, *Das Spiel von den sieben Farben* (Teutonia 1). Königsberg: Gräfe & Unzer: 1902.

Goedeke, Karl, *Pamphilus Gengenbach*. Hannover: Rümpler: 1856; Nachdruck: Amsterdam: Rodopi: 1966.

Götzinger, Ernst hrsg., *Johannes Kesslers Sabbata* (Mitteilungen zur vaterländischen Geschichte hrsg. vom historischen Verein St. Gallen V—X). St. Gallen: Huber & Co.: 1866—1868.

Gondolatsch, Max, „Beiträge zur Görlitzer Theatergeschichte bis 1800". *Neues Lausitzisches Magazin* CIII (1927), 107—164.

Gottsched, Johann C., *Nötiger Vorrat zur Geschichte der dramatischen Dichtkunst*. Leipzig: o. V.: 1757—1765.

Gradl, Heinrich, „Fronleichnamsspiele. Deutsche Volksaufführungen. Beiträge aus dem Egerlande zur Geschichte des Spiels und Theaters Nr. 49." *Mitteilungen des Vereins für Geschichte der Deutschen in Böhmen* XXXIII (1895), 229—234.

Greiff, Benedikt, „Ein Spiel von St. Georg 1473". *Germania* I (1856), 165—191.

Günther, Otto, „Ein Bruchstück aus einem unbekannten Fastnachtsspiel des 15. Jahrhunderts". *Mitteilungen der schlesischen Gesellschaft für Volkskunde* XXVI (1925), 189—196.

—, *Plautuserneuerungen in der deutschen Literatur des 15. bis 17. Jahrhunderts und ihre Verfasser*. Diss.: Leipzig: 1886; Leipzig: Carl Marquart: 1886.

Gugitz, Gustav, „Alt Wiener Faschingsbrauch". *Jahrbuch für Landeskunde von Niederösterreich* XXIX (1944/1948), 385—393.

Gusinde, Konrad, *Neidhart mit dem Veilchen* (Germanistische Abhandlungen 17). Breslau: M. &. H. Marcus: 1899.

Hänselmann, L., „Fragment eines Dramas von Simson". *Jahrbuch des Vereins für niederdeutsche Sprachforschung* VI (1880), 137—144.

Hahn, Karl, „Schauspielaufführungen in Zwickau bis 1625". *Neues Archiv für sächsische Geschichte und Altertumskunde* XLVI (1925), 95—123.

Haller, Johannes, *Die Anfänge der Universität Tübingen* I, II. Stuttgart: Kohlhammer: 1927, 1929.

Hammerich, L. L., „Gericht, Jüngstes". *Verfasserlexikon* II, 30—32.

Hammes, Fritz, *Das Zwischenspiel im deutschen Drama von seinen Anfängen bis auf Gottsched, vornehmlich der Jahre 1500—1660* (Literarhistorische Forschungen 45). Berlin: E. Felber: 1911.

Hampe, Theodor, *Die Entwicklung des Theaterwesens in Nürnberg*. Nürnberg: J. L. Schrag: 1900.

Hardison, O. B., *Christian Rite and Christian Drama in the Middle Ages*, Essays in the Origin and Early History of Modern Drama. Baltimore: Johns Hopkins Press: 1965.

Hartfelder, Karl, *Fünf Bücher Epigramme von Konrad Celtes*. Berlin: Calvary & Co.: 1881.

—, „Sibutus Georgius Dasipanus". *Allgemeine deutsche Bibliographie* XXXIV 401/402. Leipzig: Duncker & Humblot: 1892.

Hartig, Otto, „Münchner Künstler und Kunstsachen". *Münchner Jahrbuch der bildenden Kunst* n. F. III (1926), 273—361.

Hartl, Eduard hrsg., *Das Benediktbeurer Passionsspiel / Das St. Galler Passionsspiel* (Altdeutsche Textbibliothek 41). Halle: Niemeyer: 1952.

—, *Das Drama des Mittelalters* (Deutsche Literatur, Reihe Drama des Mittelalters 1, 2, 4). Leipzig: Reclam: 1937, 1942.

Hartmann, August, *Volksschauspiele in Bayern und Oesterreich-Ungarn gesammelt*. Leipzig: Breitkopf und Härtel: 1880.

Hartmann, Fritz, *Sechs Bücher Braunschweigischer Theatergeschichte*. Wolfenbüttel: Zwissler: 1905.

Hauck, Karl, „Zur Genealogie und Gestalt des staufischen Ludus de Antichristo". *Germanisch-Romanische Monatsschrift* n. F. II (1951/1952), 11—26.

Heffner, R. M. S., „Borrowings from the *Erlösung* in a ‚Missing' Frankfurt Play". *Journal of English and Germanic Philology* XXV (1926), 474—497.

Hehle, *Der schwäbische Humanist Jacob Locher Philomusus 1471—1528* (Programme des königlichen Gymnasiums in Ehingen 1872/1873, 1873/1874, 1874/1875). Ehingen: Carl Louis Feger: 1873—1875.

Heidenheimer, Heinrich, „Ein Mainzer Humanist über den Karneval," *Zeitschrift für Kulturgeschichte* n. F. III (1896), 21—57.

Heinen, Hubert Plummer, *Die rhythmisch-metrische Gestaltung des Knittelverses bei Hans Folz*. Diss.: University of Texas: 1964 (Marburger Beiträge zur Germanistik 12). Marburg: N. G. Elwert Verlag: 1966.

Heinzel, Richard, *Abhandlungen zum altdeutschen Drama* (Sitzungsberichte der kaiserlichen Akademie der Wissenschaften in Wien, Philosophisch-historische Classe 134). Wien: Carl Gerold: 1896.

Henschel, A., „Christophorus Hegendorf". *Zeitschrift der historischen Gesellschaft für die Provinz Posen* VII (1892), 337—343.

Henss, Rudolf, *Studien zu Hans Folz* (Germanische Studien 156). Berlin: Emil Ebering: 1934.

Herrmann, Fritz, „Miscellanea Moguntina". *Beiträge zur hessischen Kirchengeschichte* III (1903), 325—336.

—, „Nochmals Passionsspiele in Mainz". *Archiv für hessische Geschichte und Altertumskunde* n. F. XIII (1922), 381—383.

Herrmann, Max, *Forschungen zur deutschen Theatergeschichte des Mittelalters und der Renaissance*. Berlin: Weidmann: 1914.

Heym, Rudolf, „Bruchstück eines geistlichen Schauspiels von Marien Himmelfahrt". *Zeitschrift für deutsches Altertum* LII (1910), 1—56.

Hidber, B., „Renward Cysat, der Stadtschreiber zu Luzern. Lebensbild eines katholisch schweizerischen Staatsmannes aus dem 16. Jahrhundert." *Archiv für schweizerische Geschichte hrsg. auf Veranstaltung der allgemeinen geschichtsforschenden Gesellschaft der Schweiz* XIII (1862), 161—224; XX (1875), 3—88.

Höfler, Otto, *Kultische Geheimbünde der Germanen*. Frankfurt am Main: M. Diesterweg: 1934.

Höpfner, Rudolf, *Untersuchungen zu dem Innsbrucker, Berliner und Wiener Osterspiel* (Germanistische Abhandlungen 45). Breslau: M. &. H. Marcus: 1913.

Hoffmann von Fallersleben, Heinrich, *Fundgruben für Geschichte deutscher Sprache und Literatur* II. Breslau: Georg Philipp Aderholz: 1837.

Hohnbaum, Wilhelm, *Untersuchungen zum Wolfenbülller Sündenfall*. Diss.: Marburg: 1911; Marburg: Rossteutscher: 1912.

Holstein, Hugo, *Iacobus Wimphelingius Stylpho* (Lateinische Literaturdenkmäler des 15. und 16. Jahrhunderts 6). Berlin: Weidman: 1892.

—, *Johann Reuchlins Komdöien*. Halle: Buchhandlung des Waisenhauses 1888.

Homeyer, *H. Hrotsvithae Opera* München, Paderborn, Wien: Ferdinand Schöningh: 1970.

Ein hüpsch Spil vonn einem alten Wittling / wie er vmb ein junges Meitlin bulen wolt [Straßburg]: o. V.: o. J.

Huschenbett, Dietrich, „Von dem König Salomon und Markolf und einem Narren". *Zeitschrift für deutsche Philologie* LXXXIV (1965), 369—408.

Inguanez, Don Mauro, „Un dramma della Passione del secolo XII". *Miscellanea Cassinese* XII (1939), 7—38.

Irtenkauf, Wolfgang und Hans Eggers, „Die Donaueschinger Marienklage". *Carinthia* I (1958), 359—382.

Jellinghaus, Hermann, „Das Spiel vom jüngsten Gericht“. *Zeitschrift für deutsche Philologie* XXIII (1891), 426—436.

Joachimsohn, Paul, „Augsburger Schulmeister in vier Jahrhunderten“. *Zeitschrift des historischen Vereins für Schwaben und Neuburg* XXIII (1896). 177—247.

John, Alois, „Zur Kulturgeschichte des westlichen Böhmens“. *Zeitschrift für deutsche Kulturgeschichte* n. F. III (1893), 176—193; 273—388.

Jordan, Rudolf, *Das hessische Weihnachtsspiel und das Sterzinger Weihnachtsspiel vom Jahre 1511* (29. und 30. Jahresbericht des Staatsgymnasiums Krumau). Krumau: Staatsgymnasium: 1902, 1903.

Jungandreas, Wolfgang, „Die Grundlagen des Breslauer Fastnachtspielbruchstücks“, *Mitteilungen der Schlesischen Gesellschaft für Volkskunde* XXVII (1926), 151—179.

—, „Die Mundart des Breslauer Fastnachtspielbruchstücks“. *Mitteilungen der Schlesischen Gesellschaft für Volkskunde* XXVI (1925), 196—199.

Kaelin, J., „Volk und Theater in Solothurn“. *Theater-Illustrierte* VII, 4 (1934), 2—3.

Kärtner, Josef, *Des Jakob Locher Philomusus „Stultifera Navis“ und ihr Verhältniss zum „Narrenschiff“ des Sebastian Brant.* Diss.: Frankfurt: 1924 (ms.).

Kaff, Ludwig, *Mittelalterliche Oster- und Passionsspiele aus Oberoesterreich im Spiegel musikwissenschaftlicher Betrachtung* (Schriftenreihe des Instituts für Landeskunde von Oberoesterreich 9). Linz: Oberoesterreichischer Landesverlag: 1956.

Kaiser, Adolf, *Die Fastnachtsspiele von der Actio de sponsu* (Ein Beitrag zur Geschichte des deutschen Fastnachtspieles). Göttingen: Vandenhoeck & Ruprecht: 1899.

Kattermann, Gerhard, *Markgraf Philipp I. von Baden (1515—1533) und sein Kanzler Dr. Hieronymus Veus.* Diss.: Freiburg: 1932; Düsseldorf: G. H. Nolte: 1935.

Keller, Adelbert von, *Fastnachtspiele aus dem 15. Jahrhundert* (Bibliothek des litterarischen Vereins in Stuttgart 28—30, 46). Stuttgart: Litterarischer Verein: 1853—1858; Nachdruck: Darmstadt: 1965.

Kemp, Jakob, „Zur Geschichte der Kölner Fastnacht“. *Zeitschrift des Vereins für rheinische und westfälische Volkskunde* III (1906), 241—272.

Kindermann, Heinz, „Der Erzhumanist als Spielleiter: zum 500. Geburtstag von Conrad Celtis“. *Maske und Koturn* V (1959), 33—43.

Kindinger, Rainer, *Der Drachenkampf im deutschen Volksspiel.* Diss.: Wien: 1939 (ms.).

Kinkel, Gottfried, „Theaterspiele in Dortmund“. *Monatsschrift für die Geschichte Westdeutschlands* VII (1881), 301—324.

Klapper, Joseph, *Das St. Galler Spiel von der Kindheit Jesu.* (Germanistische Abhandlungen 21). Breslau: M. &. H. Marcus: 1904.

Klitzner, Anton, *Vokalismus der Reime im Egerer Fronleichnamsspiel.* Diss.: Wien: 1920 (ms.).

Knepper, Joseph, *Jakob Wimpheling* (Erläuterungen und Ergänzungen zu Janssens Geschichte des deutschen Volkes III, 2—4). Freiburg i. B.: Herder: 1902.

Koch, Ludwig, „Das geistliche Spiel von den zehn Jungfrauen zu Eisenach". *Zeitschrift des Vereins für thüringische Geschichte und Altertumskunde* VII (1870), 109—132.

Köhler, Reinhold, „Das Spiel von den sieben Weibern, die um einen Mann streiten". *Germania* XXII (1877), 19—20; auch in *Kleinere Schriften von Reinhold Köhler* hrsg. Bolte, Berlin: Emil Felber: 1900, 476—479.

Kölner, Paul Rudolf, *Die Basler Fastnacht.* Basel: Friedrich Reinhart: 1913.

Kossowski, Stanislaus, *Christophorus Hegedorphinus in der bischöflichen Adademie zu Posen 1530—1535* (Jahresbericht des K. und K. II. Obergymnasiums in Lemberg, 1903). Lemberg: Piller: 1903.

Krage, Friedrich, *Arnold Immessen, Der Sündenfall* (Germanische Bibliothek 8). Heidelberg: Winter: 1913.

Krause, Carl. *Euricius Cordus,* Eine biographische Skizze aus der Reformationszeit. Diss.: Marburg; Marburg: o. V.: 1863.

—, *Helius Eobanus Hessus.* Gotha: Friedrich Andreas Perthes: 1879.

Krogmann, Willy, *Das Redentiner Osterspiel* (Altdeutsche Quellen H. 3). Leipzig: Hirzel: 1937, 1964².

Kühl, Gustav, „Die Bordesholmer Marienklage". *Jahrbuch des Vereins für niederdeutsche Sprachforschung* XXIV (1898), 1—75, 149.

Kummer, Karl Ferdinand, *Erlauer Spiele.* Wien: Alfred Hölder: 1882.

Lange, Carl, *Die lateinischen Osterfeiern. Untersuchungen über den Ursprung und die Entwicklung der liturgisch-dramatischen Auferstehungsfeier.* München: Ernst Stahl: 1887.

Langosch, Karl, *Geistliche Spiele: Lateinische Dramen des Mittelalters mit deutschen Versen.* Berlin: Rütten & Loening: 1957.

—, „Reichersberg, Gerhoh von". *Verfasserlexikon* III, 1022—1040.

Lehr, Friedrich, *Studien über den komischen Einzelvortrag in der älteren deutschen Literatur. I: Die parodistische Predigt.* Diss.: Marburg: 1907; Marburg: Koch: 1907.

Lendi, Karl, *Der Dichter Pamphilus Gengenbach, Beiträge zu seinem Leben und seinen Werken* (Sprache und Dichtung 39). Bern: Paul Haupt: 1926.

Lenk, Werner, *Das Nürnberger Fastnachtspiel des 15. Jahrhunderts* (Deutsche Akademie der Wissenschaften zu Berlin, Veröffentlichungen des Instituts für deutsche Sprache und Literatur 33, Reihe C. Beiträge zur Literaturwissenschaft). Berlin: Akademie Verlag: 1966.

Lethener, Martha, *Das „Judicium Paridis de pomo aureo" des Jacobus Locher Philomusus.* Diss.: Wien: 1952 (ms.).

Liebenow, Peter, *Das Künzelsauer Fronleichnamspiel* (Ausgaben deutscher Literatur des XV. bis XVIII. Jahrhunderts: Reihe Drama 2). Berlin: Walter de Gruyter: 1969.

—, „Das Künzelsauer Fronleichnamspiel, weitere Zeugnisse zur einer Aufführung". *Archiv für das Studium der neueren Sprachen und Literaturen* CXX Bd. 205 (1968), 44—47.

—, „Zu zwei Rechnungsbelegen aus Künzelsau". *Kleine Schriften der Gesellschaft für Theatergeschichte* XXI (1966). 11—13.

Lier, Leonhard, „Studien zur Geschichte des Nürnbergers Fastnachtsspieles". *Mitteilungen des Vereins für Geschichte der Stadt Nürnberg* VIII (1889), 87—160. Diss.: Leipzig: 1889.

Liliencron, Rochus von, „Die Chorgesänge des lateinisch-deutschen Schuldramas im 16. Jahrhundert". *Vierteljahresschrift für Musikwissenschaft* VI (1890), 309—387.

—, „Die Horazischen Metren in deutschen Kompositionen des 16. Jahrhunderts". *Vierteljahresschrift für Musikwissenschaft* III (1887), 26—92.

Lipphardt, Walter, „Altdeutsche Marienklagen". *Die Singgemeinde* IX (1933), 65—79.

—, „Das hessische Weihnachtsspiel". *Convivium symbolicum* II (1958), 27—48; 66—67. Bremen: Walter Dorn: 1958.

— „Liturgische Dramen". *Musik in Geschichte und Gegenwart* VIII (1959/1960), 1012—1051.

—, „Marienklagen und Liturgie". *Jahrbuch für Liturgiewissenschaft* XII (1932), 198—205.

—, „Studien zu den Marienklagen". *Beiträge zur Geschichte der deutschen Sprache und Literatur* LVIII (1934), 390—444.

—, *Die Weisen der lateinischen Osterspiele des 12. und 13. Jahrhunderts* (Musikwissenschaftliche Arbeiten 2). Kassel: Bärenreiter: 1948.

Lössl. R., *Das Verhältnis des Pamphilus Gengenbach und Niklaus Manuel zum älteren Fastnachtsspiel* (2. Jahresbericht des Städtischen Realgymnasiums Gablonz a. N.). Gablonz: Realgymnasium: 1900.

Lomnitzer, Helmut, „Das Verhältnis des Fastnachtspiels vom ‚Kaiser Constantinus' zum Reimpaarspruch ‚Christ und Jude' von Hans Folz". *Zeitschrift für deutsches Altertum* XCII (1964), 277—291.

Lynge, Werner, „Die Grundlagen des Sommer- und Winter-Streitspieles" *Oesterreichische Zeitschrift für Volkskunde* N. S. II (1948), 113—147.

Mämpel, Arthur, *Das Dortmunder Theater*, (I Mittelalter und Humanismus 1500—1600; II Studenten, Fahrende und Schauspielergesellschaften). Dortmund: Selbstverlag: 1935/1936.

Mansholt, Teiel, *Das Künzelsauer Fronleichnamsspiel*. Diss. Marburg: 1892; Marburg: C. L. Pfeil. 1892.

Martin, Ernst, *Freiburger Passionsspiele des 16. Jahrhunderts.* (Zeitschrift der Gesellschaft für Beförderung der Geschichts-, Altertums- und Volkskunde 3) Freiburg i. B.: Gesellschaft für Beförderung der Geschichts-, Altertums- und Volkskunde: 1872.

Maschek, Hermann, „Eine deutsche Marienklage aus dem 15. Jahrhundert". *Beiträge zur Geschichte der deutschen Sprache und Literatur* LX (1936), 325—339.

Matern, Gerhard, *Zur Vorgeschichte und Geschichte der Fronleichnamsfeier besonders in Spanien* (Spanische Forschungen der Görresgesellschaft II, 10). Münster: Aschendorff: 1962.

Maurer, Friedrich hrsg., *Die Erlösung,* Eine geistliche Dichtung des 14. Jahrhunderts (Deutsche Literatur in Entwicklungsreihen, Reihe geistliche Dichtung des Mittelalters 6). Leipzig: Philipp Reclam: 1934.

Mayer, August L., „Quellenstudien zu Hans Folz". *Zeitschrift für deutsches Altertum* L (1908), 314—328.

—, *Die Meisterlieder des Hans Folz* (Deutsche Texte des Mittelalters 12). Berlin: Weidmann: 1908.

McShane, Margaret Mary, *The Music of the Medieval Liturgical Drama.* Diss.: Catholic University: 1961 (ms.).

Mentzel, Elisabeth, *Geschichte der Schauspielkunst in Frankfurt am Main von Ihren Anfängen bis zur Eröffnung des städtischen Komödienhauses* (Archiv für Frankfurts Geschichte und Kunst n. F. 9). Frankfurt am Main: Völcker: 1882.

Meyer, Karl, „Niederdeutsches Schauspiel von Jakob und Esau". *Zeitschrift für deutsches Altertum* XXXIX (1895), 423—426.

Meyer, Kathi, „Über die Melodiebildung in den geistlichen Spielen des frühen Mittelalters". *Internationaler Musikhistorischer Kongreß* (Beethoven-Zentenarfeier Wien 26.—31. März 1927). Wien: Universal-Edition: 1927, 145—148.

Meyer, Wilhelm, „Der Ludus de Antichristo und Bemerkungen über die lateinischen Rhytmen des 12. Jahrhunderts". *Sitzungsberichte der philosophisch-philologischen und historischen Classe der königlich bayerischen Akademie der Wissenschaften zu München I* (1882), 1—192.

Michael, Wolfgang F., *Die Anfänge des Theaters zu Freiburg im Breisgau* (Zeitschrift des Freiburger Geschichtsvereins 45). Auch Diss.: München: 1934; Freiburg i. B.: Jos. Waibel: 1934.

—, „Anton Dörrer. Tiroler Umgangsspiele". *Anzeiger für deutsches Altertum* LXXI (1958/9), 81—84.

—, „Das deutsche Drama und Theater vor der Reformation". *Deutsche Vierteljahrsschrift für Literaturwissenschaft und Geistesgeschichte* XXXI (1957), 106—153.

—, „Deutsche Literatur bis 1500: Drama" *Kurzer Grundriß der Germanischen Philologie* II 573—607, Berlin: Walter de Gruyter: 1971.

Michael, Wolfgang F., ,,Fahrendes Volk und mittelalterliches Drama". *Kleine Schriften der Gesellschaft für Theatergeschichte* XVII (1960), 3—8.

—, *Frühformen der deutschen Bühne* (Schriften der Gesellschaft für Theatergeschichte 62). Berlin: Gesellschaft für Theatergeschichte: 1963.

—, ,,Gab es ein Marburger Prozessionsspiel?". *Archiv für das Studium der neueren Sprachen und Literaturen* CXIV (1963), 394—396.

—, *Die geistlichen Prozessionsspiele in Deutschland* (Hesperia 22). Baltimore, Göttingen: Johns Hopkins, Vandenhoeck & Ruprecht: 1947.

—, ,,The Staging of the Bozen Passion Play". *Germanic Review* XXV (1950), 178—195.

—, ,,Zum Innicher Osterspielfragment von 1340". *Zeitschrift für deutsche Philologie* LXXXVII (1968), 387—390.

Michels, Victor, *Studien über die ältesten deutschen Fastnachtspiele* (Quellen und Forschungen zur Sprach- und Culturgeschichte der germanischen Völker 77). Straßburg: Trübner: 1896.

Migne, J. P., *Patrologiae Cursus Completus: Patrologia Latina*, Bd. 137. Paris: Garnier Fratres: 1894.

Milchsack, Gustav, *Egerer Fronleichnamsspiel* (Bibliothek des Litterarischen Vereins in Stuttgart 156). Tübingen: Litterarischer Verein: 1881.

—, *Heidelberger Passionsspiel* (Bibliothek des litterarischen Vereins in Stuttgart 150). Tübingen: Litterarischer Verein: 1880.

—, *Der verlorne Sohn, ein Fastnachtspiel von Burkard Waldis* (Neudrucke deutscher Literaturwerke des 16. und 17. Jahrhunderts 30). Halle: Max Niemeyer: 1881.

Mitterwieser, Alois, *Geschichte der Fronleichnamsprozession in Bayern*. München: Knorr & Hirth: 1930; Neuausgabe durch Torsten Gebhard 1949.

Mone, Franz Joseph, *Altteutsche Schauspiele* (Bibliothek der gesammten deutschen National-Literatur 21). Quedlinburg, Leipzig: Gottfried Basse: 1841.

—, *Schauspiele des Mittelalters* I, II. Karslruhe: C. Macklot: 1846.

Morris, Walter Duff, *The Staging of the Vistiatio Plays, a Contribution to Medieval Drama*. Thesis: The University of Texas: 1955 (ms.).

Moser, Hans, ,,Archivalische Belege zur Geschichte altbayerischer Festbräuche im 16. Jahrhundert". *,,Staat und Volkstum", Festgabe für Karl Alexander von Müller*. Diessen vor München: Joseph C. Huber: 1933, 167—189.

Muller, J. W., ,,Robijn en Consorten". *Tijdschrift voor nederlandsche Taal- en Letterkunde* XXIX (1910), 103—121.

Mundt, Lothar, *Johannes Kerckmeister Codrus*. (Ausgaben Deutscher Literatur des 15. bis 18. Jahrhunderts, Reihe Drama 3). Berlin: Walter de Gruyter: 1969.

Näf, Werner, *Vadian und seine Stadt St. Gallen* I, II. St. Gallen: Fehr. 1944, 1957.

Nagl, John W., und Jakob Zeidler, *Deutsch-Österreichische Literaturgeschichte* I, II. Wien: Carl Fromme: 1899 , 1900.

Nagler, A. M., ,,Der Villinger Bühnenplan". *Journal of English and Germanic Philology* LIV (1955), 318—331.

Naumann, Hans, *Primitive Gemeinschaftskultur* (Beiträge zur Volkskunde und Mythologie). Jena: Diederichs: 1921.

Niessen, Carl, *Die dramatischen Darstellungen in Köln von 1526—1700* (Veröffentlichungen des Kölnischen Geschichtsvereins 3). Köln: Kölnischer Geschichtsverein: 1917.

Niewöhner, H., ,,Das böse Weib und die Teufel". *Zeitschrift für deutsches Altertum* LXXXIII (1951/1952), 143—156.

—, ,,Rosenplüt, Hans". *Verfasserlexikon* III, 1092—1110.

Nordhoff, Josef Bernhard von, *Denkwürdigkeiten aus dem Münsterischen Humanismus*. Münster: Theissing: 1874.

Nugent, Elisabeth, ,,Johannes Stammler's Dyalogus". *PMLA* LIII (1938), 989—997.

Obrist, G., ,,Ain Vasnacht Spill von den Risn oder Reckhn". *Germania* XXII (1877), 420—429.

Orel, Alfred, ,,Die Weisen im Wiener Passionsspiel aus dem 13. Jahrhundert". *Mitteilungen des Vereins für Geschichte der Stadt Wien* VI (1926), 72—97 Anh. 1/3.

Das Osterspiel von Muri. Faksimile Druck der Fragmente. Basel: Alkuin: 1967.

Osthoff, Helmuth, ,,Deutsche Liedweisen und Wechselgesänge im mittelalterlichen Drama". *Archiv für Musikforschung* VII (1942), 65—81.

—, ,,Die Musik im Drama des deutschen Mittelalters". *Deutsche Musikkultur* VIII (1943), 29—40.

Panofsky, Erwin, *Hercules am Scheidewege und andere antike Bildstoffe in der neueren Kunst* (Studien der Bibliothek Warburg 18). Leipzig, Berlin: Teubner: 1930.

Paul, Hermann, und B. Hidber, ,,Geistliche Stücke aus der Berner Gregoriushandschrift". *Beiträge zur Geschichte der deutschen Sprache und Literatur* III (1876), 358—372.

Peschel, Franz, ,,Faschingsrecht und das deutsche Richterspiel". *Sudetendeutsche Zeitschrift für Volkskunde* VII (1934), 63—69.

Petersen, Julius, ,,Aufführungen und Bühnenplan des älteren Frankfurter Passionsspiels". *Zeitschrift für deutsches Altertum* LIX (1921/1922), 83—126.

Petsch, Robert, ,,Der Aufbau des Helmstädter Theophilus". *Niederdeutsche Studien* Festschrift für Konrad Borchilng 59—77. Neumünster: Karl Wachholtz: 1932.

—, *Theophilus*, Mittelniederdeutsches Drama in drei Fassungen (Germanische Bibliothek II, 2). Heidelberg: Carl Winter: 1908.

Pfeiffer, Franz, ,,Die Münchener Marienklage". *Altdeutsche Blätter* II (1840), 373—376.

Pichler, Adolph, *Über das Drama des Mittelalters in Tirol*. Innsbruck: Wagner: 1850.

Pinder, Wilhelm, „Die dichterische Wurzel der Pieta". *Repertorium für Kunstwissenschaft* XLII (1920), 145—163.

Pindter, Felicitas, *Celtis Conradus Ludi Scaenici* (Bibliotheca Scriptorum Medii Recentisque Aevorum saec. XV—XVI). Budapest: Eggeteni Nyomda: 1945.

Plenzat, Karl, *Die Theophiluslegende in den Dichtungen des Mittelalters* (Germanische Studien 43). Berlin: Ebering: 1926.

Prantl, Carl von, „Über Daniel Holzmanns Fronleichnamsspiel vom Jahre 1574". *Sitzungsbericht der philosophisch-philologischen und historischen Klasse der königlich bayrischen Akademie der Wissenschaften zu München* III (1873), 843—888.

Preiss, Kurt Leopold, *Konrad Celtis und der italienische Humanismus*. Diss.: Wien: 1951 (ms.).

—, „Konrad Celtis und Kaiser Maximilian I". *Unsere Heimat*. Monatsblatt des Vereins für Landeskunde von Niederösterreich und Wien XXX (1959), 101—109.

Priebsch, Robert, „Aus deutschen Handschriften der königlichen Bibliothek zu Brüssel". *Zeitschrift für deutsche Philologie* XXXIX (1907), 156—179.

Ranke, Friedrich, hrsg., *Das Osterspiel von Muri*. Aarau: Sauerländer: 1944.

Reeves, Dona B., *The Künzelsau Corpus Christi Play: A Diplomatic Edition and Critical Interpretation*. Diss.: University of Texas: August 1963 (ms.).

Reiners-Ernst, Elisabeth, *Das freudvolle Vesperbild und die Anfänge der Pietà-Vorstellung* (Abhandlungen der Bayerischen Benediktiner Akademie II). München: Neuer Filser-Verlag: 1939.

Reinhardstoettner, Carl von, *Plautus, Spätere Bearbeitungen plautinischer Lustspiele*. Leipzig: Wilhelm Friedrich: 1886.

Reinhold, Erich, *Über Sprache und Heimat des hessischen Weihnachtsspiels*. Diss.: Marburg: 1909; Marburg: Heinrich Bauer: 1909.

Reinle, Adolf, „Mathias Gundelfingers Zurzacher Osterspiel von 1494 ‚Luzerner Grablegung'" *Innerschweizerisches Jahrbuch für Heimatkunde* XIII/XIV (1949/1950), 65—96.

Reischl, Josephine, *Die Tragedia de Thurcis et Soldano des Jakob Locher Philomusus*. Diss.: Wien: 1951 (ms.).

Reiterer, Marcus, *Die Herkulesentscheidung von Prodikos und ihre frühhumanistische Rezeption der „Voluptatis cum Virtute Disceptatio" des Benedictus Chelidonius*. Diss.: Wien: 1957 (ms.).

Reupke, Willm, *Das Zerbster Prozessionsspiel* 1507 (Quellen zur deutschen Volkskunde 4). Diss.: Greifswald; Berlin, Leipzig: Walter de Gruyter: 1930.

Reuschel, Karl, *Die deutschen Weltgerichtsspiele des Mittelalters und der Reformationszeit* (Teutonia 4). Leipzig: Eduard Avenarius: 1906.

Richter, Otto, „Das Johannesspiel zu Dresden im 15. und 16. Jahrhundert". *Neues Archiv für sächsische Geschichte und Altertumskunde* IV (1883), 101—114.

Rieger, Max, „Das Spiel von den zehn Jungfrauen". *Germania* X (1866), 311—337.

Robinson, Walter L., *The Origin of the German Fastnacht Plays*. Thesis: The University of Texas: 1955 (ms.).

Roller, Hans Ulrich, *Der Nürnberger Schembartlauf: Studien zum Fest- und Maskenwesen des späten Mittelalters*. Tübingen: Vereinigung für Volkskunde: 1965.

Roloff, Hans-Gert, hrsg., *Georg Wickram Sämtliche Werke* XII Apostelspiel Knabenspiel (Ausgaben deutscher Literatur des 15. bis 18. Jahrhunderts). Berlin: Walter de Gruyter: 1968.

—, *Sebastian Brant Tugent Spyl* (Ausgaben deutscher Literatur des 15. bis 18. Jahrhunderts, Reihe Drama 1). Berlin: Walter de Gruyter: 1968.

Rosenfeld, Hellmut, „Das Redentiner Osterspiel — ein Lübecker Osterspiel". *Beiträge zur Geschichte der deutschen Sprache und Literatur* LXXIV (1952), 485—491.

Rudwin, Maximilian J., *A Historical and Bibliographical Survey of the German Religious Drama* (University of Pittsburgh Studies in Language and Literature). Pittsburgh: University of Pittsburgh: 1924.

—, *The Origin of the German Carnival Comedy*. New York, London, Paris, Leipzig: G. E. Stechert: 1920, auch *Journal of English and Germanic Philology* XVIII (1919), 402—454.

Rueff, Hans, *Das rheinische Osterspiel der Berliner Handschrift Ms. Germ. Fol. 1219* mit Untersuchungen zur Textgeschichte des deutschen Osterspiels (Abhandlung der Gesellschaft der Wissenschaft in Göttingen philol. hist. Klasse n. F. XVIII 1). Berlin: Weidmann: 1925.

Ruh, K., „Studien über Heinrich von St. Gallen und den ‚Extendit manum' — Passionstraktat". *Zeitschrift für schweizerische Kirchengeschichte* XLVII (1953), 210—230, 241—271.

Rupprich, Hans, hrsg., *Der Briefwechsel des Konrad Celtis* (Veröffentlichungen der Kommission zur Erforschung der Geschichte der Reformation und Gegenreformation / Humanistenbriefe III). München: Beck: 1934.

Sachs, Hans Günter, *Die deutschen Fastnachtsspiele von den Anfängen bis zu Jakob Ayrer*. Diss.: Tübingen: 1957 (ms.).

Sachse, Richard, *Die ältere Geschichte der Thomasschule zu Leipzig*. Leipzig: Teubner: 1912.

Salmon, P. B., „‚Das Hofgesindt Veneris' and Some Analogues". *German Life and Letters* N. S. X (1956), 14—21.

Sarauw, Chr., *Das niederdeutsche Spiel von Theophilus* (Det Kgl. Danske Videnskabernes Selskab Historisk-filologiske Meddelelser VIII, 3). København: Høst: 1923.

Schachner, Heinrich, „Das Dorotheaspiel". *Zeitschrift für deutsche Philologie* XXXV (1903), 157—196.

Scheunemann, Ernst, „Robert Stumpfl, Kultspiele der Germanen als Ursprung des mittelalterlichen Dramas". *Zeitschrift für deutsche Philologie* LXI (1936), 432—443; LXII (1937), 95—105.

Schmidt, Carl, *Studien zur Textkritik der Erlösung*. Diss.: Marburg: 1910; Marburg: Johann August Koch: 1911.

Schmidt, Gustav, *Die Handschriften der Gymnasialbibliothek* II (Osterprogramm 1881 Königliches Domgymnasium Halberstadt) 1881 Progr. 197. Halberstadt: Meyer: 1881.

Schmidt, Karl W. Ch., *Die Darstellung von Christi Höllenfahrt in den deutschen und den ihnen verwandten Spielen des Mittelalters*. Diss.: Marburg: 1915; Marburg: Heinrich Bauer: 1915.

Schmidt-Wartenberg, H. M., „Ein Tiroler Passionsspiel des Mittelalters". *PMLA* V (1890). No. 3.

Schneider, Karin, „Das Eisenacher Zehnjungfrauenspiel". *Lebendiges Mittelalter. Festschrift Wolfgang Stammler*. Freiburg i. S.: Universitätsverlag: 1958, 162—203. Auch *Das Eisenacher Zehnjungfrauenspiel* (Texte des späten Mittelalters und der frühen Neuzeit 17). Berlin: Erich Schmidt: 1964.

Schnorr von Carolsfeld, Franz, „Vier ungedruckte Fastnachtspiele des 15. Jahrhunderts". *Archiv für Literaturgeschichte* III (1874), 1—25.

Schönbach, Anton, *Über die Marienklagen*, Ein Beitrag zur Geschichte der geistlichen Dichtung in Deutschland (Festschrift Universität Graz: 1874). Graz: Leuschner & Lubensky: O. D.

Schönbach, A. E., „Ein altes Neidhartspiel" *Zeitschrift für deutsches Altertum* XL (1896), 368—374.

Schönemann, Otto, *Der Sündenfall und Marienklage*, Zwei niederdeutsche Schauspiele aus Handschriften der Wolfenbüttler Bibliothek. Hannover:. Carl Rümpler: 1855.

Schreiber, Heinrich, *Urkundenbuch der Stadt Freiburg von den frühesten Zeiten bis auf jetzige Zeiten*. Freiburg: Herder: 1829.

Schroeder, Edvardus, *Dietrich Schernbergs Spiel von Frau Jutten* (Kleine Texte für theologische und philologische Vorlesungen und Übungen 67). Bonn: Marcus & Weber: 1911.

—, „Die Gothaer Botenrolle". *Zeitschrift für Deutsches Altertum* XXXVIII (1894), 222—224.

—, *Hermanni Schottenii Hessi Ludus Martius* (Marburger Universitätsprogramm 1902 zur Feier von Kaisers Geburtstag). Marburg: Robert Friedrich: 1902.

Schütz, Alfred, *Die Dramen des Konrad Celtis*. Diss.: Wien: 1948 (ms.).

Schuler, Ernst August, *Die Musik der Osterfeiern, Osterspiele und Passionen des Mittelalters*. Diss.: Basel: 1940: Kassel, Basel: Bärenreiter: 1951.

Schultz, Alwin, „Bruchstücke eines Passionsspiels". *Germania* XVI (1871), 57—60.

Schulze, Wilhelm, „Codrus. Lateinische Schulkomödie aus dem Jahre 1485". *Archiv für Literaturgeschichte* XI (1882), 328—341.

Schumann, Albert, hrsg., *Das Künzelsauer Fronleichnamsspiel vom Jahr 1479*. Öhringen: Hohenlohesche Buchhandlung: 1926.

Seelmann, Wilhelm, *Mittelniederdeutsche Fastnachtspiele* (Drucke des Vereins für niederdeutsche Sprachforschung I) Norden, Leipzig: Diedrich Soltau: 1885.

Sengpiel, Oskar, *Die Bedeutung der Prozessionen für das geistliche Spiel des Mittelalters in Deutschland* (Germanistische Abhandlungen 66). Diss.: Marburg; Breslau: M. &. H. Marcus: 1932.

Senn, Walther, *Aus dem Kulturleben einer süddeutschen Kleinstadt*. Innsbruck, Wien, München: Tyrolia. 1938.

Siegl, Karl, „Das Egerer Fronleichnamsspiel". *Unser Egerland* XXXV (1931), 33—39.

Sievers, Eduard, „Himmelgartner Bruchstücke". *Zeitschrift für deutsche Philologie* XXI (1889), 384—404.

Sievers, Heinrich, *Die lateinischen, liturgischen Osterspiele der Stiftskirche St. Blasien zu Braunschweig*. Diss.: Würzburg: 1935, Berlin: Triltsch & Huther: 1936.

Simon, Eckehard, „The Origin of the Neidhart Plays: A Reappraisal". *Journal of English and Germanic Philology* LXVII (1968), 458—474.

—, „The Staging of Neidhart Plays With Notes on Six Documented Performances". *Germanic Review* XLIV (1969), 5—20.

Singer, Samuel, *Neidhart-Studien*. Tübingen: Mohr: 1920.

—, „Ein Streit zwischen Herbst und Mai". *Schweizerisches Archiv für Volkskunde* XXIII (1920), 112—116. Auch in „Germanisches Drama", *Germanisch, Romanisches Mittelalter* 185—198. Zürich, Leipzig: Max Niehans: 1935.

Smoldon, William L., „The Easter Sepulchre Music-Drama". *Music and Letters* XXVII (1946), 1—17.

Spengler, Franz, „Kilian Reuter von Melrichstadt". *Forschungen zur neueren Literaturgeschichte; Festgabe für Richard Heinzel*, 121—129. Weimar: Emil Felber: 1898.

Spitz, Lewis W., *Conrad Celtis, The German Arch-Humanist*. Cambridge: Harvard University Press: 1957.

Spriewald, Ingeborg, hrsg., *Hans Folz* (Studienausgaben zur neueren deutschen Literatur 4). Berlin: Akademieverlag: 1960.

—, „Hans Folz, Dichter und Drucker: Beitrag zur Folzforschung". *Beiträge zur Geschichte der deutschen Sprache und Literatur* (Halle) LXXXIII (1961), 242—277.

Springer, Otto, „A Philosopher in Distress: A Propos of a Newly Discovered Medieval German Version of Aristotle and Phyllis". *Germanic Studies in Honor of Edward Henry Sehrt* (Miami Linguistics Series 1). Coral Gables: University of Miamy Press. 1968, 203—217.

Steinger, Hans, „Fahrende Dichter". *Deutsche Vierteljahrsschrift für Literaturwissenschaft und Geistesgeschichte* VIII (1930), 61—79.

Sticca, Sandro, „The Montecassino Passion and the Origin of the Latin Passion Play" *Italica* XLIV (1967), 209—219.

—, „The Planctus Mariae and the Passion Plays". *Symposium* XV (1961), 41—47.

Stopp, Hugo, *Untersuchungen zum St. Galler Passionsspiel.* Diss.: Saarbrükken: 1959; Lithodruck ohne Ort: ohne Verleger: ohne Datum.

Stork, Max, „Sant Jörg am Oberrhein". *Schau ins Land* XXXII (1905),1—36.

Straganz, Max, *Hall in Tirol.* Innsbruck: Schwick: 1903.

Strobl, J., „Das Kreuzensteiner Spiel". *Aus der Kreuzensteiner Bibliothek* (Studien zur deutschen Liteaturgeschichte 1—23) Wien: Holzhausen: 1907. Auch *Ein Rheinisches Passionsspiel des 14. Jahrhunderts* (Beiträge zur deutschen Literaturgeschichte aus der Kreuzensteiner Bibliothek). Halle: Max Niemeyer: 1909.

Stumpfl, Robert, „Die Bühnenmöglichkeiten im 16. Jahrhundert". *Zeitschrift für deutsche Philologie* LIV (1929), 42—80; LV (1930), 49—78.

—, *Das evangelische Schuldrama in Steyr im 16. Jahrhundert.* Diss.: Wien: 1926 (ms.).

—, hrsg., *Jacob und seine zwölf Söhne, ein evangelisches Schulspiel aus Steyr von Thomas Brunner* (Neudrucke deutscher Literaturwerke des 16. und 17. Jahrhunderts, 258—260). Halle: Niemeyer: 1928.

—, *Kultspiele der Germanen als Ursprung des mittelalterlichen Dramas.* Berlin: Junker & Dünnhaupt: 1936.

Sumberg, Samuel L., *The Nuremberg Schembart Carinval* (Columbia Germanic Studies, N. S. 12). New York: Columbia University Press: 1941.

Thon, Friedrich Wilhelm, *Das Verhältnis des Hans Sachs zu der antiken und humanistischen Komödie.* Diss.: Halle; Halle: Colbatzky: 1889.

Thoran, Barbara, *Studien zu den österlichen Spielen des deutschen Mittelalters.* Diss.: Bochum: 1969; o. O.: o. V.: o. J.

Urban, M., „Fassnacht in Alt-Eger". *Deutsche Arbeit* III (1904), 410—416.

Ursprung, Otto, *Die katholische Kirchenmusik* (Handbuch der Musikwissenschaft). Potsdam: Athenaion: 1931.

Veith, Franciscus Antonius, „Pinicianus". *Bibliotheca Augustana* I, 139—148. Augsburg: o. V.: 1785.

Vetter, Ferdinand, hrsg., *Niklaus Manuel, Spiel der evangelischen Freiheit: Die Totenfresser* (Die Schweiz im deutschen Geistesleben 16). Leipzig: Haessel: 1923.

—, *Ein Rufer im Streit. Manuels erste reformatorische Dichtungen.* Bern: G. Grunau: 1917.

Vetter, Ferdinand hrsg., ,,Über die zwei angeblich 1522 aufgeführten Fastnachtspiele Niklaus Manuels". *Beiträge zur Geschichte der deutschen Sprache und Literatur* XXIX (1904), 80—117.

Vogeleis, M., *Quellen und Bausteine zu einer Geschichte der Musik und des Theaters im Elsass* (500—1800). Straßburg: F. X. Le Roux: 1911.

Wackernagel, Wilhelm, *Die Lebensalter*. Basel: Bahnmaier: 1862.

Wackernell, Joseph Eduard, *Die ältesten Passionsspiele in Tirol* (Wiener Beiträge zur deutschen und englischen Philologie 2). Wien: Wilhelm Braumüller: 1887.

—, *Altdeutsche Passionsspiele aus Tirol* (Quellen und Forschungen zur Geschichte, Litteratur und Sprache Österreichs und seiner Kronländer 1). Graz: Styria: 1897.

Wagner, Peter, ,,Das Dreikönigsspiel zu Freiburg in der Schweiz". *Freiburger Geschichtsblätter* X (1903), 77—101.

Walther, C., ,,Das Fastnachtspiel Henselin oder von der Rechtfertigkeit". *Jahrbuch des Vereins fór niederdeutsche Sprachforschung* III (1877), 9—36.

—, ,,Über die Lübecker Fastnachtsspiele". *Jahrbuch des Vereins für niederdeutsche Sprachforschung* VI (1880), 6—31.

—, ,,Zu den Lübecker Fastnachtspielen". *Jahrbuch des Vereins für niederdeutsche Sprachforschung* XXVII (1901), 1—21.

Warnatsch, Otto, ,,Die Sage vom Wunderer und der Saligen in ihrer litterarischen Gestaltung". *Festschrift des germanistischen Vereins in Breslau* 177—192. Leipzig: Teubner: 1902.

Wegele, Franz, *Friedrich der Freidige, Markgraf von Meissen*. Nördlingen: C. H. Beck: 1870.

Wehrmann, C., ,,Fastnachtsspiele der Patrizier in Lübeck". *Jahrbuch des Vereins für niederdeutsche Sprachforschung* VI (1880), 1—5.

—, ,,Das Lübeckische Patriziat". *Zeitschrift des Vereins für Lübeckische Geschichte und Altertumskunde* V (1888), 293—392.

Werner, Ernst, *Der Humanist Joseph Grünpeck und seine ,,Comoediae utilissimae"*. Diss.: Wien: 1949 (ms.).

Woerdeman, Jude, ,,The Source of the Easter Play". *Orate Fratres* XX (1945/1946), 262—272.

Wolff, L., ,,Marienklage, Bordesholmer". *Verfasserlexikon* III, 247—250.

Wolter, Emil, *Das St. Galler Spiel vom Leben Jesu* (Germanistische Abhandlungen 41). Breslau: M. & H. Marcus: 1912.

Wright, Edith, *The Dissemination of the Liturgical Drama in France*. Diss.: Bryn Mawr; Bryn Mawr: o. V.: 1936.

Wuttke, Dieter, ,,Die Druckfassung des Fastnachtspieles ,Von König Salomon und Markolf'". *Zeitschrift für deutsches Altertum* XCIV (1965), 141—170.

—, ,,Zum Fastnachtspiel des Spätmittelalters". *Zeitschrift für deutsche Philologie* LXXXIV (1965), 247—267.

Wuttke, Dieter, *Die Historie Herculis des Nürnberger Humanisten und Freundes der Gebrüder Vischer Pangratz Bernhaubt genannt Schwenter*. Köln, Graz: Böhlau: 1964.

—, „Hubert Heinen, *Die Rhythmisch-metrische Gestaltung des Knittelverses . . .*". *Mitteilungen des Vereins für Geschichte der Stadt Nürnberg* LIV (1966), 176/177.

—, „Michael, Wolfgang F., *Frühformen der deutschen Bühne*". *Zeitschrift für deutsche Philologie* LXXXVII (1968), 120—124.

—, „Pangratz Bernhaubt genannt Schwenter, der Nürnberger Humanist und Freund der Gebrüder Vischer". *Mitteilungen des Vereins für Geschichte der Stadt Nürnberg* L (1960), 222—257.

—, „Zu den Tugendspielen des Sebastian Brants". *Zeitschrift für deutsches Altertum* XCVII (1968), 235—240.

Wyss, Heinz, hrsg., *Das Luzerner Osterspiel* I—III (Schriften hrsg. unter dem Patronat der schweizerischen Geisteswissenschaftlichen Gesellschaft 7). Bern: Francke: 1967.

Young, Karl, *The Drama of the Medieval Church* I, II. Oxford: The Clarendon Press: 1933; Nachdruck 1951.

—, „The Harrowing of Hell", *Transactions of the Wisconsin Academy of Sciences, Arts and Letters* XVI (1909), 889—947.

Zacher, Julius, „Mittelniederländisches Osterspiel". *Zeitschrift für deutsches Altertum* II (1842), 302—350.

Zeidler, J., „Das Wiener Schauspiel im Mittelalter". *Geschichte der Stadt Wien* III, 1, 109—149. Wien: Gilhofer und Rauschburg: 1903.

Zimmermann, Ernst, „Das Alsfelder Passionsspiel und die Wetterauer Spielgruppe". *Archiv für hessische Geschichte und Altertumskunde* n. F. VI (1909), 1—206.

Zingerle, Oswald hrsg., *Sterzinger Spiele nach Aufzeichnungen des Vigil Raber* (Wiener Neudrucke 9: *15 Fastnachts-spiele aus den Jahren 1510—1511* Wiener Neudrucke 11: *11 Fastnachts-spiele aus den Jahren 1512—1535*) Wien: Carl Konegen: 1886.

Zink, Georges, *Le Wunderer*. Paris: Aubier: 1949.

Zinsli, Paul, hrsg., *Niklaus Manuel Der Ablasskrämer* (Altdeutsche Übungstexte 17). Bern: Francke: 1960.

Verfasserlexikon = Stammler, Wolfgang, Karl Langosch, hrsg., *Die Deutsche Literatur des Mittelalters* Verfasserlexikon* I—V. Berlin: Walter de Gruyter & Co.: 1933—1955.

REGISTER

Die Einträge sind wo immer möglich nach Sachen geordnet, z. B. „Großes Benediktbeurer Passionsspiel" unter „Passionsspiele, lateinische: Benediktbeuren, großes."